tredition®
www.tredition.de

Ruben Schwarz

Astern und Designermode

Mord ist der Normalfall

Verlag & Druck: tredition GmbH, Halenreie 40-44,
22359 Hamburg

ISBN
Paperback: 978-3-7497-6372-6
Hardcover: 978-3-7497-6373-3
e-Book: 978-3-7497-6374-0

ASTERN UND DESIGNERMODE

1

„Bleib unten, verdammt!“

Das geht schief, dachte Manuel verzagt und übergab die Pistole nervös von der rechten in seine linke Hand. Ihm war viel zu heiß unter der kratzigen, roten Wollmütze. Als er zusammen mit Angel vorgestern mit der stumpfen Nagelschere die Sehschlitze in ihre beiden Mützen geschnitten hatte, eine günstige Anschaffung vom Wühltisch im Kaufhof, war er noch davon ausgegangen, damit später ein bisschen wie Spiderman auszusehen. Leider lagen die Löcher nicht auf gleicher Höhe und waren auch unterschiedlich groß geraten, so dass er ständig an den Maschen zupfen musste, um überhaupt hindurchschauen zu können. Die losen, fransigen Wollfäden des zerstörten Materials perfektionierten zusätzlich den Eindruck der Maskierung eines schon vor langer Zeit verstorbenen Bankräubers, der keinen Frieden findet und als Zombie umherirrt.

Trotzdem, oder gerade deshalb, war die Dame mittleren Alters im blauen Kostüm, die bäuchlings in der Schalterhalle der Sparkasse lag, eingeschüchtert und senkte ihr Gesicht so tief auf den Boden, dass ihre Nase fast die anthrazitfarbigen Fliesen berührte.

„Jetzt machen sie schon!“, rief Angelique, neben der Drehtür stehend, dem Kassierer hinter der Glasscheibe zu. Sie hatte sich ebenfalls eine rote Mütze über das Gesicht gezogen. Ihre Stimme wirkte schrill, fast hysterisch. Manuel bewegte sich mit schnellen Schritten auf den Kassierer zu und drückte den Lauf der Pistole gegen die Scheibe. „Mach schon, Arschloch, alles da rein! Wieviel hast du überhaupt hier?“

„Etwas über Neuntausend“, antwortete der Kassierer ruhig und legte ein Päckchen Fünfziger und eins mit Zwanzigern sorgfältig und bedächtig in die graue Sporttasche, die der Räuber ihm über die Glasscheibe geworfen hatte.

„Was? Mehr nicht!“, rief der junge Mann mit der Maske schockiert, „das ist doch hier ne Bank, oder nich? Ihr müsst doch Kohle ohne Ende hier haben. Doch wohl mehr als lumpige Neuntausend!“

„Na, klar, aber unten im Tresorraum natürlich. Hier oben brauchen wir normalerweise nicht so viel.“

Der ältere Mann, der nicht weit von der Frau im blauen Kostüm entfernt auf dem Boden lag und auf Grund seiner Korpulenz Probleme gehabt hatte, überhaupt in diese Position zu kommen, stemmte sich stöhnend mit den Händen hoch und schlug vor: „Das hat doch hier keinen Sinn, lassen sie das doch. Bestimmt kommt jeden Moment die Polizei. Wer überfällt denn heutzutage noch eine Sparkasse?“

„Wer hat dich denn gefragt, Fettsack!“, keifte der junge Mann und kratzte sich durch die Maske hindurch im Gesicht. *Warum muss das bloß so scheißeheiß sein, hier drin*, dachte er. Er ging auf den am Boden Liegenden zu und zielte mit der Waffe auf ihn. „Halt´s Maul und runter mit dir, klar? Oder es kracht!“

„Schon gut, schon gut“, beschwichtigte der Ältere. Irgendwie schien er nur mäßig beunruhigt.

„Mensch, Manu, lass den Alten, kümmer dich um das Geld und mach hinne!“, rief Angelique vom Eingang her. Nervös blickte sie durch die Glasfassade nach draußen, wo sich zum Glück weder neue Bankkunden noch die Polizei näherte.

„Verdammt, Angel, du sollst keine Namen nennen!“, herrschte Manuel sie an. „Los, Arschloch, komm da raus und bring mich zum Tresorraum!“, wandte er sich dann wieder an den Kassierer. Der kramte in seiner Anzugtasche umständlich nach einem Schlüsselbund.

„Wir haben keine Zeit mehr!“, schrie Angelique, „los, her mit der Tasche!“

„Genau, her damit, wirf sie oben drüber!“, ergänzte der Bankräuber. Er spürte, dass ihm der Schweiß vom Kinn abtropfte. Und er bereute plötzlich, dass er auf Angel gehört hatte. Einfach abhauen mit den Taschen voller Geld und auf Ibiza ein neues Leben anfangen, das war ihre Idee gewesen.

Der Kassierer zog den Reißverschluss der Sporttasche zu und brachte sich in Position. Beim ersten Versuch prallte die Tasche am oberen Rand der Glasbarriere ab und fiel nach innen zurück auf den Tresen des Kassenraums.

„Bist du lebensmüde?“, brüllte Manuel. Der Kassierer holte mit einer annähernd kreisrunden Armbewegung Schwung und die kaum gefüllte Tasche schwebte wie gewünscht über den Glasrand. Manuel fing sie mit einer Hand auf. Sie war federleicht. Draußen ertönte das Signalhorn eines Polizeiwagens. Zwei Signalhörner. Oder drei.

„Manu, komm schnell!“, kreischte Angelique panisch.

„Nenn mich nicht … Ach, fick dich doch!“ Er rannte, die Tasche in der linken, die Knarre in der rechten Hand, zu seiner Freundin. Hektisch schob er diese vor sich her in die gläserne Drehtür und stolperte dabei über ihre Füße. Mit der rechten Hand stieß er gegen den Rand der Drehtür und verlor die Pistole. Als er sich bückte, um sie aufzuheben, stieß die nachfolgende Glaswand gegen sein Hinterteil. Strauchelnd taumelte er nach draußen. „Komm schon“, fauchte er seine Freundin an, „hier entlang!“ Beide wandten sich nach links, wo sie hinter einem Kiosk in eine Nebenstraße abbogen, die mehr eine Art Hinterhofdurchgang war. Passanten auf der Hauptstraße waren stehengeblieben und starrten ihnen hinterher. *Was glotzen die so blöd,* dachte Manuel. Dann fielen ihm die Mützen ein, die sie beide noch über ihren Gesichtern trugen. Er steckte die Pistole, eine Jaguarmatic, hinten in seinen Hosenbund und riss die Mütze vom Gesicht. Er warf sie achtlos auf den Boden und herrschte Angelique an: „Angel, die Mütze!“ Die Polizeisirenen klangen plötzlich beängstigend nah.

Die Giebelwände der hohen Backsteinhäuser, die nur einen engen Durchgang von nicht einmal drei Metern gewährten, hatten im Untergeschoss keine

Fenster. Hier reihten sich diverse Mülltonnen, flankiert von zerdrückten Pappkartons, Müllsäcken und verschiedenen, offensichtlich seit längerer Zeit vor sich hingammelnden Sperrmüllexponaten und Autoreifen, in lockerer Folge aneinander. Die Vespa ET lehnte an einer Hauswand, und der Zweitakter knattere noch immer unregelmäßig im Leerlauf. Manuel war das Risiko eingegangen, weil die Mühle in letzter Zeit immer dann nicht anspringen wollte, wenn er es eilig hatte. Und dass sie es heute eilig haben würden, davon war er einfach mal kühn ausgegangen.

„Au, verdammt!“, jammerte Angelique hinter ihm. Sie war anscheinend umgeknickt und hüpfte auf einem Bein. Die pinkfarbenen Stiefeletten mit den Strasssteinen fand Manuel ohnehin unpassend für eine Bankräuberin.

„Komm, Schatzi, stell dich nicht so an, wir haben´s ja gleich!“, rief er tröstend hinter sich. Er klemmte die Tasche unter den Spannbügel des Gepäckträgers, ergriff den Lenker der Vespa und schwang sein rechtes Bein über den Sitz. Angelique humpelte fluchend heran und setzte sich hinter ihn. Als er spürte, wie ihre Arme sich um seinen Bauch schlangen, gab er Gas und kuppelte ein. Mit einem hellen Jauchzen machte die Vespa einen Satz nach vorn. Eine weiße Wolke verließ den rostigen Auspuff. Manuel lenkte das Gefährt aus der Gasse heraus in den fließenden Verkehr auf der Altendorfer Straße. Die *Wumme* in seinem Hosenbund drückte gegen seinen Hüftknochen. Die Waffe war uralt, und Manuel hatte sie mal in einer Kiste auf dem Dachboden zusammen mit anderen Spielsachen gefunden. Die schwarze Pistole mit dem braunen Plastikgriff sah täuschend echt aus, wenn man nicht zu genau hinsah, und Manuel bezweifelte, dass er mit den Zündplättchen ernsthaft jemanden hätte verletzen können. Es war für Angel und ihn von Anfang an klar gewesen, dass eine echte Schusswaffe nicht in Frage kam. Sie hätten auch nicht gewusst, wie man an sowas herankommt. Manuel hatte zwar mal gehört, dass man sowas ohne Probleme am Hauptbahnhof kaufen konnte. Aber wie hätte man das anstellen sollen? Schließlich konnte man nicht einen x-beliebigen Typen vorm Bahnhofsklo ansprechen und fragen, ob er nicht vielleicht eine Knarre zu verkaufen hätte.

Der kühle Fahrtwind trocknete die verschwitzten Haare. Angel hatte die ihren zweckmäßigerweise zu einem Knoten gebunden, damit sie unter der Mütze Platz fanden. Der Knoten hatte sich allerdings gelöst, und das Gebilde, welches sie nun auf und an ihrem

Kopf trug, hatte mit einer Frisur nur sehr wenig gemeinsam.

Es erforderte einiges an Geschick, die Vespa zwischen Straßenbahnschienen und geparkten Autos hindurch zu manövrieren, ohne von vorbeidrängelnden Autos erfasst zu werden. Auf mehr als vierzig Sachen brachte es die alte Mühle ohnehin nicht mehr, aber für das Tempo entwickelte sie immerhin einen Höllenlärm. Der Fahrtwind drückte die dünnen Blousons, die beide trugen, gegen die verschwitzten Körper. Manuel spürte, wie seine Freundin sich von hinten eng an ihn presste, und seltsamerweise vermittelte ihm diese Nähe trotz der Ausnahmesituation, in der sie sich befanden, ein Gefühl der Geborgenheit.

2

Heute gab es Erbseneintopf. Das war schon immer eine von Gerds Lieblingsspeisen gewesen. Eigentlich musste es bei ihm ja immer Fleisch sein. Beilagen wie Kartoffeln und Gemüse waren bestenfalls notwendige Dekoration, aber Fleisch und Wurst waren die dominierenden Bestandteile von Gerds Ernährung. Bei

Erbseneintopf machte er jedoch eine Ausnahme, obwohl auch darin Mettwurst oder Schweineschwarte schwimmen musste. Am besten beides. Leonie rührte mit dem hölzernen Kochlöffel die dicke, sämige Suppe im Topf um. Man musste aufpassen, dass am Topfboden nichts anbrannte. Manchmal war ihr das passiert, und fast immer hatte es Prügel gegeben, wenn Gerd eins der angebrannten Kartoffelstücke in seinem Teller gefunden hatte. Eigentlich konnte Gerd nichts dafür. Er war immer schon leicht erregbar gewesen. Das lag in seiner Natur. Konnte auch sein, dass er die Impulsivität von seinem Vater geerbt hatte. Mehr als einmal hatte er sie derart zugerichtet, dass sie für Tage nicht ins Geschäft konnte. Dann hatte sie ausschließlich hinten in den Gewächshäusern gearbeitet, die Pflanzen gewässert, umgetopft, und für den Verkauf vorbereitet.

Den direkt an die Gärtnerei angrenzenden Friedhof hatten sie früher auch betreut, aber dann hatte die Friedhofsverwaltung sich einen anderen Gärtner gesucht. Das lag nicht zuletzt daran, dass Gerd manchmal tagelang nicht arbeiten konnte. Nämlich in den Phasen, in denen Johnny Walker kam, sobald der Tag ging. Für Gerd war die Tageszeit dabei allerdings kein entscheidendes Kriterium. Beim Saufen war er flexibel. Allerdings nicht so sehr, wenn im Alltag, sei es im Geschäft, im Gewächshaus oder in der Wohnung, etwas nicht nach seinem Kopf ging. Dann konnte er manchmal blitzschnell mit seinen schwieligen Händen zuschlagen. Da war er auch treffsicher, selbst wenn Johnny Walker ihm die Hand führte.

Zu Anfang, damals in den 1990er Jahren, den ersten Jahren nach ihrer Heirat, hatte er noch darauf geachtet, dass Außenstehende ihr nichts ansehen konnten. Dieses Prinzip hatte sich im Laufe der Jahre aber aufgeweicht, und Gerd hatte blaue Augen, aufgeplatzte Lippen und verstauchte Handgelenke gelegentlich billigend in Kauf genommen, wenn es die Situation erforderte. Als Grund dafür reichte es manchmal schon aus, wenn Leonie ein Klümpchen feuchter Erde an der Außenseite eines Geranientopfes übersah, der in den Verkaufsraum gelangte. Oder wenn er an einem Alpenknöterich einen abgebrochenen Trieb entdeckte. Oder wenn eins der Stiefmütterchen nicht richtig angewachsen war, weil Leonie die Erde nicht fachgerecht angedrückt hatte. Manchmal reichte es aber auch schon aus, wenn Gladbach ein Heimspiel verlor. Klar, für Letzteres konnte Leonie wirklich nichts, aber ihre anderen Fehler fand sie ja selbst ärgerlich. Und irgendwie war es ja dann auch kein Wunder, wenn Gerd ausrastete. Wie auch immer, früher waren solche Prügelstrafen fast an der Tagesordnung gewesen, aber zum Glück hatte das nachgelassen. Präziser ausgedrückt hatte es sogar ganz aufgehört. Darüber war Leonie auch heilfroh, denn seitdem sie immer häufiger diese Kreislaufprobleme hatte, war ihr manchmal Angst und bange geworden, wenn sie nach einem Schlag in die Magengrube oder einem wohlgesetzten Nierenhaken unter Schmerzen aus einer Bewusstlosigkeit aufgewacht war.

Sie hatte Gerd an einem Abend, das musste an einem Adventsonntag 2016 gewesen sein (der zweite oder dritte, das wusste sie nicht mehr genau), in einer stillen Stunde während eines Tatorts dringend darum gebeten, sie nicht mehr so hart zu schlagen, weil sie Angst um ihr Leben hatte. Er hatte ihr das sogar fest versprochen. Überhaupt sei er ja eigentlich keiner, der Frauen schlägt. Er sei nur manchmal ein bisschen impulsiv, und sie solle nur mehr aufpassen, dass sie nicht so viel Mist baue.

In die Gärtnerei Breuning verirrte sich zu dem Zeitpunkt ohnehin kaum noch ein Kunde, und sie hatten große Mühe, einigermaßen über die Runden zu kommen, was sie zum Teil mit der Hilfe von Rücklagen aus besseren Zeiten und einer Hypothek auf das Wohnhaus und die Gewächshäuser bestritten. Gerd hatte leider eine robuste Art, mit Leuten umzugehen.

Mehrfach hatte er Kunden, für die sie anscheinend nicht das Richtige im Sortiment hatten, mit Hinweisen wie „Wenn sie nicht mit dem zufrieden sind, was sie hier sehen, dann verpissen sie sich doch dahin, wo der Pfeffer wächst!“ zum Ausgang begleitet. Heute wusste Leonie, dass auch in diesen Fällen Johnny Walker Gerds Verkaufstrainer gewesen war.

Jedenfalls war das Leben im Hause Breuning viel harmonischer geworden, seit Gerd sich von seinen Prügelattacken verabschiedet hatte. Das ging jetzt schon seit über einem Jahr gut.

Leonie stellte die Herdplatte aus und nahm zwei Suppenteller aus einem der Hängeschränke. Vorsichtig füllte sie die Teller mit dem dampfenden Eintopf, darauf bedacht, dass keine Kleckse auf das Ceranfeld fielen. In dieser Hinsicht ging sie immer noch auf Nummer sicher. Sie nahm die Schürze ab, legte sie auf den Heizkörper unter dem Küchenfenster und ging dann mit den beiden Tellern hinüber zur Essecke. Einen Teller stellte sie vor Gerds Stammplatz auf die Wachstuchdecke, den anderen gegenüber.

„Ach, du trinkst doch sicher ein Bier.“ Das fiel ihr spontan ein. Es war immerhin Freitag, und da tranken sie immer zum Mittagessen ein Bier. In der Küche holte sie noch eine Flasche Stauder und zwei Pilsgläser. Sie setzte sich gegenüber von Gerds Platz auf einen Küchenstuhl und goss beide Gläser voll, bis der Schaum an den Rand stieg. „Prost, Gerd", sagte sie und nickte dem leeren Platz auf der Eckbank zu. Dass außer ihr niemand am Tisch saß, fand Leonie nicht weiter ungewöhnlich. Gerd war mittags am Tisch fast immer ein großer Schweiger vor dem Herrn gewesen. Langsam führte sie Löffel um Löffel zum Mund und leerte ihren Teller Suppe mit Wursteinlage. Danach räumte sie den Tisch ab und leerte Gerds noch unberührtes Glas in der Spüle. Die ebenfalls verschmähte Suppe aus seinem Teller goss sie ins Klo und spülte gründlich nach. Nachdem alles unter fließendem Wasser abgespült war, räumte sie Teller und Besteck in den Geschirrspüler. Für eine Weile hatte Gerd ihr noch beim Essen gegenübergesessen, etwa für die Dauer von vier Wochen. Dann war es beim besten Willen nicht mehr gegangen. Er hatte umziehen müssen.

Es war jetzt kurz nach zwei, da hatte sie noch eine knappe Stunde, bis sie den Laden wieder öffnen musste. Dass tatsächlich Kunden kamen, darüber musste sie sich keine Gedanken machen. Das lag nicht zuletzt daran, wie abgelegen die Gärtnerei an der wenig befahrenen Landstraße lag. Früher, als die Buslinie noch hier entlanggeführt hatte, und das

Zementwerk noch in Betrieb gewesen war, hatte es hier mehr Verkehr gegeben. Aber seit der Eröffnung des neuen Autobahnzubringers herrschte in dieser Gegend Totentanz. Aber das machte nichts, Gerd und sie brauchten nicht viel. Sie würde sich um die Beet- und Balkonpflanzen kümmern, um Stauden und Sträucher, würde dort gießen, wo es nötig war, und evtl. vertrocknete Blüten entfernen. Draußen war es immer noch heiß und trocken. Wie schon seit Mai fast durchgehend. Wenn es endlich regnen würde, wäre es schon gut. Für die Sträucher und Obstbäume im Außenbereich. Und für die jungen Koniferen, die auf der anderen Straßenseite in einer eigenen kleinen Schonung standen. Leonie entschloss sich dazu, mit dem Wassertank, den Gerd auf einen kleinen Karren montiert hatte, dort ein bisschen zu wässern. Gerd hatte das Teil früher bei Trockenperioden immer mit auf den Friedhof genommen. Der transparente Kunststoffzylinder fasste fünfhundert Liter. Vollgetankt konnte Leonie ihn kaum ziehen, deshalb füllte sie ihn immer nur zu etwa zwei Dritteln. Eine oder zwei Reihen der Bäumchen würde sie vielleicht noch schaffen, bevor es drei Uhr wurde.

3

Das war genau ihr Wetter. Valerie Bensheim liebte die Sonne. Auch wenn dunkle Sonnenbräune schon lange nicht mehr in war, sie achtete sehr auf die Pflege ihres Teints und trug große Sonnenbrillen, war es das optimale Wetter dafür, mit offenem Verdeck zu fahren. Der Z4 schnurrte wie ein Raubkätzchen, als sie an der Ausfahrt Kettwig die A52 verließ und auf der Verzögerungsspur verlangsamte. Das Navi hatte vorgeschlagen, die Autobahn hier zu verlassen, weil es Richtung Essen-Süd einen Stau gab. Kurz hinter der Ausfahrt musste sie sich rechts halten und gelangte auf eine zweispurige Landstraße, die keinen Mittelstreifen besaß und ungewöhnlich schmal war. Die Strecke war kurvenreich, und Valerie kam kurz in den Sinn, dass sie vielleicht besser auf der Autobahn geblieben wäre, aber die kleine energische Dame im Navigationsgerät beharrte weiter auf der Route und war sich damit offenbar sehr sicher.

Seit sie den neuen Extrajob hatte, diente der alte ihr zunehmend nur noch als Alibibeschäftigung. Harry Lehnert, ein drittklassiger Stimmungs- und Schlagersänger, der früher mal im Bierkönig auf Mallorca seine musikalischen Plattitüden zum Besten gegeben hatte, war für den Sonntag in der Essener Grugahalle gebucht. Valerie Bensheim war eine One-Woman-Künstleragentur. Sie machte Termine für ihre „Stars“, buchte deren Hotelzimmer, sorgte für punktgenaues Catering und nahm ihren Schäfchen bei Bedarf auch die Beichte ab, sprich: Sie hörte zu, wenn einer seinen Melancholischen hatte, einer großen Karriere hinterher weinte, die nicht richtig Fahrt aufnehmen wollte, oder weil ihn die große Liebe verlassen hatte, obwohl ihm auf der Bühne doch alle zujubelten. Nach ein paar Hundert Metern entdeckte Valerie tatsächlich am Straßenrand ein Plakat, auf dem, zusammen mit anderen mehr oder weniger bekannten Künstlern, Harry Lehnert abgebildet war. Die weißen Zähne strahlten im prallen Sonnenlicht. Warum die Idioten ausgerechnet dort plakatierten, wo es garantiert niemand sah, blieb wohl deren Geheimnis. Da würde sie gleich noch mit der Druckerei sprechen. Die organisierten nämlich auch die Außenwerbung. Das sollten sie ihr mal erklären.

Valeries neuer, zweiter Job, den sie noch nicht so lange machte, gehörte zu einer ganz anderen Branche, zu einer, über die man nicht gerne spricht. Öffentlich schon gar nicht.

Das Hamburger Kennzeichen auf ihrem dunkelblauen BMW-Cabrio rührte daher, dass ihr eigentlicher Wohnsitz Hamburg war. Meistens legte sie die

Reisen zu den weiter entfernten Eventlocations in München, Berlin, Stuttgart oder Dresden mit dem Flieger zurück. Aber in den nächsten Tagen brauchte sie das Auto vor Ort. Sie musste ein bisschen flexibel sein. Sich bewegen können, ohne Spuren zu hinterlassen. Woher sie ihr Talent für diesen Zweitjob hatte, wer wusste das schon. Aber er lag ihr irgendwie. Wahrscheinlich schon immer. Da war sie wohl ein Naturtalent. Vielleicht hatte auch alles mit ihrem Vater angefangen. Oder erst mit Jürgen. Das Café Mozart in Hamburg kam ihr in den Sinn. Mit Jürgen war sie dort oft gewesen. Das war jetzt mindestens zwei Jahre her. Und das Wetter war an dem Tag nicht ganz so toll gewesen, wie jetzt.

4

Aber es war ein Sonntag, damals in ihrer Heimatstadt an der Elbe, daran erinnerte sie sich genau.

Irgendwie war es schade, dass man ausgerechnet jetzt mit geschlossenem Verdeck fahren musste, denn sie liebte es, sonntagnachmittags die Marktstraße hinunter zu cruisen. Der Vormittag dieses Frühlingstages hatte sich schon vor Sonnenaufgang mit hochfliegenden Versprechungen, das zu erwartende Wetter betreffend, verausgabt. Nicht dass Valerie Bensheim den Sonnenaufgang bewusst erlebt hätte, denn sonntags schlug sie ihre schönen braunen Augen, die im Moment des Erwachens noch nicht ganz so strahlend wirkten wie später am Tage, selten vor elf Uhr auf. Das lag zum Teil daran, dass die Samstagnacht oft den Bars und Clubs im Schanzenviertel gehörte, wo sie unzählige Freunde hatte und nur selten ihre *Dirty Bananas* oder *White Ladys* selbst bezahlen durfte. An den meisten Wochenenden war sie jedoch mit dem Zug oder dem Flieger unterwegs, um ihre Künstler, die manchmal quengeliger und trotziger als Kinder sein konnten, vor und nach deren Auftritt zu pampern und ihnen möglichst jeden noch so kleinen Stein aus dem Weg zu räumen.

Beim Duschen war ihr in den Sinn gekommen, dass sie schon lange nicht mehr von ihren Alpträumen geplagt wurde. Gleichzeitig wusste sie, dass gerade dieser Gedanke mit Sicherheit ein Fehler war, was ihre kommenden Nächte betraf.

Als Valerie Bensheim am Nachmittag ihr nachtblaues Z4-Cabrio aus der Tiefgarage der exklusiven Wohnanlage in einer ruhigen Gegend von Bergedorf lenkte, zeigte der Himmel sich noch in fast fleckenfreiem Blau. Auf dem kleinen Stückchen der A25 fuhr sie wegen des offenen Verdecks nicht schneller als Achtzig. Je mehr sie sich dem Stadtzentrum näherte, zogen dichtere Wolken auf und ballten sich mit diebischem Vergnügen, so erschien es ihr jedenfalls, direkt über ihr zusammen.

Valerie trug ein dunkelblaues Kopftuch mit kleinen weißen Segelschiffen darauf, wenn sie offen fuhr, denn ihre dunklen, fast schwarzen Haare, die ihr lang und glatt über die Schultern fielen, wären sonst vom Fahrtwind zu sehr verwüstet worden. Von weitem betrachtet, wirkte sie mit dem Tuch ein bisschen wie Audrey Hepburn, und man hätte sie sich gut hinter Gregory Peck auf dem Sozius einer Vespa vorstellen können. Sah man Valerie Bensheim aus der Nähe, so hatte ihr Gesicht wenig von dem kindlichen, naiven Charme der Schauspielerin. Valerie war eine junge Frau, die man vielleicht als klassische Schönheit bezeichnen konnte. Die dunklen, leicht schräg gestellten Augen und die hohen Wangenknochen verdankte sie ihrer Oma Miroslawa, die schon lange tot war und aus Kasachstan stammte. Die Nase war schmal und klein, ebenso wie ihr Mund, dessen Winkel oft ein wenig nach unten zeigten, was ihrem Ausdruck eine moderat spöttische, vielleicht aristokratische Überheblichkeit verlieh. Die dunklen Augen, die stets klug und aufmerksam ihre Umgebung musterten, milderten diesen Eindruck ab und nahmen jeden von sich ein, der mit ihr in Kontakt kam.

An einer roten Ampel nahe der Innenstadt musste sie schließlich ihr Verdeck schließen, als erste winzige Regentropfen auf Frontscheibe und Armaturenverkleidung tupften. Kurz darauf setzte ein kurzer, aber heftiger Regenschauer ein.

Für Freizeitaktivitäten waren normalerweise das Schanzenviertel und die Hafencity ihre bevorzugten Reviere, aber an Sonntagnachmittagen, sofern sie keine Termine hatte, führte Valeries Weg sie häufig in das nicht weit entfernte Karolinenviertel mit seinen schicken Boutiquen und Cafés. Das *Café Mozart* hatte ihr Jürgen vor einem (war das echt schon so lange her?) knappen Jahr gezeigt. Wahrscheinlich war er aber auch nur deshalb mit ihr hierhergekommen, weil er hier mit großer Wahrscheinlichkeit davon ausgehen konnte, keine Bekannten oder gar seine Frau zu treffen. Der Gedanke an Jürgen dämpfte Valeries ansonsten gute Laune spontan.

„Fuck“, stieß sie kaum hörbar hervor, als sie sah, dass entlang der gesamten Marktstraße nirgendwo ein freier Parkplatz auszumachen war. Der Regen hörte auf, so schnell wie er begonnen hatte. Auf der linken Straßenseite sah sie gleich neben dem Frozen-Yogurt-Shop die großen Fenster des *Mozart* an sich vorbeigleiten. Das Café war, obwohl es schon lange an diesem Platz existierte, noch immer weitestgehend ein Geheimtipp geblieben, zwar gut besucht, aber niemals überlaufen.

Valerie setzte den Blinker und bog nach links in die Turnerstraße ein, die, ebenfalls wie die Marktstraße, nur in einer Richtung befahrbar war. Gleich hinter der Einmündung war eine der markierten Parkflächen frei, in der man den Wagen parallel zur Fahrbahn mit zwei Rädern auf dem Gehweg abstellen konnte. Das gequälte Ächzen des rechten Vorderreifens drang bis in den geschlossenen Innenraum des Wagens. Valerie behandelte ihr Auto wie jemand, für den Geldmangel nie ein Thema gewesen war. Vorsichtig nahm sie das Tuch vom Kopf und richtete ihre Haare mit schnellen geübten Handgriffen. Einige Grimassen vor dem heruntergeklappten Spiegel in der Sonnenblende bestätigten ihr, dass Augenmakeup und die makellosen Zähne, von denen zwei überkront waren, sich in einem korrekten Zustand befanden. Kurz mokierte sie sich innerlich über die inzwischen doch deutlich sichtbaren Lachfältchen in den Augenwinkeln, die sie durch mehrfaches wechselseitiges Wenden des Kopfes von allen Seiten betrachtete. Mit sechsunddreißig Jahren bekam *frau* halt auch nichts mehr geschenkt. Von nichts kommt nichts, und auch ihre noch immer vorzeigbare Figur wäre ohne die mindestens zwei Besuche pro Woche im Fitnessstudio nicht die, die sie war.

Valerie schürzte die Lippen und grinste dann übertrieben den Spiegel an. Auch der Lippenstift war okay. Sie klappte entschlossen die Sonnenblende hoch und warf mit Schwung die langen Beine aus der geöffneten Autotür. Vom Rücksitz klaubte sie die blaue Lederjacke von *Louis Vuitton*, die fast der Farbe des Wagens entsprach, und die gleichfarbige, kleine Handtasche. Es war nicht sehr kühl, und man hätte vielleicht auf die Jacke verzichten können, aber der Kontrast zu dem leichten, ärmellosen Kleid, das in seinem sanften Fliederfarbton verliebt die Knie umschmeichelte, war unschlagbar und durfte der Welt nicht vorenthalten werden.

Valerie schlug die Fahrertür zu. Der Autoschlüssel in ihrer Hand, der ein kurzes Aufleuchten der vier Blinker und ein hohles Zwitschern auslöste, verschwand danach in der Handtasche.

Bis zur Straßenecke waren es nur ein paar Schritte. Die beiden jungen Männer, die ihr entgegenkamen, unterbrachen bei ihrem Anblick spontan eine angeregte Unterhaltung. Valerie war es gewohnt, die interessierten Blicke, die auf ihr ruhten, wahrzunehmen, aufzunehmen und zu speichern wie die Kerben am Gewehrkolben eines Kopfgeldjägers, ohne die Männer dabei ihrerseits eines Blickes zu würdigen.

Zwischen den Wolken zeigten sich wieder erste blaue Stellen, und ein angenehmer Wind wehte die Marktstraße entlang. Die schmalen, hohen Fenster des Café Mozart reichten fast bis zum Boden und waren im unteren Drittel zwar lichtdurchlässig, aber durch ihren Schliff trotzdem nicht durchsichtig. Dennoch waren Sie geeignet für einen letzten optischen Check im Profil. Die Pumps von *Manolo Blahnik* streckten die Figur und verliehen Beinen und Po perfekte Linien. Die kurze, offene Lederjacke verbarg nicht gänzlich den positiven Effekt, den der Push Up-BH unter dem leichten Sommerkleid bei Valeries Brüsten erzeugte. *Zwei wundervolle Hände voll*, wie Jürgen immer gesagt hatte. Wenn sie sich recht erinnerte, hatte Basti sich oft so ähnlich geäußert. *Noch so ein Arsch!*

Einige Tische im Café schienen schon besetzt zu sein. Valerie mochte es, beim Eintreten die Blicke auf sich zu ziehen wie ein Magnet die Eisenspäne. Dabei war es ihr egal, ob es sich um bewundernde Blicke von Männern handelte, oder neidische Blicke von Frauen. Fast am besten waren die Blicke, die Frauen auf ihre Männer warfen, wenn diese zuvor Valerie bewundernd angeschaut hatten.

Die Eingangstür war ebenfalls voll verglast und bestand im unteren Bereich aus Milchglas. Etwa in Augenhöhe prangte der weiße Schriftzug *Café Mozart* in einer altmodischen Schreibschrift. Valerie strich mit den Händen die langen Haare über den Ohren nach hinten und warf dabei leicht den Kopf zurück. Dann drückte sie mit dem polierten Messinggriff die Tür nach innen.

Es war kurz nach 15.30 Uhr, als Valerie Bensheim das *Café Mozart* betrat. Böse Zungen würden vielleicht sagen, *als sie ihren Auftritt hatte*, denn das war es, was die junge Frau gern mochte. Das Café war nicht sehr groß, und die meisten Tische waren bereits besetzt. Während sie mit nicht zu schnellen, selbstsicheren Schritten den Eingangsbereich durchmaß, scannte sie, ohne irgendein Detail direkt ins Auge zu fassen, den Raum. Sie spürte Blicke sich ihr zuwenden, Unterhaltungen für einen Moment ins Stocken geraten, bevor sie dann fortgesetzt wurden. Ihr Blick streifte kurz die gläserne Kuchenvitrine, in der einige Torten präsentiert wurden, von denen sie wusste, dass sie von Alina, der Frau des Inhabers, einer gelernten

Konditorin, mit viel Hingabe selbst gefertigt wurden. Erfreut bemerkte Valerie aus den Augenwinkeln, dass einer der Tische am Fenster, sogar der schönste und hellste Platz im *Mozart*, frei war. Ihre Freude ließ sie sich nicht anmerken, sondern marschierte wie selbstverständlich darauf zu, als sei der Tisch für sie reserviert. Wer weiß, vielleicht war er es sogar, auch wenn kein entsprechendes Hinweiskärtchen zu sehen war.

Noch bevor sie den Tisch erreichte, eilte Aljoscha, der Inhaber des Cafés und vollendeter Gentleman der alten Schule, herbei, griff nach ihrer Hand, und deutete mit schwungvoller Verbeugung einen Handkuss an. Seine dunklen Augen funkelten sie von unten herauf an wie die eines ungarischen Operettenhelden.

„Habe die Ehre, gnädige Frau“, sagte er in einem angenehm warmen Tonfall, aus dem man einen leichten Wiener Dialekt heraushören konnte. Valerie lächelte nur und nickte ihm freundlich zu.

„Hi, Joschi“, sagte sie. Sie mochte Aljoscha, den sie nun schon seit einem Jahr kannte. Ohne es genau zu wissen, schätzte sie den Mann auf Mitte bis Ende Vierzig. Er trug dichte, leicht gelockte Haare, die so schwarz waren wie sein buschiger, aber gepflegter Schnauzbart. Obwohl er sie häufig aus der Stirn strich, fiel ihm immer wieder eine eigenwillige Haarlocke nach vorne über die Brauen, die dem Mann zusammen mit seinem verschmitzten Lächeln ein jugendlich draufgängerisches Aussehen verlieh. Aljoscha passte trotz seines sympathischen Äußeren nicht in Valeries Beuteschema. Dafür waren seine Bewegungen zu fließend, zu angepasst und seine Verbeugungen zu devot. Zumindest äußerlich war er für sie kein Mann, der seinen geraden Weg ging, sondern der Probleme geschmeidig umschiffte, der durch sein Café gleiten konnte, ohne aufzufallen, ohne Spuren zu hinterlassen. Außerdem mochte Valerie Aljoschas Angetraute Alina, eine kleine, etwas pummelige Frau, die aber mit einem auffallend hübschen Gesicht und einem herzlichen Lächeln gesegnet war. Schon allein wegen Alina käme für sie ein Flirt mit dem Caféhausinhaber nicht in Betracht. Zumindest keiner, der über den Austausch der normalen Freundlichkeiten hinausging. Da gab es schließlich Grenzen. Natürlich wäre es für sie kein Problem gewesen Aljoscha rumzukriegen, wenn sie es denn darauf anlegen würde. Dessen war sie sich sehr sicher. Er liebte zwar seine Frau, aber Männer waren nun mal Männer. Da waren Valeries Erfahrungen eindeutig. Schließlich hatte sie bisher noch jeden Mann gekriegt, den sie haben wollte. Einen Mann langfristig an sich zu binden, das stand allerdings auf einem anderen Blatt.

Aljoscha schwebte elegant zu dem freien, runden Jugendstiltisch am Fenster mit blütenweißer Tischdecke und zog einen der beiden Stühle hervor.

„Darf ich?", fragte er, und Valerie ließ sich bereitwillig von ihm die Jacke von den Schultern nehmen. Dann rückte er ihr den Stuhl zurecht. Valerie setzte sich, legte gewohnheitsmäßig ihr iPhone vor sich auf den Tisch, und ihr Blick traf den einer Frau um die Fünfzig an einem der Tische in der Raummitte, die sich daraufhin erschrocken wieder ihrer Kaffeetasse zuwandte, als fühle sie sich bei einem Blick durch das Schlüsselloch der Herrendusche ertappt. Valerie musste schmunzeln, fast unmerklich. Die Frau wirkte mütterlich auf sie, ein wenig altbacken vielleicht, in ihrer graukarierten Kostümjacke, die ganz sicher nicht aus dieser Saison, wahrscheinlich aber auch nicht aus einer Kollektion der letzten drei Jahre stammte. Sie saß einem etwa gleichaltrigen Mann mit ausgeprägter Stirnglatze und geröteten Wangen gegenüber, der mit seiner Kuchengabel gerade einen nicht unbeträchtlichen Teil von der Sahnetorte auf seinem Teller abtrennte, als sei er in einem früheren Leben Torfstecher gewesen. Ganz anders als ein Torfstecher jedoch schob sich der Mann das Ergebnis seiner Bemühung mit einer ausgefeilten Technik in den weit geöffneten Mund, ohne dabei die Lippen zu berühren. Die durch die aufgekrempelten weißen Hemdsärmel freigelegten Unterarme waren dicht behaart. Das Gesicht des Mannes ähnelte auf unliebsame Weise dem ihres Vaters, der schon lange tot war. *Zum Glück!* musste man sagen.

Die Frau hatte die eben unterbrochene Unterhaltung mit dem Mann wieder aufgenommen, bei der sie eindeutig die Wortführung und die stimmliche Dominanz innehatte und nur selten durch ein zustimmendes Nicken oder Brummen des Mannes bestätigt wurde.

Valerie ließ ihren Blick durch den Raum schweifen wie ein Plantagenbesitzer, der vom Rücken seines Pferdes aus, seine Ländereien und die fleißigen Landarbeiter überwacht. Eine junge Frau und ein Mann, beide etwa in den Zwanzigern, waren eindeutig ein Liebespaar, denn sie hielten sich über den kleinen Tisch hinweg zwischen Getränkekartenständer und Zuckerstreuer bei den Händen. Vor Ihnen standen zwei fast leere Latte-Macchiato-Gläser.

Am Tisch in einer der hinteren Ecken saßen drei Frauen, alle drei nach vorne über den Tisch gebeugt, und tuschelten und zischelten auffällig miteinander. Würden sie normal miteinander reden, sie hätten weitaus weniger Aufmerksamkeit erregt. Ihre Kleidung schien teuer zu sein. *Aber teure Klamotten und Geschmack sind zweierlei, ihr Hühner*, dachte Valerie verächtlich. *Desperate Housewives*, die amerikanische Fernsehserie kam ihr in den Sinn. Die *Typen* sorgen für Haus, Autos und gefüllte Bankkonten, und die Tussis müssen ihre Tage irgendwie mit Shopping, Yogakursen und Vormittagsficks mit dem *Personal Trainer* rumkriegen.

Weiter links, etwa in der Mitte der rückwärtigen Wand des Cafés stand die schmale Anrichte mit der verspielten Jugendstiluhr aus Messing, auf die Joschi so stolz war. Was sich am Tisch davor in einen stummen Dialog mit seiner Kaffeetasse vertieft hatte, war jedoch aus Valeries Sicht das weitaus interessantere Schmuckstück. Den Mann schätzte sie, dafür hatte sie einen Blick, auf ziemlich genau vierzig Jahre, und das markante Gesicht unter dunkler, kurz geschnittener Haarpracht, irgendwo zwischen Clooney und Brad Pitt, war von faszinierender Symmetrie.

„So, was darf es denn sein, gnädige Frau?" Die warme, einschmeichelnde Stimme des Caféhaus-Besitzers unterbrach ihre Milieustudien.

„Mensch Joschi, du sollst nich gnädige Frau zu mir sagen, ich fühl mich direkt mindestens zehn Jahre älter." Valerie sah zu Aljoscha auf und lachte ihm ins Gesicht. Schon vor Monaten, damals war sie noch mit Jürgen hier gewesen, waren sie übereingekommen einander zu duzen.

„Sehr wohl, gnädige Frau“, erwiderte der Mann mit einem spitzbübischen Lächeln, und der Wiener Schmäh trat dabei überdeutlich in den Vordergrund. Valerie streckte ihm ganz kurz und für andere kaum erkennbar die Zunge heraus.

„Na was schon“, sagte sie mit gespielter Arroganz, „eine *Melange* natürlich, wie immer."

„Sehr wohl, vielleicht an Stückerl Torte dazu? Wir hätten eine Malakoff-Schokolade, eine Esterházytorte, oder vielleicht darf es an Topfenpalatschinken sein, oder natürlich ..."

„Joschi, Joschi, stopp!" Valerie lachte und klopfte sich mit den Fingerspitzen seitlich an ihre Hüfte, „was glaubst du, was Alinas Leckereien hier für einen Schaden anrichten können?"

„Aber ich bitt` sie, gnädige Frau. Damit haben doch sie kan Problem."

Aljoscha wurde ernst und fügte hinzu: „Ist in Ordnung, Valerie, dann überlegst es dir halt noch a mal, okay?"

Valerie nickte. „Wie geht´s eurer Mona eigentlich?", fragte sie, bevor der Chef des Hauses verschwinden konnte.

„Ach die Mona", sagte Aljoscha. Sein Blick wanderte zu einem der Fenster und nahm einen schwärmerischen Glanz an. „Die Mona ist so an fleißiges Mädel. Der geht´s gut. Im Herbst macht sie ihren Master."

„Das ist schön", sagte Valerie. Sie hatte die Frage nach der vierundzwanzigjährigen Tochter von Joschi und Alina absichtlich gestellt, weil sie wusste, wie stolz die beiden auf das Mädchen waren.

„Na dann", sagte Aljoscha, „einmal Melange also. Kommt sofort." Er deutete eine leichte Verbeugung an und verschwand.

Der kann nicht anders, dachte Valerie, *das steckt in seinen Genen.*

Der schöne, einsame Mann am Tisch vor der Jugendstiluhr hob ganz kurz seinen Blick von der Kaffeetasse und schaute zu Valerie herüber. Nur für den Bruchteil einer Sekunde hatte sie seine Augen sehen können. Sie waren dunkel, und sie glaubte, eine Spur von Hilflosigkeit oder Trauer darin entdeckt zu haben. Jetzt schien seine Aufmerksamkeit wieder ausschließlich der weißen Kaffeetasse zu gelten, die neben einem kleinen Wasserglas vor ihm stand.

Was machst du hier so alleine, mein Großer, dachte Valerie und erschrak für einen Moment, weil sie fürchtete, den Gedanken laut ausgesprochen zu haben. Dann fiel ihr Blick auf einen schlichten, weißgoldenen Ring an seiner rechten Hand.

Tja, dachte sie weiter, *wahrscheinlich geht's dir nicht anders als mir*. Vor Unglück in der Liebe schützte schließlich auch so ein rundes Stück Metall nicht. *Wir sollten zusammen Lotto spielen, oder Roulette*, dachte sie. *Glück im Spiel!*

Durch eine Schwingtür aus Mahagoni erschien Alina im Gastraum. Sie ging zum Tisch des schönen Mannes und stellte ihm einen Teller mit einem dunkelbraunen Stück Torte hin. Der Mann blickte erst auf, als er das leise Klappern des Tellers auf der Tischplatte vernahm.

„Bitte sehr", hörte Valerie Alinas helle Stimme. Der Blick des Mannes wirkte überrascht, so als müsse er sich erst darüber klar werden, wo er sich befand. Seine Lippen bewegten sich kurz, ohne dass ein hörbares Wort bis zu Valeries Tisch drang. Als Alina sich umdrehte, sah sie Valerie und nickte ihr freundlich zu. Valerie hob grüßend die Hand.

Sie war es auf jeden Fall nicht wert, mein Großer, dachte sie, *vergiss sie einfach ganz schnell*.

Sie ertappte sich bei dem Gedanken daran, wie es wäre, neben diesem Mann auf der Promenade am

Jungfernstieg zu bummeln. Sie würden keine Worte brauchen. Sie kannte ja nicht einmal seine Stimme. Vielleicht war es eine hohe Fistelstimme. Irgendeinen Makel musste er ja haben. Vollkommene Perfektion gab es nicht auf der Welt. Zumindest nicht bei den Menschen.

Die Vögel zwitscherten. Über die Binnenalster zog ein weißes Ausflugsboot seine Bahn. Dann griff der fremde Mann nach ihrer Hand. Er schaute sie an. Und dann war es das Gesicht von Jürgen, mit seinem blonden Vollbart, den er sich zuletzt hatte wachsen lassen. Irgendetwas in ihrem Bauch zog sich zusammen, und sie konnte gerade eben noch unterdrücken, dass ihr Gesicht sich zu einer Grimasse des Weinens verkrampfte.

„So, die Dame, eine Melange, bitte sehr." Aljoschas aufgeräumte Stimme brachte sie in die Realität zurück. Von einem kleinen, ovalen Tablett stellte er geschickt die Tasse mit der Wiener Spezialität aus Kaffee mit Honig und einer cremigen Haube aus geschäumter Milch vor sie hin. Daneben platzierte er ein kleines Glas mit Wasser. Valerie sah ihn dankbar an und unterdrückte die vage Befürchtung, ihre Augen könnten doch etwas feucht geworden sein.

„Und, Valerie, hast du es dir überlegt? Darf's noch etwas Süßes sein?"

Ohne zu überlegen erwiderte sie: „Ja, ich... ich hätte auch gerne so eine Torte, bitte." Dabei hatte sie den Teller auf dem Tisch des jungen Mannes fixiert, der seinen Kuchen bisher noch unbehelligt gelassen hatte. Aljoscha folgte ihrem Blick.

„Ah, an Stückerl Sachertorte, ich verstehe“, sagte er, „kommt sofort, Gnädigste." In seinem Blick lag etwas Wissendes, als er sie ansah und danach noch einmal zu dem jungen Mann hinüberblickte. Aljoscha verschwand. Am Tisch in der Ecke brach bei den drei Frauen gackerndes Gelächter aus. Bestimmt hate eine von ihnen einen schlüpfrigen Witz zum Besten gegeben. Valerie versuchte, sich auf ihren Kaffee zu konzentrieren, griff nach dem zierlichen Löffel und begann versonnen damit, den Milchschaum zu verrühren.

Einige Zeit später hatte der schöne junge Mann seine Sachertorte noch immer nicht angerührt, während Valerie die Ihre zur Hälfte verspeist hatte. An einem anderen Fenstertisch saßen zwei gepflegte junge Männer, die so geschmackvoll wie farbenfroh gekleidet waren. Valerie hatte die beiden schon eine Weile beobachtet und war zu dem Schluss gekommen, dass sie höchstwahrscheinlich andere Interessen hatten als gutaussehende Frauen wie sie. Die Art, wie sie sich ansahen und miteinander sprachen, wie sich beim Griff nach Besteck oder Zuckerstreuer ihre Finger wie zufällig berührten und dann verstohlen wieder zurückgezogen wurden, sprach eine deutliche Sprache.

Warum kam sie immer wieder her, hier ins Café Mozart? Ganz im Gegensatz zu den Clubs und den anderen Eventlocations, die sie sonst besuchte, hatte das Mozart den antiquierten und angestaubten Charme eines längst vergangenen Zeitalters, in dem die Damen noch Reifröcke und die Herren Zylinder trugen. Das Mobiliar, die Kerzenständer, die Kristallspiegel, die Geigenmusik, die so leise aus den Lautsprechern wehte, dass man sie nur unterbewusst wahrnahm, und nicht zuletzt der Inhaber selbst versetzten die Gäste unwillkürlich in ein Wiener Caféhausidyll, wie man es sich am Ende des 19. Jahrhunderts hätte vorstellen mögen. Das Ambiente gebot unwillkürlich einen gedämpften Unterhaltungston und eine aufrechte Sitzhaltung. *Wenn man von den drei Suppenhühnern dort drüben am Tisch mal absah*!

Valerie Bensheim hatte damals nicht schlecht gestaunt, als Jürgen Klaussen, Inhaber einer kleinen, aber erfolgreichen Werbeagentur, sie vor einem Jahr zum ersten Mal hierher ausgeführt hatte. Als er geheimnisvoll erklärt hatte „Ich zeig dir was, was du sicher noch nicht kennst", hatte sie bestenfalls eine stylische In-Location mit violettem oder orangefarbenem, indirektem Licht und gedämpfter *Housemusic* erwartet. Am Anfang war sie enttäuscht gewesen, bevor sie den Charme des Cafés gespürt hatte. War es Berechnung von Jürgen gewesen, dass er ihr auch hier den Laufpass gegeben hatte? Oder besser gesagt, sie veranlasst hatte, ihm den Laufpass zu geben. Ganz sicher hatte er Angst vor einer Szene gehabt und gehofft, dass sie sich in dieser Umgebung und vor diesen Leuten zusammenreißen würde. Was ihr ja auch, wenn auch nur bedingt, gelungen war. Valerie war bis heute davon überzeugt, dass nur Aljoscha damals bemerkt hatte was los war, als sie Jürgen am Tisch hatte sitzen lassen und gemessenen Schrittes und krampfhaft auf Contenance bedacht, das Café verließ. Ihr Blick hatte sich an der Tür nur kurz mit dem von Joschi gekreuzt, und sie hatte in seinen Augen ein trauriges Verstehen gelesen. Dabei war sich Valerie bei Jürgen damals sicher gewesen, dass es dieses Mal für immer sein würde. Wie weit war sie doch heute von solchen romantischen Träumereien entfernt. Aber es hatte so schön begonnen. So wie schon einige Male zuvor.

Mirco Sommer hatte damals ein Konzert in der Großen Freiheit 36 gegeben, einem legendären Musikclub auf Sankt Pauli, wo schon viele Stars, von

Neil Young über Rio Reiser bis Robbie Williams, und sogar im Kellergeschoss, dem sogenannten Kaiserkeller, die Beatles ihre akustischen Fußabdrücke hinterlassen hatten.

Die Saalgröße von 550 Personen war damals für Mirco Sommer genau richtig bemessen gewesen. Nach seinen Jahren als Stimmungskanone im Bierkönig auf Malle, wo sein Vertrag eines schönen Tages nicht verlängert worden war, hatte er sich halbwegs als Schlagersänger mit Tendenz zur Volksmusik etablieren können. Dadurch war der Altersschnitt seines Publikums, obwohl er selbst erst Anfang Vierzig war, schlagartig um zwanzig bis dreißig Jahre in die Höhe gerauscht. Der Traum, einmal große Konzerthallen oder sogar Stadien zu füllen, war zu dem Zeitpunkt schon lange ausgeträumt. Ein großer Vorteil der *Großen Freiheit 36* und ein Pluspunkt für die reifen Fans: Der Zugang zum Haus und der Parkplatz waren barrierefrei.

Valerie Bensheim, die selbstständige Eventmanagerin war und eine Handvoll Künstler unter Vertrag hatte, für die sie Interviews, Zugtickets, Flüge und Konzerte von der Hallenbuchung bis zum Catering organisierte, hatte damals nur nach anfänglichem Zögern bei Mirco Sommer, der mit bürgerlichem Namen Günther Siepenkötter hieß und aus Fuhlsbüttel stammte, unterschrieben. Ihr Terminkalender war prall gefüllt und führte sie von Hamburg nach München und von Düsseldorf nach Leipzig in die besten Hotels der Republik. Das Konzert auf Sankt Pauli war also damals sowohl für Mirco Sommer als auch für Valerie ein Heimspiel gewesen.

Das Kennenlernen mit Jürgen war ein absolutes Klischee, als ihr im Foyer der Großen Freiheit der rote Hefter aus der Hand rutschte, den sie zusammen mit Laptop, Handy, Aktenmappe und Handtasche mehr schlecht als recht in den Händen, unter den Armen und über der Schulter jongliert hatte. Ein Schwung ausgedruckter A4-Blätter mit Tourplänen hatte sich auf willkürliche Weise auf dem Boden verteilt. Mit gezischtem Fluch war sie in die Hocke gegangen, als ihr Blick auf ein paar schwarze italienische Herrenschuhe fiel, die dicht neben ihr auftauchten.

„Kann man helfen?", fragte eine nicht sehr tiefe, aber trotzdem männliche Stimme. Dann ging der Mann neben ihr in die Knie und sie blickte in zwei hellblaue Augen, die Terence Hill zur Ehre gereichten. Das Lächeln war jungenhaft und die kurzen blonden Haare, die zu einem modischen Schnitt ohne Scheitel geformt waren, würden sicher draufgängerisch in alle Richtungen wuchern, wenn man sie nur ließe. Der Mann trug einen dunkelblauen Anzug über einem weißen Hemd, dessen oberster Knopf geöffnet war.

„Warum nicht“, antwortete Valerie, lächelte kurz zurück und griff nach den am Boden verstreuten Papieren. Der Mann hob ebenfalls einige Blätter auf, legte sie zusammen und hielt sie ihr hin. Beide richteten sich auf, und während Valerie, umständlich den Laptop unter einen Arm geklemmt, alles wieder in ihrem Hefter verstaute, strich der Mann seine Hosenbeine glatt.

„Entschuldigung, ich bin Jürgen Klaussen“, sagte er und reichte ihr die Hand.

„Danke“, erwiderte Valerie, hantierte beidhändig mit ihren Utensilien herum, die Umhängetasche drohte von der Schulter zu rutschen, und zog eine entschuldigende Grimasse. Jürgen Klaussen lachte und zog die Hand zurück.

„Bensheim“, sagte sie, „Valerie Bensheim." Dabei betonte sie den Vornamen als sei sie eine Doppel-Null-Agentin.

„Okay, freut mich." Jürgen Klaussen nickte ihr zu und machte Anstalten zu gehen.

„Das war nett“, beeilte Valerie sich zu sagen, „vielleicht kann ich mich mal revanchieren. Mit einem

Kaffee?" Sie hatte ein Gespür für die richtige Situation und traf Entscheidungen spontan. Der Kerl sollte es jetzt sein. Der silberne Ring, wahrscheinlich Weißgold, an der rechten Hand des Mannes spielte dabei keine Rolle. Ehefrauen waren kein Hindernis, sie mussten übertroffen und abgelöst werden. Und sie war davon überzeugt, dass es nur wenige mit ihr aufnehmen konnten. Wenn sie ihren Blick einsetzte, eine Mischung aus spöttischer Überheblichkeit und lasziver Verlockung, dann wollte sie den Typen sehen, der ihr widerstand.

„Hm, ja, warum nicht“, antwortete Jürgen, und in seinen Augen konnte Valerie ablesen, dass auch für ihn, wenn es hart auf hart kam (und hart war gut!), der Ehering kein unüberwindliches Hindernis darstellte.

„Ich muss nur jetzt leider“, sagte Jürgen und drehte den Kopf dabei leicht zur Seite, „ein Termin in Wandsbek. Eine Präsentation."

Für einen kurzen Moment fürchtete Valerie, das könne eine Ausrede sein, ein Versuch dem eigenen Glück zu entfliehen.

„Wohnen sie in Hamburg?", fragte sie betont gelassen.

„Ja“, antwortete er knapp. Aber sein Blick blieb offen, ihr zugewandt, interessiert.

„Was ist mit morgen?", fragte sie.

„Morgen ist gut. Wann und wo?“

„Mittags? Wann machen sie Mittagspause?"

„Um eins. Und wo?"

„Sie entscheiden, Herr..."

„Klaussen. Sagen sie Jürgen, okay?"

„Aha, gerne, also Klaussen. *Jürgen* Klaussen." Sie lachten, weil sie beide an James Bond dachten. Warum auch eigentlich nicht. Dieser Jürgen war aus ihrer Sicht durchaus geeignet für die Rolle. Schließlich waren spätestens seit Daniel Craig auch blonde Typen im Dienste Ihrer Majestät vorstellbar.

Das erste Date wurde in der Speicherstadt zelebriert, im *Genuss Speicher* am Sankt-Annen-Ufer. Die Mittagspause wurde danach noch sehr großzügig ausgedehnt. Sie fuhren mit seinem Wagen zu Valeries Wohnung in Bergedorf. In Jürgens Wohnung verlegten Handwerker gerade neue Fliesen im Gäste-WC. Hatte er jedenfalls gesagt. Valerie war natürlich nicht blöd. Der Ehering war jedenfalls heute nicht zu sehen. Das war ja immerhin rücksichtsvoll von ihm. Die Art, wie er ihr an der Wohnungstür die Hand an die Taille legte, wie er ihr zärtlich den Schlüsselbund aus der Hand nahm, aufschloss, ihr die Tür aufdrückte und den Vortritt ließ, alles zusammen mit seinem offenen, selbstsicheren Lächeln, wirkte so souverän, so selbstverständlich, dass Valerie, die selbst nicht gerade an Minderwertigkeitskomplexen litt, einfach überwältigt war. Hinter der geschlossenen Wohnungstür fasste er sie an den Schultern, küsste sie auf die Schläfe und dann auf den Hals.

„Hey, woher weißt du, dass ich das mag?", fragte sie. Valerie formte ihr Gesicht zu einem Lächeln, dass keine Zweifel an ihrer Bereitschaft aufkommen ließ. Wozu hatte man sich schließlich in jahrelanger Feldforschung dieses Repertoire draufgeschafft?

„Ich weiß es eben“, sagte Jürgen und blickte fragend zum anderen Ende der Diele.

Valerie nahm seine Hand und zog ihn zur Schlafzimmertür. „Aber guck nicht so genau hin“, sagte sie, „ich hab heute Morgen nicht ..."

„Nicht aufgeräumt“, unterbrach er sie, „weißt du, wie egal mir das ist? Ich sehe nur dich, mein Kätzchen."

Kätzchen, das fehlte noch. Solche Sprüche würde sie ihm in Phase Zwei abgewöhnen. Kätzchen, das ging überhaupt nicht. Womöglich noch Pussy. So konnte er seine Ehefrau nennen. Besser gesagt seine zukünftige Ex-Ehefrau.

Sie drückte die Schlafzimmertür auf, wo das Oberbett nur nachlässig zurückgeschlagen war, das Laken zerknittert. Er fasste sie von hinten mit beiden Händen um die Taille und gab ihr einen Kuss in den Nacken.

„Hoffentlich riecht dein Bett noch nach dir, meine Schöne." *Meine Schöne, schon besser!*

Seine Hände glitten höher, umfassten ihre Brüste durch den Stoff der Bluse. Sie legte den Kopf in den Nacken und tastete hinter sich nach einer Stelle unterhalb seines Hosengürtels. *Ja, es konnte möglicherweise ein schöner Nachmittag werden.*

Er drückte sein Gesicht in ihre Haare, und sie genoss das Spiel seiner Finger, während sie spürte, dass er sie langsam nach vorne, Richtung Bett schob. Sie drehte sich entschlossen um, grinste ihm siegesgewiss ins Gesicht und löste dabei seinen Gürtel. Jürgen begann etwas ungeschickt, die Knöpfe ihrer Bluse zu öffnen. Als er ihren Blick bemerkte, sagte er: „Du musst wissen, ich mach sowas nicht jeden Tag."

„Ach nein?", fragte sie spitzbübisch und öffnete seinen Reißverschluss.

„Warte, warte“, unterbrach er sie und ergriff ihre Hand, „setz dich, setz dich da hin, aufs Bett, okay?"

„Wenn du meinst“, sagte Valerie und grinste noch immer. Sie ging ein paar gemessene Schritte mit einer

Haltung wie die Königin von Saba und setzte sich aufs Bett, schlug die Beine übereinander, die Hände nach hinten auf das Laken gestützt. Jürgen begann sich auszuziehen, ließ Anzugjacke, Hemd und Hose achtlos auf den Fliesenboden fallen. Als er die Boxershorts abstreifte, zielte er genau auf sie.

„Das wollte ich sehen, mein Tiger“, sagte sie. *Warte ab, das ist für das Kätzchen. Tiere kann ich auch.*

„Das erste Date ist nur für dich“, sagte Jürgen heiser und kam federnd auf sie zu. Er hatte kein wirkliches Sixpack, aber er war verdammt gut in Form. Valerie fühlte die Hitze, die sich in ihrem Schoß sammelte. War alles bisher nur ein Spiel gewesen, jetzt wurde es ernst. Es war einfach zu lange her, dass sie Basti in die Wüste geschickt hatte. Mindestens drei Wochen, oder sogar schon vier. Dieses Mal würde sie alles besser machen. Spontan musste sie an einen Spruch denken, der gelegentlich in alten Science-Fiction-Filmen vorkam: *Oh Gott, es ist riesengroß, und es kommt direkt auf uns zu!* Naja, sie hatte schon Größeres gesehen, aber immerhin, so in Augenhöhe...

Jürgen ging vor ihr auf die Knie und drückte seine Lippen auf ihre. Seine Zunge rückte vor, und sie machte es ihm nicht schwer. Sie half ihm dabei, die

Bluse und den Rock auszuziehen. Beider Bewegungen wurden ungeduldiger. Jürgen drückte sie zurück auf das Bett und streifte ihr den Slip ab. Ihre Haare fielen aufs Kopfkissen und umrahmten ihr Gesicht mit einer dunklen Korona. Jürgen umfasste ihre Unterschenkel und drückte sie sanft nach oben. Dann tauchte sein Gesicht tapfer ab in die feuchte verbotene Zone. Valerie schloss die Augen und legte ihre Hände mit leichtem Druck auf seinen Hinterkopf.

„Hast du Kinder?", fragte sie später, die entstandene Stille durchbrechend, die mit dem Abschwellen der Leidenschaft entstanden war. Sie lagen seit einiger Zeit nebeneinander ausgestreckt auf dem zerwühlten Laken, ihr Kopf in die Mulde zwischen seiner Brust und seiner Schulter gebettet, seine Hand locker auf ihrem nackten Bauch. Das Oberbett lag auf dem Boden.

Jürgen antwortete nach langer Pause.

„Kinder, nein, wieso?"

Valerie zeichnete mit dem Finger Schlangenlinien auf seine Brust und beobachtete, wie ihr Fingernagel dabei eine feine weiße Linie produzierte, die sofort wieder verschwand, wie mit Geheimtinte geschrieben.

„Jürgen, ich bin erwachsen. Dass du verheiratet bist, ist mir schon klar. Wie sollte so ein toller Typ nicht in festen Händen sein."

Jürgen blies mit geblähten Wangen Luft zur Decke. Er stand noch ganz unter dem Eindruck der vergangenen Minuten.

„Ein perfekter Moment für die Zigarette danach“, sagte er, „meinst du nicht auch?"

„Schade, dass wir beide nicht rauchen."

„Ja, schade."

Er zog sie enger an sich heran und presste seine Lippen auf ihre Stirn.

„Ja, ich bin verheiratet. Aber es ist schon lange nicht mehr so ..." Er unterbrach sich selbst und ließ offen, wie es schon lange nicht mehr war.

„Es war sehr schön“, sagte Valerie leise, „aber ich verstehe, wenn du ..."

„Nein“, unterbrach er sie hastig, „nein, so ist das nicht. Ich bin nicht der Typ für One-night-stands, wirklich nicht. Ich möchte mit dir zusammen sein. Du bist so ..."

„Du musst wirklich nichts erklären. Wir sind zwei erwachsene Menschen."

Valerie brach ab, denn sie spürte wie sich in ihrer Kehle etwas verkrampfte. Sie kämpfte heldenhaft gegen ihre Tränendrüsen an. Das eben war der Wahnsinn gewesen. Sie, die fast immer die Kontrolle behielt, hatte tatsächlich für eine nicht messbare Zeit vergessen, wo und wer sie war. So war es am Anfang manchmal mit Basti gewesen. Sie drängte sich eng an Jürgen heran. Seine Linke folgte den Konturen ihres Körpers.

„Du bist“, sagte er, und nach einer Pause, „perfekt."

„Hör auf."

„Doch."

Sie setzte sich mit einem Ruck auf. „Ich glaub ich geh Zigaretten holen."

Jürgen sah sie entgeistert an. Dann lachten beide befreiend. Valeries Blick fiel auf sein Glied, das schlaff auf seinem Oberschenkel lag. Ihre Fingerspitzen streichelten seinen Bauch, solange bis es sich wieder zu beleben schien.

Jürgen sah sie von unten herauf an. Seine Augen saugten sich an ihr fest.

„Ich will nur mit dir zusammen sein“, sagte er und fasste sie an den Schultern. Sie legte sich auf ihn, und der Kuss war lang und feucht und intensiv.

Valerie blickte auf, als das beruhigende Murmeln der Gespräche im Café durch das übertrieben laute Rücken eines Stuhles durchbrochen wurde. Eine der drei Damen vom Tisch in der Ecke ging, die Handtasche in der Rechten, auf die Tür mit den zwei großen Nullen zu. *Aha, Lady Fettarsch muss sich die Nase pudern,* dachte Valerie in einem Anfall von Boshaftigkeit. Ganz sicher waren alle drei Tussen verheiratet. Warum klappte das bei diesen hässlichen Schnepfen, und nicht bei ihr?

Aljoscha kam an den Tisch „Darf es noch etwas sein, Valerie?"

„Kommt Jürgen eigentlich noch hier her?" Sie konnte Joschi ansehen, dass ihn die Frage überraschte, sogar ein wenig erschreckte.

„Ja, schon“, sagte er leise und trat näher an Valerie heran. Wahrscheinlich hatte er Angst vor weitergehenden Fragen. Sicher war Jürgen hier mit einer neuen Flamme aufgetaucht. Es war nie seine Art gewesen, sich allein in ein Café zu setzen. Sollte er doch, ihr war´s egal. Seine Frau und er waren sich doch wieder nähergekommen. Vielleicht war er ja sogar mit ihr hier gewesen. Das hätte Valerie allerdings als Verrat empfunden. Das *Mozart* war IHR Lokal, IHR Refugium - Scheißkerl!

„Schon gut Joschi, danke“, sagte sie und legte eine Hand auf seine, als er gerade nach ihrem leeren Kuchenteller greifen wollte. „Ich will gar nicht mehr wissen. Wundere mich selbst, dass ich gefragt habe."

„Verstehe."

„Weißt du was? Ihr habt doch noch diesen, wie heißt er noch, diesen Marillenlikör aus Südtirol, oder?"

„Aus dem Vinschgau kommt er, ja“, ergänzte Aljoscha mit einem Diener, wieder ganz der Wiener Gastronom.

„Bringst du mir so einen? Macht auch nichts, wenn`s ein Doppelter ist."

„Eine doppelte Marille, bitte sehr. Darfs auch noch an Kaffee sein?"

„Ja, warum nicht. Noch eine *Melange* bitte. Lassen wir es krachen."

Der Kaffeehausbesitzer dienerte und entschwand mit dem gebrauchten Geschirr auf seinem Tablett.

Wenig später standen die frischen Getränke auf ihrem Tisch. Valerie wartete, bis Joschi sich entfernt hatte, bevor sie mit den Fingerspitzen den filigranen Stiel des Likörglases berührte. Die fruchtig orange Farbe schimmerte einladend im Licht der Deckenlüster, die brannten, obwohl es draußen hell war. Der frische Kaffee *Melange* dampfte daneben in seiner Tasse.

Valerie hatte eine Weile versonnen den schönen Mann beobachtet, ohne Gefahr, dabei ertappt zu werden, denn er schien mit seinen Gedanken ganz woanders zu sein. Der traurige Zug um seinen Mund machte ihn noch attraktiver. Immerhin hätte sie die geeignete Medizin gegen sein Leiden gewusst.

Langsam hob sie das Likörglas zum Mund und nippte daran. Das süße, fruchtige Brennen auf der Zunge und am Gaumen tat gut. Dann das warme Hinabgleiten durch die Speiseröhre. Valeries Unterlippe hinterließ einen halben, blassroten Kussmund am Rand des Glases. Erinnerungen an eine wunderschöne Woche mit Basti in Meran. Sebastian Brehm, der charmante Inhaber, beziehungsweise einer der beiden Inhaber des *sea-fog,* damals DER angesagte Club in Havestehude, unweit des Alsterufers. Sein Partner war Toni gewesen, Antonio Rizzo, dessen Eltern aus Casteggio, einer Gemeinde mit knapp siebentausend

Einwohnern in der Nähe von Mailand, stammten, der aber optisch den klassische Typus eines Mafioso der Kalabrischen Ndrangheta oder der Sizilianischen Cosa Nostra verkörperte. Dabei war Toni Rizzo ein absolut netter und hilfsbereiter Kumpel gewesen. Sebastian allerdings, ein richtiger Kerl, einen Kopf größer als Toni, und locker zwei Köpfe größer als sie selbst, hatte sie von Anfang an umgehauen. Und dabei waren sie sich noch nicht einmal im *sea-fog* zum ersten Mal über den Weg gelaufen, wie man hätte annehmen können, denn Valerie war immerhin gut und sehr intensiv in der Hamburger Clubszene unterwegs, sondern im *Fitness First* am Ballindamm, wo sie beide mehrmals in der Woche trainierten. Da hatte Valerie auch zum ersten Mal Bastis gut definierte Brustmuskeln und die imposanten Schultern studieren können. Durch die knappe Sportkleidung wusste man eben schon im Voraus, was man kriegt. Und gekriegt hatte sie das alles auch sehr bald, und nicht zu knapp.

Sie beide waren ein tolles Paar gewesen. Alle Welt hatte behauptet, sie seien füreinander geschaffen. Ob beim Rollerbladen an der Alster, in den Clubs, beim Shoppen am Eppendorfer Weg, beim Flanieren am Jungfernstieg oder beim Cruisen mit Bastis aufgemotztem A5 Cabrio, die Leute schauten dem Pärchen hinterher. Allein war Valerie schon immer ein Hingucker gewesen, aber zusammen waren sie wie ein wandelndes Schwarzes Loch, dass alle Blicke im Umkreis von mindestens hundert Metern wie ein unwiderstehlicher Magnet anzog.

Zwei tolle Jahre hatte die Beziehung gedauert. Beide hatten ihre eigenen Wohnungen behalten. Das allerdings hatte nicht an Valerie gelegen. Als Frau jenseits der magischen Dreißig dachte sie natürlich an Kinder. Die Bedeutung der biologischen Uhr einer Frau hatte ihr Mama schon erklärt, da war sie noch nicht einmal achtzehn gewesen. Basti allerdings wollte lieber auf den richtigen Moment warten. Er träumte davon, einen zweiten Laden in Finkenwerder aufzumachen. Einen totalen Nobelschuppen mit mehreren Tanzflächen, gehobener Gastronomie und einer angeschlossenen Saunalandschaft.

„Soll das vielleicht ein Puff werden, oder was?“, hatte Valerie ihn einmal lachend gefragt.

„Das wird man dann sehen“, war seine Antwort gewesen, und er schien es nicht einmal ganz abwegig zu finden.

„Süße, kommst du heute Abend nach Sieben ins *fog*?“, hatte er sie eines Tages am Telefon gefragt. Es war ihr zweiter Jahrestag gewesen. „Ich will mal was ausprobieren. Und dir eine Frage stellen.“ Auf ihr verwundertes „Ja, warum nicht“ hatte er hinzugefügt: „Hat mit unserer Zukunft zu tun.“

Den ganzen Nachmittag über hatte sie sich in einem ungewohnten Schwebezustand befunden. Wollte Basti sie heiraten? Mit ihr zusammenziehen? Seine Wohnung war eindeutig größer und komfortabler, in Blankenese mit einer riesigen Dachterrasse und Blick auf die Elbe.

Kurz nach vier am Nachmittag kam eine WhatsApp-Nachricht: *Ich vermisse dich, komm nicht zu spät.* Valerie fühlte sich beschwingt und geschmeichelt. Anscheinend zeigte das Gespräch Wirkung, das sie in der letzten Woche mit ihm darüber geführt hatte, wie er sich eine gemeinsame Zukunft vorstellte, nachdem sie jetzt schon so lange ein Paar waren.

Um halb sechs, Valerie telefonierte gerade mit Mona Star, einem hoffnungsvollen Schlagersternchen aus Schweinfurt (den Namen hatte sie sich selbst ausgedacht), kam eine weitere WhatsApp: *Bin schon scharf wie ne Rasierklinge, wir warten, kannst gerne früher kommen.*

Was sollte das nun? WIR warten! Sie konnte nur hoffen, dass Sebastian das so meinte wie in manchen

Momenten, wenn er von sich und seinem besten Stück als unschlagbarem Duo sprach.

Um 18.15 Uhr fuhr Valerie, sie hatte damals noch den roten Smart, aus der Tiefgarage ihres kleinen Büros an der Willy-Brandt-Straße und reihte sich in den Feierabendverkehr ein. Sie hatte ein besonderes Augenmerk auf ein perfektes Makeup gelegt. Die weiße Bluse und der enge dunkelblaue Rock waren ihre neuen Lieblingsteile. Einige Minuten vor 19.00 Uhr kam sie in Havestehude an. Das *sea-fog* hatte montags geschlossen, und der Parkplatz hinter dem langgezogenen Flachbau war bis auf ein paar vereinzelte Fahrzeuge leer. Windböen trieben trockene Blätter über den Asphalt. Dieser war ein einigen Stellen aufgebrochen, und Löwenzahn eroberte sich tapfer seinen Lebensraum. Für solche Details hatte Basti keinen Blick. Lieber suchte er nach neuen Projekten. Sein A5-Cabrio stand mit geschlossenem Verdeck direkt neben der zweiflügeligen Eisentür des Hintereingangs. Valerie drückte den Klingelknopf, und kurz darauf öffnete Basti die Tür, die beim Aufschwingen ein blechern raunendes Geräusch verursachte.

„Hey, Süße!“, begrüßte er sie. Sein Lachen war immer wieder umwerfend. Der dunkle Fünftagebart umrahmte volle, sinnliche Lippen, die ihrerseits zwei Reihen makelloser Zähne freigaben. Die braunen

Augen leuchteten unter buschigen Brauen. Er küsste sie. Seine Lippen schmeckten nach Sekt. Valerie lachte zurück.

„Hey, Großer, was feierst du denn hier?“

„Komm mal rein. Fettes Outfit, du siehst heiß aus.“ Er nahm sie bei der Hand und schloss die Tür hinter ihr. „Ich will dir Olli und Tanja vorstellen.“

„Aha.“

Dass es hier heute um Hochzeit und Familienplanung ging, glaubte Valerie inzwischen nicht mehr. Durch einen kurzen Korridor erreichten sie den Saal mit der großen Tanzfläche, der ohne die üblichen Menschenmassen noch riesiger wirkte. Die Batterien farbiger Scheinwerfer an der Decke waren aus. Lediglich indirekte Beleuchtung in sympathischem Blau schimmerte von allen Seiten ohne erkennbare Quelle und zeichnete Wellenlinien an die Wände, die ständig in Bewegung waren. Die Tanzfläche selbst war rund und wurde eingerahmt von aus niedrigen Glastischen und roten Clubsesseln bestehenden Sitzgruppen, was dem gesamten Saal die Anmutung einer Arena verlieh. In einem zweiten Ring außerhalb der Sitzgruppen reihten sich opulente, halbrunde Sofas entlang der Wände aneinander. Aus unsichtbaren Lautsprechern drang die Stimme von Grace Jones mit *slave to the rhythm* in einem fantastisch weichen Sound, der, natürlich wesentlich leiser als bei normalem Geschäftsbetrieb, angenehm durch den weitläufigen Raum wehte. Basti hatte ein Faible für solche alten Disco-Klassiker.

„Komm“, sagte Sebastian. Er hielt sie noch immer an der Hand. Auf einem der großen Sofas saß, oder besser lag (anders ließen es diese Sitzmöbel kaum zu) Olli, den Valerie flüchtig aus dem *fog* oder auch aus dem *Moondoo* auf der Reeperbahn kannte. Das blonde Mädchen neben ihm war ihr fremd. Sie hatte eine tolle Figur, das musste man ihr zugestehen, wenn auch der hellrote Lippenstift zu aufdringlich wirkte und ihrem Gesicht eine gewisse Ähnlichkeit mit einer dieser aufblasbaren Puppen verlieh, die einen ununterbrochen mit aufgerissenen Augen und einem großen, roten O unter der Nase anstarrten.

Mit einem gedehnten „Hi“ begrüßte das Mädchen die Ankommenden schon von weitem.

Für Valerie klang ihre Stimme wie ein defekter Buzzer aus einer Quizshow. Olli wälzte sich geschickt aus dem Sofa, kam auf sie zu und begrüßte Valerie mit gehauchten Küsschen auf beide Wangen.

„Hi, Valerie“, sagte er und sah sie von oben bis unten an, „siehst heiß aus.“

„Danke“, erwiderte Valerie und setzte mit hochgezogenen Brauen eine Miene der nachsichtigen Überheblichkeit auf.

„Du kennst Tanja?“, fragte Olli.

„Nein, noch nicht.“

Valerie trat an das Sofa und reichte Tanja die Hand in einer huldvollen Geste.

„Freut mich“, sagte sie ohne Überzeugung. Olli ließ sich wieder neben Tanja in die Polster fallen. Tanja und er küssten sich, und Valerie sah erstaunt, wie Tanja ihm eine Hand in seinen Schritt legte. Möglichst unauffällig schickte Valerie einen fragenden Blick an Sebastian ab. Der reichte ihr ein Sektglas, das er eben aus der Flasche *Heidsieck* gefüllt hatte, die auf dem Glastisch in einem silbernen Kühler stand.

„Trink erst mal was, meine Schöne“, forderte er sie auf. Sie nahm das Glas.

„Du weißt, was heute für ein Tag ist?“, fragte er geheimnisvoll schmunzelnd. Seine braunen Augen blickten sie strahlend an.

„Ja klar.“ Aus den Augenwinkeln nahm Valerie wahr, dass Olli und diese Tanja sie erwartungsvoll beobachteten während Tanja ungeniert an Ollis Hose herumrieb, die deutlich ihre Form verändert hatte.

Valerie kam es so vor, als ob Basti Olli einen missbilligenden Blick zuwarf. Der schob daraufhin Tanjas Hand zur Seite.

„Sag mal, was ist denn …“, begann Valerie, wurde aber sofort von Sebastian unterbrochen, der ihr das Sektglas wieder aus der Hand nahm und auf den Tisch stellte. Dann nahm er ihre beiden Hände.

„Süße, wir sind jetzt auf den Tag genau zwei Jahre zusammen, und ich habe jeden einzelnen Tag mit dir genossen. Du bist das Beste, was mir passieren konnte. Die schönste Frau der Welt.“ Aus dem Hintergrund kicherte Tanja aus ihrem großen O.

Valerie musste lächeln. Also doch! Unter Zeugen!

„Und es war keinen Tag langweilig“, führte Sebastian weiter aus, „du erinnerst dich, als wir vor einiger Zeit über alte Ehepaare sprachen, die sich kaum noch was zu sagen haben? Die nur noch nebeneinanderher leben? So wird das bei uns nie werden, das haben wir uns geschworen. Hier die beiden, er nickte zum Sofa hinüber, die sehen das auch so. Sind zwar noch nicht so lange zusammen wie wir, aber sie wollen ihre Beziehung frisch halten.“

„Genau genommen noch keine drei Wochen“, warf Olli ein und nickte. Das große O kicherte.

Valerie versuchte in Sebastians Gesicht eine Erklärung für seine geheimnisvollen Andeutungen zu lesen, kam aber zu keinem vernünftigen Ergebnis.

Deshalb nahm sie ihn in den Arm und sagt: „Schatz, du musst mir nicht …“

„Wie findest du Olli?“, fiel er ihr ins Wort.

„Olli?“, erwiderte sie fragend und blickte zu dem Mann auf dem Sofa. „Nett“, sagte sie und versuchte ein dünnes Lächeln.

„Er findet dich nämlich ganz toll, genauso wie ich“, sagte Sebastian und führte Valerie zum Sofa. „Setz dich“, forderte er sie auf und schob sie neben Olli. Der legte jovial seinen Arm um sie. Sebastian setzte sich neben Tanja.

Die anfängliche Überraschung wandelte sich bei Valerie langsam in Wut.

Sie schob Ollis Arm behutsam von ihrer Schulter und funkelte über Olli und Tanja hinweg Sebastian an. Das große O blickte mit fast noch größeren Augen aus dem Rahmen ihrer blonden Mähne heraus und lächelte süßlich.

„Sag mal, mein Lieber“, begann Valerie mit Eis in der Stimme, „was willst du mir hier eigentlich klar machen? Partnertausch? Du willst mit dieser Tussi ficken, oder was? Und ich mit dem hier?" Sie zeigte verächtlich mit dem Daumen auf Olli, ohne ihn eines Blickes zu würdigen. Ihre Stimme hatte sich unablässig in Tonhöhe und Lautstärke gesteigert. Es kam nicht oft vor, dass sie die Beherrschung verlor, aber die Enttäuschung darüber, dass Basti, ihre große Liebe, sich als notgeiler Swinger entpuppte, war zu groß. Sebastian, der langsam seine vorübergehende Sprachlosigkeit verlor, warf jetzt ein: „Aber Schatz, ich liebe dich, wie ich sonst keine liebe. Gerade in der Liebe muss man sich jeden Tag bemühen, dass es nicht einschläft …"

„Einschläft?", kreischte Valerie. „Bist du schon mal bei mir eingeschlafen? Ich bin also so langweilig …"

„Nein! Man muss sich bemühen, dass es nie langweilig *wird*! Ich meine *bevor* es langweilig wird!"

Olli und Tanja kauerten nebeneinander auf dem Sofa wie zwei Bassets, die man für ein Geschäft auf dem Teppich zur Rechenschaft zieht.

„Du hast sie doch nicht alle, du blöder… blöder…du schwanzgesteuertes Arschloch!"

„Aber das war doch so gar nicht …“ Sebastian wirkte jetzt sehr kleinlaut. Sein Gesicht hatte sich verfärbt, und er fuchtelte mit einer Hand in der Luft herum. „Schatz“, murmelte er.

„Von wegen Schatz!“, fuhr Valerie ihn an, „es hat sich ausgeschatzt. Du kannst mich mal mit deinen beiden Fickfreunden. Du und dein ganzer Küstennebel hier!“ Sie zeichnete mit einer Hand energisch das Rund der Tanzfläche nach. „Das war´s, verstehst du? Ende!“

Valerie bekam Angst. Das Herz pochte ihr im Hals. Für einen langen Moment fürchtete sie, ohnmächtig zu werden. Sie sprang auf, warf sich den Riemen ihrer Tasche über die Schulter und die langen, dunklen Haare mit einer Kopfbewegung in den Nacken, blickte an Sebastian vorbei auf die beiden Personen, die noch immer reglos auf dem Sofa saßen, durchbohrte sie nacheinander mit ihren Blicken und stöckelte dann zügig, aber nicht hastig zum Ausgang. Sebastian holte sie im Korridor ein und fasste sie am Arm, fester als er es vielleicht beabsichtigt hatte. Mit einer heftigen Bewegung riss sie sich los.

„Fass mich nicht an! Du tust mir weh! Fass mich nie wieder an!"

„Valerie, jetzt reiß dich zusammen! Komm erst mal runter, verdammt!" Sebastian hatte seinen anfänglichen Schock überwunden. Er war jetzt ebenfalls wütend. Er senkte die Stimme und fuhr sie an: „Jetzt chill mal, was bist du so spießig, Schlampe?"

Valerie starrte den viel größeren, muskulösen Mann an, sah sein gerötetes Gesicht, den kurzen Vollbart, der unter der Deckenbeleuchtung einen leichten Rotstich angenommen hatte, die dunklen Augen, die jetzt funkelten wie zwei gewetzte Dolche. Sie hielt es nicht für unwahrscheinlich, dass er sie schlagen würde. Ihr Gesicht war eine Maske aus verächtlicher Ablehnung.

„Du bist so ein hirnloser, schlappschwänziger Idiot! Mir war von Anfang an klar, dass so einer wie du nichts auf die Kette kriegt!"

Wollte sie einen Schlag provozieren? Sollte das den Schmerz lindern? Die Luft reinigen? Um das klar zu erkennen, war sie zu aufgebracht. Aber sicher lief es darauf hinaus. Sie wollte ihn bestrafen und gleichzeitig sich selbst. Dafür, dass sie immer an die falschen Kerle geriet. Dass sie offensichtlich nicht für eine richtige Beziehung geeignet war. Es wäre für sie eine Befreiung gewesen, wenn er sie jetzt zu Boden geschlagen hätte. Aber Sebastian tat es nicht. Er stand nur da, ein Kerl wie ein Berg, starrte zugleich traurig und böse auf sie herab. Stand mit schlaff herabhängenden Armen, während seine Finger sich abwechselnd zu Fäusten krümmten und wieder öffneten, als spiele er mit dem Gedanken sie zu erwürgen. Valerie grinste ihn spöttisch von unten herauf an.

„Schlag doch schon zu, du Feigling“, forderte sie ihn auf, jetzt plötzlich ganz ruhig. Ihr Vater fiel ihr ein. Daddy war auch ein Riese gewesen, wenn auch nicht annähernd so durchtrainiert. Und, hatte es ihm was genützt? Vor ihren Augen manifestierte sich das breite Gesicht eines Mannes mit Stirnglatze und buschigen Augenbrauen. Er lag auf dem Boden. Seine Augen waren nur halb geöffnet und starrten reglos an ihr vorbei. Dann verschwand die Vision wieder.

„Mach´s gut, Großer“, sagte Valerie tonlos, ging ein paar Schritte zur Tür, öffnete sie und verschwand nach draußen auf den Parkplatz, der jetzt nur noch von hohen Bogenlaternen beleuchtet war.

Obwohl er sich außerhalb ihres Blickfeldes befand, konnte Valerie Joschis Blick spüren, als würde er Hitzestrahlen aussenden. Valerie drehte den Kopf zur Seite und schaute direkt in seine dunklen Augen. Hatte er sie schon länger beobachtet? Irgendwie sah er besorgt aus. Warum nur? Sie war sich sicher, dass alles an ihr in Ordnung war, zumindest äußerlich. Von den Haaren und ihrem Makeup mal ganz abgesehen, wusste sie, dass ihr kontrollierter Gesichtsausdruck in der Regel keinen Einblick in ihren Gemütszustand zuließ.

Aber bei Joschi schien das anders zu sein. Sie hatte nicht zum ersten Mal den Eindruck, dass er besondere empathische Fähigkeiten besaß. Joschi kam jetzt heran und fragte, ob er noch etwas für sie tun könne. Valerie war davon überzeugt, dass er davon ausging, sie würde nun nach der Rechnung verlangen. Aber irgendetwas hielt sie hier fest. Es mochte mit dem Ambiente des *Mozart* zusammenhängen, mit den leisen Geigenklängen, die man mehr erahnen als hören konnte. Das alles hier vermittelte ihr ein schwer erklärbares Gefühl von Heimat, von Geborgenheit. Ihr wurde jäh bewusst, dass sie trotz ihrer schönen Wohnung, ihres Berufes, den sie liebte, der Stadt, in der sie geboren war und des großen Freundeskreises (definiere Freunde!) irgendwie heimatlos war. Hier im *Mozart* gewann sie ein Gefühl des Ankommens, dass sie immer wieder herzog. Und dann war da dieser schöne Mann am Nachbartisch, der schon ziemlich lange vor einer leeren Kaffeetasse und einem noch immer unbehelligt gebliebenem Stück Sachertorte saß, und der eine seltsam melancholische Traurigkeit ausstrahlte, eine Entrücktheit, als gehöre er gar nicht in diese Welt.

„Weißt du was, Joschi“, richtete sie das Wort an ihren Gastgeber, „heute ist so ein Tag, am besten frag mich gar nicht, aber ich glaub ich brauch jetzt noch so eine Marille, okay?"

„Aber klar, gerne“, nickte Aljoscha und verkniff sich nur mit Mühe eine Verbeugung.

„Ist alles okay mit dir?", fragte er. „Du bist mit dem Auto da, oder? Valerie, du weißt, wenn ich dir helfen kann, also wenn´s in meiner Macht steht ..."

„Alles in Ordnung, Joschi, wirklich, danke. Ein bisschen sentimental heute, das geht vorbei."

Er schaute sie eine Weile an, als versuche er, ihre mentale Sperre zu durchdringen. Dann nahm er das leere Likörglas vom Tisch. Der Kaffee Melange in der noch vollen Tasse musste inzwischen deutlich abgekühlt sein. „Ich bringe dir noch die Marille“, sagte er und ging.

5

Angelique Meckel hatte die Arme fest um ihren Freund geschlungen und lehnte ihre Stirn vertrauensvoll gegen den schon etwas verfilzten Pullover. Der Fahrtwind in den Haaren tat gut bei dieser Hitze, die schon seit Tagen in der Stadt herrschte. Sie achtete nicht darauf, welchen Weg Manuel einschlug. Sie war sicher, dass er wusste was er tat. Manuel hatte die Vespa über innerstädtische Straßen durch Bredeney Richtung Mülheim gelenkt und dabei bewusst die Autobahn gemieden, weil die alte Mühle selbst mit Rückenwind kaum noch an die vierzig Stundenkilometer herankam. Bei einer zufälligen Polizeistreife hätten sie vielleicht Aufmerksamkeit erregt, nicht zuletzt auch wegen der Rauchfahne, die aus dem knatternden Auspuff quoll. Außerdem trugen sie beide keine Helme.

An Manuels Schulter vorbei sah Angelique, dass sie jetzt in eine schmale Straße einbogen, die zwar asphaltiert war, jedoch übersät mit Schlaglöchern und Verwerfungen im Belag, denen Manuel in geschickter Slalomfahrt auswich. Würde es hier Gegenverkehr geben, es hätte sicher heikel werden können, aber es war weit und breit kein anderes Fahrzeug zu sehen.

Links und rechts der Straße lagen Felder mit Mais und Weizen, die ziemlich vertrocknet aussahen.

„Dauert nicht mehr lange, Baby“, rief Manuel ihr gegen das Motorengeräusch über die eigene Schulter zu. Angelique nickte, was er nicht sehen konnte. Angelique liebte es, wenn er *Baby* zu ihr sagte. Auch den Kosenamen *Angel*, den er englisch aussprach, hatte Manuel erfunden. Ein echt cooler und süßer Typ. Er war Halbwaise wie sie. Nur, dass bei ihm der Vater früh gestorben war. Der alte Schuppen, in dem sie vorerst abtauchen und die Beute zählen wollten, stand irgendwo hier auf freiem Feld zwischen Mülheim und dem Essener Süden, nicht weit vom Flugplatz entfernt, aber doch so abgelegen, dass sich selten Menschen dorthin verirrten.

Wenn Angelique daran dachte, spürte sie noch heute das Brennen der Ohrfeige an der Wange, die ihr Alter ihr verpasst hatte. Als wäre sie ein kleines, rotznasiges Kind, so behandelte sie dieser *Spast*. Mischte sich in alles ein, wollte immer wissen wo sie war, mit wem, wie lange und überhaupt. Der Alte hatte schon lange nicht mehr alle Latten am Zaun. Der hatte überhaupt keine Ahnung, was heute so abgeht. Wenn Manuel nicht gewesen wäre …

Am 24. Oktober war das gewesen. Sie wusste es deshalb so genau, weil es der Tag vor dem Datum war, an dem die Ausbildungsvergütung auf dem Konto sein sollte. Die Lessing, das war auch so eine hässliche Alte, die garantiert kein Typ mit der Kneifzange mehr anfassen würde. Da half auch die ganze Schminke und die aufgedonnerte Frisur nichts mehr. Angelique hatte hinten im Lager auf einem der Kartons mit dem Logo von *L'Oréal* gesessen und nur schnell ein paar Kommentare bei Facebook und Instagram verfasst. Als sie eben noch dabei war, eine WhatsApp-Nachricht an Manuel mit ganz vielen Herzchen und Kussmündern zu verschicken, hatte die Lessing sie erschreckt.

„Wie oft hab ich dir schon verboten, während der Arbeitszeit mit dem Handy rumzuspielen!"

So brutal in die reale Welt zurückgeworfen, sprang sie spontan auf, wobei ihr das Handy aus der Hand rutschte, und sie mit der Schulter schmerzhaft unter das Regal an der Wand hinter ihr stieß. Die Dübel, mit denen die Konstruktion befestigt war, hatten wohl im maroden Putz des Altbaus nicht sehr fest gegriffen. Jedenfalls klappte der Regalboden ein Stück nach oben, und als er wieder in die ursprüngliche Position zurückfiel, rutschte die schuhkartongroße Schachtel mit den 100-Milliliter-Fläschchen *Chanel Coco Mademoiselle*, die sowieso voll blöd da oben deponiert gewesen war, über die Kante. Der Sturz erfolgte, wie immer in solchen Situationen, in Zeitlupe. Die Augen hatten alle Zeit der Welt, den freien Fall zu studieren, während gleichzeitig keine Zeit blieb, mit den Händen nach dem Objekt zu greifen. Das Geräusch, das beim Kontakt der Schachtel mit den Fliesen entstand, ließ nichts Gutes vermuten. Mehr noch, sie erstickten jegliche Hoffnung im Keim, die man sich noch während des Fluges gemacht haben mochte. Unterhalb der erstarrten Haube aus weißblonden Haaren brach sich im Gesicht der Lessing, ungeachtet einer respektablen Schicht aus Make-Up und Rouge, eine bedrohlich ungesund wirkende, violette Gesichtsfarbe Bahn. Helene Lessings Unterkiefer klappte nach unten, und ihre Augen saugten sich entrückt an dem sich langsam aufweichenden Pappkarton fest, aus dem sich die so wohlriechend wie kostspielige Substanz ergoss. Dann bohrten sich ihre Hände tief in die beiden Taschen ihres weißen Kittels mit den pinkfarbenen Applikationen.

„So, das war´s, Meckel, pack deine Sachen und verschwinde aus meinem Laden!“, kreischte sie mit dem ihr eigenen schrillen Organ. „Weißt du, was das kostet, du Trampel? Wenn ich dir das vom Lehrlingsgehalt abziehe, kannst du mir die letzten sechs Monate zurückzahlen!“

Angelique, die sich langsam von ihrem ersten Schock erholte, setzte eine trotzige Miene auf und zuckte bockig mit den Schultern. „Ja und?“, muckte sie auf, „ich hab eh keinen Bock, hier weiter in dem verfickten Laden zu schuften. Hier lernt man ja nix Gescheites außer Haare waschen und den Boden fegen.“ Sie bückte sich und hob besorgt ihr Handy auf. Äußerlich schien es nicht beschädigt zu sein.

„Ja, nimm nur dein liebstes Stück und mach, dass du rauskommst. Und du brauchst nicht mehr wieder zu kommen. Deine Ausbildung ist beendet. Ist ja eh hoffnungslos bei dir.“

Helene Lessing stand mitten in der Tür wie eine Vollzugsbeamtin beim jüngsten Gericht. Zum Glück trat sie jetzt einen Schritt zur Seite und wies auf die Tür, sonst hätte Angelique sich nicht an ihr vorbei getraut. Nun schritt sie jedoch entschlossen an ihrer frischgebackenen Ex-Chefin vorbei zur Tür. Während sie nach vorne in den Laden ging, verschoss sie noch ihre restliche Munition: „Sie können froh sein, wenn sie für die paar Kröten überhaupt noch ein paar Dumme finden, die sich von ihnen ankeifen lassen, sie hässliche alte Krähe!“

Selbst darüber erstaunt, dass ihr in dieser aufgewühlten Stimmung so ein geiler Kommentar eingefallen war, marschierte sie durch den Salon. Die stummen Blicke von Isa, Debbie und Elif konnte sie auf der Haut spüren, ebenso die der *Tussi*-Kundinnen im Geschäft. Aber man hatte sie nicht gedemütigt. Sie hatte triumphiert. Sie hatte der Lessing das ins Gesicht gesagt, was sie schon oft in Gedanken durchgespielt hatte. Sollten sie sie doch alle mal! Mit klopfendem Herzen, aber betont ruhig, zog sie sich den Kittel aus und ließ ihn auf den Boden fallen. Dann nahm sie ihre Jacke aus silberfarbigem Kunstleder vom Haken und drückte die Glastür nach draußen auf. Ein angenehm kühler Wind wehte ihr ins Gesicht. Angelique fühlte, dass ihre Wangen heiß geworden waren. *Helens Hair & Beauty* war Geschichte, und das war gut so. Im Gehen zog sie ihre Jacke über. Feiner Nieselregen lag in der Luft. Verstohlen sah sie zur Bushaltestelle hinüber. Die Leute dort nahmen keine Notiz von ihr. Man sah ihr also offensichtlich nicht an, dass sie nun auch diese Lehrstelle verloren hatte. Die Ernüchterung kam wie ein Schlag mit der Maurerkelle, als Angelique an ihren Vater dachte. Wenn der Alte davon erfuhr, was hier passiert war, hatte sie nichts zu lachen. Eine stundenlange Predigt und eine Woche Hausarrest waren das mindeste, womit sie rechnen konnte.

Die Haltestelle Richtung Holsterhausen lag auf dieser Straßenseite, ungefähr hundert Meter die

Straße runter. Während Angelique langsam dorthin schlenderte, dachte sie darüber nach, wie sie dem Alten die Geschichte so gut wie möglich verpacken konnte, um als die Gute in dem Spiel zu erscheinen. Fast am Schild mit der Fahrplanauskunft angekommen, kam sie zu dem Schluss, dass bei dem alten Idioten ohnehin Hopfen und Malz verloren waren. Bei ihm würde sie immer die Bitch sein, egal was tatsächlich passiert war.

Da der 101er erst in ein paar Minuten kommen würde, ging Angelique ein paar Schritte weiter bis zur Bude. *Antalya-Shop* hieß der Kiosk, der seine Kunden mit flimmernder Neon-Laufschrift *OPEN* zum Einkauf lud.

„Zwei Underberg“, bestellte sie selbstbewusst bei dem bulligen Mann mit schwarzem Vollbartart hinter dem Tresen. Dabei deutete sie mit Daumen und Zeigefinger an, dass sie damit die handlichen kleinen Fläschchen meinte. Der Mann musterte sie kurz und stellte dann das Gewünschte auf den Tresen. Durch ihr Make-Up wirkte sie mindestens zwei Jahre älter. Angelique bezahlte und ließ die Fläschchen links und rechts in die Jackentaschen gleiten. Zwei Männer mit Bierflaschen in den Händen, die den Kaufvorgang stumm beobachtet hatten, wendeten sich wieder einander zu. So registrierten sie schon nicht mehr, wie das Mädchen, das für kurze Zeit ihre Aufmerksamkeit erregt hatte, weil es ganz hübsch war, und dabei ein bisschen nuttig aussah, im Durchgang zwischen zwei Häusern verschwand. Angelique trank dort mit ein paar Schlucken eins der Fläschchen leer und verzog dabei kurz das Gesicht. Es tat gut, wie der herbe Magenbitter warm die Speiseröhre hinabfloss. Dann ging sie wieder an die Haltestelle und gesellte sich zu den anderen Wartenden.

Am Hauptbahnhof musste Angelique vom 101er in die U1 umsteigen. Sie bekam überall einen Sitzplatz, denn um diese Uhrzeit gab es noch keinen Berufsverkehr. So früh kam sie selten nachhause. Mit etwas Glück war der Alte nicht in der Wohnung. Seit ein paar Wochen hatte der nämlich einen Nebenjob im Getränkemarkt an der Kerckhoffstraße, womit er sich das Arbeitslosengeld aufbesserte. Da hatten sie eindeutig den Bock zum Gärtner gemacht. Meistens hockte der Versager jedoch zuhause vor der Glotze und nervte, wo er nur konnte.

„Wo komms Du ´n jetzt her?“ nölte er, als Angelique die Wohnungstür aufschloss. Die Stimme kam aus dem Wohnzimmer und ließ deutlich erkennen, dass er die erste Flasche Bier schon seit einer Weile hinter sich hatte. *Mist!* dachte sie und ging schnell durch die Diele zu Ihrem Zimmer. „Heute

Nachmittag is zu“, murmelte sie im Vorbeigehen durch die geöffnete Wohnzimmertür. Applaus brandete auf. Anscheinend lief im Fernsehen eine dieser Quizshows.
„Moment mal, Frollein!“ Der Alte tauchte im Türrahmen auf, bevor Angelique in ihrem Zimmer verschwinden konnte. „Wills du mich verscheißern?“, knurrte er. Wahrscheinlich hatte er mal wieder Ärger mit einem Chef gehabt. Angelique blieb stehen und drehte sich um. Ihm einfach so die Tür vor der Nase zuzumachen traute sie sich dann doch nicht, wenn er in dieser Stimmung war.

„Ich konnte heute früher gehen“, erklärte sie und blickte in zwei wässrige Augen über geröteten Wangen.

„Frollein, du denkst wohl, du kanns mich hier für dumm verkaufen. Welcher Friseur macht am Dienstagnachmittag zu? Und wieso solltest Du früher gehen können? Letzte Woche hast du noch erzählt, ihr könntet euch vor Terminen nich retten. Und wie siehst du überhaupt aus? Schminkst dich wie ne Professionelle.“

Angelique hasste es, sich vor dem versoffenen Alten zu rechtfertigen. Der kam selbst mit seinem Leben nicht klar, und wollte sich als Erzieher aufspielen. Seit Mama nicht mehr da war, war es mit ihm stetig bergab gegangen. Plötzlich stieg Wut in ihr hoch. Das Adrenalin drängte die Vernunft in den Hintergrund, und sie schrie dem gedrungenen Mann mit der ausgeprägten Stirnglatze direkt in sein aufgedunsenes Gesicht: „Verdammt, ja, ich hab da gekündigt! Ich hab einfach keinen Bock mehr, mich von der alten Schachtel rumschubsen zu lassen. Und überhaupt, was geht's dich eigentlich an? Ich werd in einem Jahr achtzehn, und dann lass ich mir von so einem Penner wie dir sowieso nichts mehr vorschreiben!"

Als sie sich nach den letzten Worten der Gefahr bewusst wurde, war es zu spät. Die flache Hand ihres Vaters traf ihre Wange mit einer erstaunlichen Präzision. Ihr Gesicht peitschte zur Seite, und sie stieß mit der Stirn an die Zarge der Kinderzimmertür.

„Ey, bist du bescheuert, du Arsch!", kreischte sie außer sich vor Wut und hielt sich die Wange. Diese begann zu brennen, und ihr Auge tränte. Horst Meckel war offensichtlich selbst erschrocken über seine Reaktion und schaute fast schuldbewusst auf die Tochter. „Dat is jetzt die zweite Lehrstelle, die du abbrichst", sagte er in ruhigerem Ton, „was soll denn mal aus dir werden?"

„Was aus mir werden soll? Was ist denn aus dir geworden? Ich mach bestimmt was aus meinem

Leben. Ich werd bestimmt nicht in dieser Asiwohnung bleiben. Wenn ich achtzehn bin, bin ich weg. Da kannße dich drauf verlassen. Boah ey, echt, verdammte Scheiße!“ Jetzt fiel ihre Tür mit einem Knall ins Schloss. Angelique blickte in den kleinen Spiegel, der hinter ihrer Tür neben einem doppelten Kleiderhaken hing. Die linke Gesichtshälfte glühte, und sie war sich nicht sicher, ob allein der Schlag die Ursache dafür war, oder auch ihre Wut, denn die andere Seite begann gerade damit, sich farblich anzugleichen.

Wenn man doch nur genügend Geld hätte, einfach nur einen Haufen Schotter, dachte sie verzagt, so wie Dagi Bee, ihre Lieblings-Youtuberin oder Pamela Reif, die sie ebenfalls auf YouTube abonniert hatte, und der sie auch auf Insta folgte. Aber in dieser Scheißbude gab es ja noch nicht mal vernünftiges W-Lan. Hier konnte sie einfach nicht mehr bleiben. Sie musste hier raus. Aber wie sollte das gehen, diesem Kerl heute Abend in der Küche über den Weg zu laufen? Ihn morgen beim Frühstück sehen? Eine gruselige Vorstellung. Jetzt, wo sie keinen Job mehr hatte. Schließlich konnte man nicht den ganzen Tag in der Stadt herumlaufen. Mit Caro und Isi verstand sie sich eh nicht so gut in letzter Zeit. Die Tussen meinten, sie wären was Besseres, weil sie jetzt beide bei der Versicherung arbeiteten und den ganzen Tag mit

Schlipsträgern zu tun hatten, die ihnen auf die fetten Ärsche glotzten.

Während sie das dachte, verfassten die lackierten Nägel ihrer beiden Daumen eine WhatsApp-Nachricht an Manuel, als besäßen sie ein Eigenleben. Manuel war die große Liebe ihres Lebens und ihre einzige Hoffnung, jemals aus dieser ganzen Scheiße raus zu kommen.

„Fuck!“, entfuhr es Manuel, und Angelique, die ihn noch immer von hinten umklammerte, löste erschrocken ihre Wange vom Rücken des Pullovers. Die Vespa geriet ins Taumeln. Ein merkwürdiges Gefährt, eher ein Fass auf Rädern, war hinter einer langgezogenen Kurve aufgetaucht und versperrte querstehend die ohnehin schmale Fahrbahn. Manuel zog das Zweirad ruckartig nach rechts. Das Fass kam auf irgendwie ungesunde Art zu schnell näher und wurde zu einer hellen, milchigen Wand. Der Horizont drehte sich um 90 Grad in die vertikale, so dass die Straße wie eine schmutziggraue Wand seitlich neben ihr auftauchte. Dann fühlte sie sich auf sanfte Art angehoben, riss die Arme in die Höhe und schwebte. Der 4-PS-Motor der Vespa kreischte im Leerlauf schrill auf.

6

Valerie Bensheim hatte schon mehrfach Events in der Grugahalle betreut, aber meistens war sie mit dem Flieger nach Düsseldorf und von da aus über die A52 direkt mit dem Taxi zur Innenstadt gefahren. Heute staunte sie über die ländliche Umgebung mit Feldern und Wiesen, durch die das Navi sie führte. Es gab hier absolut keinen Verkehr, und wenn das Gelände etwas flacher gewesen wäre, man hätte glauben können, irgendwo in den blühenden Landschaften von Brandenburg oder Vorpommern unterwegs zu sein. Unbeirrt beharrte die Tante im Navigationsgerät jedoch darauf, dass man in weniger als einer halben Stunde das Atlantic-Hotel erreichen würde. Der Laden lag in direkter Nähe zur Grugahalle und dem Haupteingang des Parks. Auch das Messezentrum konnte man von dort aus bequem zu Fuß erreichen. Das, und die Tatsache, dass sie Harry Lehnert im Atlantic einquartiert hatte, war der Grund für ihre Wahl gewesen. Vom Hotel aus konnte sie zwei Fliegen mit einer Klappe schlagen. Harry kannte sie schon einige Jahre, und der brauchte nicht viel Betreuung. Der kannte sich im Showbusiness aus, und in der Grugahalle war er auch schon bei den Schlagerfestivals 2015 und 2017 aufgetreten. Das *Atlantic* war aber auch nicht weit entfernt von Rüttenscheid, wo sich die Lieblingsbars von Günther Krapp befanden. Das wusste Valerie von Johnny, der ihr die Jobs vermittelte und von dem sie auch nicht mehr als den Vornamen wusste, der wahrscheinlich nicht einmal echt war. Das Dossier über Günther Krapp inklusive Porträtfoto war wie üblich per MMS von einer unterdrückten Nummer gekommen. Johnny war der Unterzeichner, aber wenn man versuchen sollte, die Nummer anzurufen, man würde keinen Erfolg haben. Valerie hatte sich die Informationen über ihre Zielperson aufmerksam durchgelesen, sich das Bild eingeprägt und dann die Nachricht gelöscht.

Die Straßenbeschaffenheit war nicht besonders gut, aber da keine anderen Fahrzeuge in der Nähe waren, fuhr sie natürlich zu schnell, was sie selbst eher als rasant bezeichnet hätte. Hinter einer langgezogenen Kurve sah sie vor sich eine nasse Stelle, an der offenbar außerdem jemand irgendwelchen Schrott auf die Straße geworfen hatte. Valerie lenkte den Z4 geistesgegenwärtig links an dem Unrat vorbei und hörte einen trockenen Knall. Kurz darauf wurde die Lenkung unruhig und reagierte nur widerwillig. Valerie ließ den Wagen am Straßenrand ausrollen und kam auf dem verwilderten Rasen neben der rechten Fahrbahnseite zum Stehen.

„Mahlzeit!“, sagte sie laut zum Innenspiegel des BMW. Da hinten war eigentlich so gut wie nichts Verdächtiges zu sehen. Die Neigung des Autos sprach aber deutlich für einen Platten. Valerie schaltete den Motor ab und stieg aus. Beim Fahren trug sie grundsätzlich flache Ballerinas. Die Highheels, ohne die sie normalerweise kaum zu sehen war, standen im Fußraum des Beifahrersitzes. Wohlwissend welcher Anblick sie erwarten würde, ging sie vorne um das Auto herum und besah sich die Alufelge, die direkt auf dem grasigen Untergrund stand. Der Reifen war an der Seite aufgeplatzt. Ohne den Fahrtwind spürte sie jetzt die Hitze, die auf der vertrockneten Landschaft lastete. Dieser Sommer war sehr trocken und sehr heiß. In den Nachrichten hörte man seit Wochen, das Gärtner und Landwirte der Republik schon jetzt über den zu erwartenden Ernteausfall klagten und finanzielle Hilfe von der Bundesregierung einforderten.

Valerie stemmte die Hände auf ihre Hüften und blickte sich um. Die Luft über dem schadhaften Asphalt flimmerte. Auf der aus ihrer Position gesehen rechten Straßenseite gab es eine flache, vielleicht meterhohe Böschung. Dahinter erhoben sich in mehreren Reihen kleine Koniferen, die ordentlich wie Soldaten im Glied standen. Ein schmaler, mit Asche bestreuter

Pfad führte sanft die Böschung hinauf und verschwand zwischen den Bäumchen. Auf der anderen Straßenseite, dort wo auch ihr Wagen parkte, gab es einen großen, freien Ascheplatz, auf dem wuchernde Farne, Wegerich und Löwenzahn einen traurig vertrockneten Eindruck vermittelten. Offenbar handelte es sich um einen Parkplatz, der aber allem Anschein nach so gut wie nie genutzt wurde. Zwischen zwei morschen, aufrechtstehenden Vierkanthölzern erhob sich ein längliches Blechschild mit der Aufschrift GÄRTNEREI BREUNING. Links und rechts neben der steifen Arialschrift sah man je eine stilisierte Margeritenblüte. Jedenfalls vermutete Valerie, dass es sich um Margeriten handeln sollte. Die Farben waren allerdings stark verblasst. Irgendwo im Gebüsch am Straßenrand war das elektrisch anmutende Zirpen einer Grille zu hören. Valerie griff über die geschlossene Beifahrertür hinweg in ihre Handtasche, die dort auf dem Sitz stand, und zog ihr Handy hervor, um den Pannendienst anzurufen. Dann hielt sie inne und blickte erneut auf ihren platten Vorderreifen. Dicht unterhalb des Kotflügels hatte sie etwas in der Sonne aufblitzen sehen. Valerie ging in die Hocke. Eine kleine Sprungfeder ragte dort am äußeren Rand der Lauffläche aus dem Gummi. Sie entschloss sich dazu, ein paar Meter zurück, zu der besagten Stelle mit den Schrottteilen auf der Straße zu gehen. Die Grille war zwischenzeitlich verstummt und setzte erst wieder mit ihrer Darbietung ein, als sie den Störenfried in sicherem Abstand wähnte. Schon von weitem erkannte Valerie mehrere kleine Metallteile, Schrauben, undefinierbare Stahlstifte und ein paar kleine Spiralen, die wahrscheinlich Ventilfedern waren. Eine davon hatte sich in ihren Reifen gebohrt. Eine Wasserlache war dabei, auf dem heißen Asphalt zu verdampfen.

Ich werde mir einen Leihwagen nehmen müssen, dachte Valerie. Mit dem Taxi konnte sie ihren Auftrag heute Abend unmöglich ausführen. Das würde Spuren hinterlassen, die nachverfolgbar waren.

„Ach Gottchen, haben sie ne Panne?“, fragte eine hohe Frauenstimme hinter ihr, die an die Stimme einer Comicfigur erinnerte. Als Valerie sich umdrehte, sah sie eine Frau mit rosigen Wangen und einer graumelierten Haarkrause, die vermutlich den Tod jeder Bürste bedeutete, die versuchte, das Dickicht zu durchdringen. In einer Hand hielt sie einen Besen.

„Ja, sieht so aus“, antwortete Valerie, „da hat sich irgendwas in meinen Reifen …“ Sie deutete auf die Straße mit den metallenen Kleinteilen. Neben der Wasserlache hatte sie einen dünnen rötlichen Streifen entdeckt.

„Oh je, so ein schönes Auto“, näselte die Frau, „kommen sie gerne kurz mit rein auf nen Kaffee. Hier kommen so selten Leute vorbei. Da freut man sich über jeden Besuch.“

„Nein, nein, kein Problem, ich rufe schnell beim ADAC an, die sind schnell da.“

„Anrufen, das is schlecht. Handys haben hier normalerweise keinen Empfang.“

Valerie hielt sich das iPhone vor die Augen. In der grellen Sonne konnte man das Display schlecht ablesen. *Nur Notrufe* stand da, und sie war sich sicher, dass auch die kaum möglich sein würden. Sie schob das Telefon in die hintere Jeanstasche und nahm das Kopftuch ab, dass sie immer trug, wenn sie offen fuhr. Mit ein paar Handgriffen richtete sie ihre Haare.

„Sie sind sehr schön. Und so schick angezogen“, sagte die Frau bewundernd. Sie mochte Mitte Fünfzig sein und war stämmig gebaut. Sie trug eine grüne Schürze, die Flecken von Blumenerde aufwies. Ein bisschen davon hatte sie auch unter ihren kurzen Fingernägeln, dass konnte Valerie sehen.

„Danke“, Valerie lächelte knapp, „meinen sie, ich kann kurz bei ihnen drinnen telefonieren?“

Der Blick der Frau wirkte beinahe melancholisch, als sie erwiderte: „Also, das tut mir jetzt wirklich leid, aber unser Telefon geht im Moment nicht.“

Das kann doch nicht wahr sein, dachte Valerie verzagt. Kann es denn sein, dass man hier mitten im am dichtesten besiedelten Bundesland im Nirgendwo strandete? War das hier einer der wenigen weißen Flecken auf der Landkarte, oder wie?

„Kommen denn hier keine Autos vorbei?“, fragte Valerie. „Ich hab jedenfalls in der letzten Viertelstunde keins gesehen.“

„Ja, leider. Liegt an der Autobahn und der neuen Umgehungsstraße. Der Bus fährt hier auch nich mehr lang. Wir sind tatsächlich hier ein bisschen weit vom Schuss.“

Valerie sah hinter dem großen, leeren Parkplatz ein paar Beete mit Sträuchern und dahinter das verglaste Gebäude einer Gärtnerei. Die besten Zeiten hatte dieser Laden ganz offensichtlich hinter sich.

„Das Geschäft läuft tatsächlich nicht mehr besonders“, berichtete die Frau, „aber mein Mann und ich kommen zurecht. Ich heiße übrigens Breuning, Leonie Breuning.“ Die Frau wischte sich die Hand kurz an der Schürze ab und reichte sie Valerie. Die drückte die Hand und stellte sich ebenfalls vor. „Dann kommen sie doch einfach erst mal mit rein", erneuerte Leonie ihre Einladung, „ist ja unerträglich, diese Hitze hier draußen. Valerie musste ihr recht geben. Sie überlegte kurz, ob es ratsam sei, das Auto auf den Parkplatz zu fahren, kam aber zu dem Schluss, dass sie damit nur den Schaden an der Felge verschlimmern würde.

„Ja, gerne", sagte sie also zu Frau Breuning, „ich muss nur schnell das Verdeck schließen." Sie ging zu ihrem Cabrio und setzte sich hinein. Bei laufendem Motor wartete sie, bis sich das Verdeck entfaltet und über dem Fahrgastraum geschlossen hatte. *Sweet but psycho* sang Ava Max derweil, und der Song, den sie vor kurzem noch laut mitgesungen hatte, kam Valerie in Anbetracht der umgebenden Stille plötzlich störend vor. Als sie mit ihrer Handtasche von *Patrizia Pepe,* mit dem dunkelblauen Schlangendessin, zurückkam, war Frau Breuning gerade dabei, mit ihrem Besen die Metallteile von der Straße zu kehren. *Gute Idee*, dachte Valerie, *leider ein paar Minuten zu spät*.

Dann folgte sie der Gärtnerin über den staubigen Parkplatz zum gläsernen Eingang des Ausstellungsraums. Leonie ging voraus durch die Glastür, und Valerie staunte über den riesigen Hintern, der nicht recht zur übrigen Physiognomie der Frau passen wollte. Hier drinnen war es heiß und stickig. Auch ohne botanische Kenntnisse sah Valerie, dass die Pflanzen offensichtlich gut gepflegt, das heißt regelmäßig gewässert wurden.

„Und sie machen das hier alles alleine mit ihrem Mann?“, fragte sie, um das Gespräch in Gang zu halten.

„Ja, das ist halb so wild, wenn man es gewohnt ist. Im Moment mach ich das sogar ganz alleine, solange Gerd verreist ist.“

Im Verkauf gab es hier sicherlich keinen Stress, dachte Valerie. Es war Samstagnachmittag, und wenn jetzt nichts los war in diesem Laden, dann unter der Woche erst recht nicht. Soviel wusste sie als Selbstständige, dass das hier betriebswirtschaftlich keinen Sinn hatte. Wenn die Breunings nicht richtig was auf der hohen Kante hatten, waren sie so gut wie pleite. Davon abgesehen sahen die Gebäude ohnehin schon ziemlich runtergekommen aus. Hier war eindeutig schon lange nichts investiert worden.

„Wir gehen schnell hier durch, das is am kürzesten“, sagte Leonie, „und da kann ich ihnen schnell meine Astern zeigen.“ Geschickt manövrierte sie mit ihrem Hinterteil zwischen den Hochbeeten hindurch zur Rückwand des Verkaufsraums. Hier standen mehrere Tische nebeneinander mit verschiedenen Astern in Violett, Gelb, Orange und Lila. Valerie musste sich eingestehen, dass die Blütenpracht wirklich beeindruckend war. „Das sieht ja toll aus“, sagte sie mit ehrlicher Überzeugung, und sie sah den fast verliebten Blick, den Leonie über die Pflanzen schweifen ließ.

„Ja, oder?“, sagte Leonie stolz, „das sind meine Lieblinge. Das da ist die Bergaster, und da die Alpen Aster, und da hinten, die nennt man *Purple Dome*. Gerd mag die ja nicht so. Manchmal denke ich, das sagt er nur, weil ich die Astern so mag.“ Sie griff zu einer kleinen Handbrause, die mit einer Steckverbindung am Ende eines dünnen Schlauchs angeschlossen war und hüllte die Pflanzen für einige Sekunden in einen feinen Sprühregen.

„Ich mag die so, weil man fast das ganze Jahr über an ihnen Freude haben kann“, sagte sie. Später muss ich noch rüber in die Schonung, die Koniferen wässern. Wollte ich eigentlich schon längst gemacht haben, aber mir is was dazwischengekommen. Ist sowieso besser, wenn die Sonne dabei nicht mehr so brennt.“

Valerie merkte, dass sie die Frau mochte. Die Gärtnerei schien wirklich ihre Passion zu sein, und wenn sie über ihre Pflanzen sprach, schienen ihre Augen zu leuchten. „Wohin ist denn ihr Mann verreist?“, fragte sie.

„Gerd? Ach, der besucht Bekannte. In Hamburg.“

„Interessant, ich komme aus Hamburg. Wo denn da?“

Leonies Augen blinzelten nervös. „Ach, weiß ich gar nich so genau. Hab ich grad vergessen. Übrigens, sollen wir uns nicht duzen? Ich bin Leonie.“ Sie reichte Valerie abermals die kräftige Hand, die ganz offensichtlich an körperliche Arbeit gewöhnt war.

„Warum nicht“, antwortete die Angesprochene, obwohl sie nicht einsah, wozu das gut sein sollte. In einer halben Stunde würde sie hier weg sein. Und sie würde ganz bestimmt auf dem Rückweg nicht mehr diese Straße nehmen.

„Valerie“, sagte sie und drückte die Hand der Gärtnerin. Sie merkte, dass ihr langsam mulmig zumute wurde in diesem Brutofen. Die Sonne über dem gläsernen Dach heizte den Innenraum unbarmherzig auf, obwohl überall Ausstellfenster geöffnet waren. Ihr lindgrünes Top von *FENDI* wies schon deutliche Schweißflecke auf. Sie hatte zwar für die Autofahrt nicht das Allerneueste angezogen, aber man wollte ja nicht im Hotel ankommen, wie aus dem Wasser gezogen.

Leonie schien Gedanken lesen zu können und sagte: „So jetzt müssen wir aber raus aus diesem

Treibhaus, sonst schlagen wir noch Luftwurzeln.“ Valerie nickte dankbar und folgte der Gärtnerin durch eine Seitentür ins Freie. Außen gab es einen schmalen Trampelpfad, der bis zum Ende des Gebäudes reichte. Dahinter öffnete sich eine freie Fläche aus festgestampftem Lehm und grobem Kies, in der es vereinzelte Inseln aus Unkraut gab. Links hinter dem Verkaufsraum erstreckten sich zwei langgezogene Treibhäuser und rechts daneben stand einer dieser flachen Bungalows, wie sie in den Sechzigern modern gewesen waren. Die Außenwände waren weiß getüncht, hatten im unteren Drittel aber durch Verwitterung eine grünlich-graue Farbe angenommen. Hinter den Treibhäusern, zum Teil durch einige verkrüppelte Pappeln verdeckt, konnte man ein paar braune Ziegelsteingebäude erkennen, die einen schon seit Langem verlassenen Eindruck erweckten. Dazwischen ragten zwei graue Metallsilos in den blauen Himmel.

„Da hinten ist die alte Zementfabrik“, erklärte Leonie Breuning bereitwillig, „da wird schon lange nicht mehr gearbeitet.“

Entschlossen stapfte sie auf die Haustür des Bungalows zu.

„Komm, Valerie“, sagte sie und steckte den Hausschlüssel ins Schloss. Valerie blickte zurück und sah an der Rückwand des Verkaufsraums eine Art Moped oder Motorroller, der dort angelehnt war. Allerdings war das Ding stark demoliert. Das Vorderrad fehlte, das Schutzblech war eingedrückt und der Lenker mit dem Scheinwerfer war abgebrochen und baumelte lose an ein paar Kabeln. Valerie wunderte sich, dass hier anscheinend nur die Pflanzen gepflegt wurden, während die Hofflächen, die Gebäude und alles andere aussahen, als wäre die Gärtnerei seit Jahren verlassen. Auf einmal fand sie, es sei wohl am besten, sie würde sich gleich zu Fuß auf den Weg machen um eine Bushaltestelle, ein Taxi oder etwas Ähnliches zu suchen. Stattdessen folgte sie aber der Gastgeberin in einen, gemessen am grellen Sonnenlicht draußen, dunklen und kühlen Hausflur.

„Komm durch in die Küche", sagte Leonie, „da sitzt es sich am besten."

Es handelte sich um einen relativ großen und sauberen Raum. Beim Anblick der dunkelbraunen Einbauküche und der rustikalen, hellbraun gepolsterten Bauern-Essecke mit Ornamenten aus großen, grünen Blumen, schlug die designverwöhnte Hanseatin allerdings innerlich die Hände über dem Kopf zusammen. „Schön habt ihr´s hier", sagte sie.

„Setz dich, ich setz Kaffeewasser auf", sagte Leonie fröhlich, sichtlich erfreut, einen Gast zu haben. „Nicht da, das is Gerds Platz", fügte sie hinzu und deutete auf den Platz an der Wand, dessen Sitzfläche und Rücklehne mit einer bunten Wolldecke abgedeckt war. Valerie nahm auf einem der Stühle Platz. Über dem hellbraunen Esstisch hing eine Stofflampe mit beigebraunem Schottenmuster. Valerie nahm sich vor, nach der Tasse Kaffee so schnell wie möglich zu verschwinden. Sie musste einen Weg finden, schnellstens zum Hotel *Atlantic* zu gelangen. Verstohlen sah sie auf ihr Handy. Sie drückte auf den Telefonbutton. Es gab kein Freizeichen. Die Kaffeemaschine aus dem vorigen Jahrhundert röchelte ein Rinnsal brauner Flüssigkeit in eine Glaskanne. Valerie hatte seit Jahren keinen Filterkaffee getrunken und wunderte sich, dass es solche Maschinen überhaupt noch gab.

„Ihr habt nicht zufällig ein Auto?“, fragte sie ohne viel Hoffnung.

„Nein, leider nicht“, antwortete Leonie, die bei der Kaffeemaschine neben der Spüle stehen geblieben war, „wir hatten früher nen Transporter. Den hat Gerd aber irgendwann verkauft.“

„Da draußen, das Moped …“

„Das gehört nicht … Damit ist Gerd früher gefahren. Ist aber lange kaputt.“

Valerie blickte versonnen auf die bunte Wolldecke auf dem Platz an der Wand gegenüber. Die Decke hatte ein rotblaues Karomuster und feine gelbe Linien, die senkrecht und waagerecht verliefen. Wahrscheinlich sollte die Decke den Bezug schonen, wenn Gerd mit dreckiger Hose aus der Gärtnerei kam. Oder die Decke verbarg einen unschönen Fleck. Valerie kamen Zweifel, ob es diesen Gerd überhaupt gab, oder ob er der Fantasie einer einsamen Frau entsprang.

Leonie kam mit einem gehäkelten Untersetzer an den Tisch und stellte die halbvolle Glaskanne darauf. Dann holte sie zwei blauweiß gemusterte Kaffeetassen mit passenden Untertellern. Sie setzte sich auf einen Stuhl Valerie schräg gegenüber, und goss ein.

„Ach ich Schussel", rief sie und sprang auf, „Milch? Zucker?"

„Für mich nur einen kleinen Schuss Milch."

„Ach, klar, bei deiner Figur. Du achtest natürlich auf deine Linie." Leonie blieb eine Weile nachdenklich am Tisch stehen. „Du bist wirklich wunderschön, wie die Mädchen von Heidi im Fernsehen", sagte sie bewundernd.

Valerie musste lachen. „Naja, ein bisschen älter wohl, und sicher ein paar Pfund schwerer."

Leonie ging zur Küchenzeile und kam mit einem Milchkännchen und einem Zuckerstreuer zurück an den Tisch. Nachdem sie sich gesetzt hatte, sagte sie:

„Ich kann dich dann gerne zum Bus bringen. Ein paar Hundert Meter die Straße lang gibt es einen Feldweg. Wenn man dem folgt, kommt man in zehn Minuten an die Hauptstraße Richtung Essen. Da ist auch die Bushaltestelle. Sie gab Zucker und Milch in ihre Tasse und rührte um. Dann nahm sie einen kleinen Schluck. „Ich muss nur eben Pipi“, sagte sie und kicherte wie ein kleines Mädchen. Valerie fiel eine Zahnlücke oben links auf. „Seit einiger Zeit könnte ich andauernd laufen“, ergänzte sie. Sie stand auf. „Wart einen kleinen Moment, ja? Ich bin sofort wieder da.“ Sie stand auf.

„Klar“, sagte Valerie.

Leonie verschwand im Hausflur. Valerie hörte eine Tür zuklappen. *Ein bisschen komisch ist die schon*, dachte sie. Was die wohl für einen Mann hat? Die leben ja hier wie auf einer einsamen Insel. Die Wolldecke fiel ihr wieder ins Auge. Dazu stellte sich ein plötzlicher Drang ein, einen Blick unter diese Decke zu werfen. *So ein Quatsch, was geht's dich an?* dachte sie, *mach dass du hier wegkommst. Du hast andere Geschäfte zu erledigen.* Und zwar diesen Günther Krapp! *Ach was solls.* Valerie lauschte in die Diele hinaus und vernahm das leise Murmeln, mit dem ein zaghafter Urinstrahl in den Abfluss lief. Sie stand auf und ging um den Tisch herum. Vorsichtig nahm sie einen Zipfel der Decke zwischen Daumen und Zeigefinger und hob ihn an. Ein dreißig Zentimeter großer, fast runder, dunkelbrauner Fleck verunzierte die Polsterung der Sitzbank. Diese Art Fleck war Valerie nicht unbekannt, und er erschreckte sie nicht einmal. Vielmehr war es die Bestätigung einer Vermutung, und wirkte daher eher beruhigend. Die Frau war anscheinend normaler, als es zuerst schien. Es handelte sich um einen getrockneten Blutfleck, der die Polsterung offenbar gründlich durchtränkt hatte. Ob das vor wenigen Tagen oder schon vor Jahren geschehen war, vermochte sie nicht zu sagen. Blutflecke sahen immer sehr schnell alt aus. Von nebenan vernahm Valerie die Klospülung, und sie klappte die Decke wieder ordentlich über den Fleck. Als im Bad der Wasserhahn des Waschbeckens betätigt wurde, sprang in der Küche über der Spüle ein Durchlauferhitzer an.

Valerie setzte sich und verrührte einen Spritzer Milch in ihrer Kaffeetasse. Sie nahm einen Schluck und dachte spontan an den jungen Mann aus dem *Café Mozart*, der so schön und so traurig gewesen war. Eilig kam Leonie zurück in die Küche.

„Entschuldige", sagte sie, „ich halte dich nur auf. Jetzt trinken wir unseren Kaffee und dann bringe ich dich, okay?"

„Alles gut, kein Problem.“ Valerie lächelte Leonie an und musterte dabei forschend ihre Gesichtszüge. Auf einmal fand sie die Frau interessant. Die setzte sich wieder auf ihren Stuhl und nahm ihre Tasse. „Ach, is ja nur noch lauwarm“, bemerkte sie missmutig, „ich bin eine schlechte Gastgeberin. Bin ja auch viel alleine.“

„Dein Mann“, sagte Valerie und beobachtete dabei, dass ihr Gegenüber fast unmerklich zusammenzuckte, „Gerd … ist der oft weg?“

„Nein, wieso?“

„Na, weil du eben sagtest, du wärst viel allein.“

Leonie betastete mit den Fingern beider Hände ihre Tasse und führte sie dann wieder zum Mund. Valerie meinte, eine Veränderung im Gesicht ihrer Gastgeberin zu bemerken. Die Freundlichkeit war verschwunden. Die Augen wirkten ärgerlich und unruhig. Deshalb fügte die junge Frau hinzu: „Ich weiß, was du meinst, Leonie. Man kann mit einem Mann zusammen, und trotzdem allein sein. Ich hab da auch so meine Erfahrungen, glaub mir.“

„Was ist denn mit dir? Bist du verheiratet? Ich sehe keinen Ring, also keinen Ehering.“

„Nein, bin ich nicht.“

„Wie, kein Mann, kein Verlobter, Freund? So eine Frau wie du?“ Das Erstaunen war echt, und Leonie sah Valerie ungläubig an.

„Keine Männer“, erwiderte diese, „nicht mehr. Damit bin ich durch.“

„Eine Schande, so eine junge Frau“, sagte Leonie bedauernd, nickte dabei aber verständig. „Und kein …“, sie schmunzelte schief, klappte ein Augenlid zu und wog dabei langsam den Kopf hin und her. Valerie musste grinsen. „Doch, doch, hin und wieder, wenn es sich ergibt“, antwortete sie und entblößte zwei Reihen makelloser Zähne, „Wenn es sich nicht vermeiden lässt. Aber Frühstück ist bei mir nicht mehr drin.“ Jetzt lachte auch Leonie. „Ja, das ist wohl so mit den Kerlen. Manchmal geht es nicht anders. Da müssen sie weg. Da ist es besser ohne sie.“ Ihr Blick wanderte versonnen zu dem freien Platz auf der Sitzbank mit der Wolldecke. „Aber Gerd und ich, wir haben jetzt unseren Frieden miteinander.“

7

Angelique kam als erste zu Bewusstsein. Der Schmerz im Arm drängte sich sofort in den Vordergrund und überlagerte zunächst jede andere Wahrnehmung. Der Versuch, den Kopf zu drehen, fühlte sich an, als sei sie mit dem Hals an einen blanken, stromführenden Draht geraten. Als ihr Blick auf den pochenden Unterarm fiel, brach sie spontan in Tränen aus. Etwa auf halbem Weg vom Handgelenk zum Ellenbogen ragte das gesplitterte Ende eines dürren, rötlichen Astes aus einer blutenden Wunde. „Oh nein, oh Gott, oh nein!“, jammerte sie laut, und dabei brauchte es weitere Sekunden bis zur Erkenntnis, dass es sich bei dem Ast um einen Knochen handelte. Zudem war der Unterarm an der Bruchstelle auf absurde Art abgewinkelt, als gäbe es dort ein zusätzliches Gelenk. „Manuel!“, heulte sie auf. Der Name des Freundes war in ihrem Kopf als erster Gedanke abgerufen worden, und allein vom Klang des Namens versprach sie sich instinktiv Erlösung von dem schrecklichen Bild, das ihr Arm auf ihrem Augenhintergrund hinterlassen hatte. Dann trat die nähere Umgebung in ihr Bewusstsein.

Angelique lag. Sie lag zusammengekrümmt auf dem Boden. Es war ein Steinboden, der stellenweise von einer feuchten Mischung aus Lehm und Sand bedeckt war. Es gab kaum Licht in diesem Raum, aber Angeliques Augen hatten sich an die Dunkelheit gewöhnt und konnten problemlos Einzelheiten erkennen. Mit dem linken, dem anscheinend gesunden Arm, stemmte sie ihren Oberkörper hoch, wobei sich in ihrem Nacken ein erneuter Stromschlag einstellte. Sie hatte sich den Hals verrenkt, womöglich hatte sich ein Wirbel verschoben. Angelique hörte auf zu weinen. Stattdessen steigerte sich ihre Angst zu einer beginnenden Panik. Sie blickte an sich herab und sah die enge Jeans, die an den Knien aufgerissen und von Blut getränkt war. Sie war umgeben von dunklen Ziegelsteinmauern. An einer der Mauern waren die senkrechten Spuren von eingetrockneter Feuchtigkeit zu sehen, die wohl früher einmal, bevor der lange, trockene Sommer begonnen hatte, dort hinabgeronnen war. Dann fiel ihr Blick auf Manuel, der nicht weit von ihr direkt an der Mauer im Dreck lag. Seine Kleidung war stellenweise durchnässt von der Pfütze, in der er lag. Seine Haare klebten am Kopf und waren getränkt von Blut.

„Hilfe!“, rief Angelique verzweifelt gegen die hohe Decke des Raumes. Das einzige Licht drang durch einen dünnen Spalt, den die rostige Eisentür freigab, nicht mehr als ein weißer Strich, der eine feine Linie aus Licht über den schmutzigen Boden schickte. In einer Pfütze schillerte eine ölige Substanz. „Manuel?!", rief sie unsicher und mit geringer Hoffnung in der Stimme. „Manuel?" Der Freund reagierte nicht.

Oh Gott, wenn er jetzt tot ist?! Angelique versuchte trotz der Schmerzen, die sich jetzt nicht mehr auf den Arm und ihren Nacken beschränkten, sondern auch den gesamten Rücken hinaufliefen, sich zu konzentrieren. Wie waren sie hierhergekommen? An das schlingernde Mofa konnte sie sich erinnern. Da war ein Fahrzeug vor Ihnen aufgetaucht. Kein Fahrzeug, ein großes Fass, ein Tank, weiß, durchsichtig, hatte die Fahrbahn blockiert. Und daneben hatte jemand gestanden. Sie war plötzlich ganz leicht gewesen, und dann endete die Erinnerung. Sie hatten einen Unfall gehabt. Und sie war schwer verletzt. Das konnte sie fühlen. *Und sehen!* Die Schmerzen im Arm fühlten sich wund an, entzündlich, und sie pochten schrill bis über den Ellenbogen hinaus. Sie hatte Blut verloren, nicht wenig. Und es blutete noch immer. Sie musste aufstehen, zur Tür gehen und sie öffnen. In einem Moment der Unachtsamkeit versuchte Angelique, sich mit beiden Händen vom Boden abzustützen. Der Schmerz im Arm explodierte jäh in ihrem Gehirn, und sie versank in schwarzem Samt. Manuels kleines Zimmer entstand in ihrem Kopf.

8

„Schatz, ich halt das nich mehr aus bei diesem Spast“, sagte Angelique. Ihr Kopf lag auf Manuels Schulter, der mit den Fingerspitzen ihre Brust streichelte. Er schwieg. Beide lagen ausgestreckt nebeneinander auf seinem schmalen Schlafsofa. Ihre diversen Kleidungsstücke hingen willkürlich über der Stuhllehne oder waren auf dem Boden verstreut. Für einige Minuten hatten sich alle Probleme in Luft aufgelöst.

„Einfach abhauen, irgendwo in den Süden. Nach Mallorca oder so“, fügte Angelique hinzu, „das wär´s.“

„Ibiza“, sagte Manuel schwärmerisch. Er war im dritten Lehrjahr bei Mayer und Söhne, einem mittelständischen, metallverarbeitenden Betrieb in Holsterhausen, hatte also eine vielversprechende Zukunft vor sich. Aber für Angelique, die erste und große Liebe seines Lebens, würde er gerne alles aufgeben. Sogar die Mutter, die es nicht leicht hatte, würde er verlassen, um mit Angel irgendwo im Süden die gemeinsamen Träume zu verwirklichen. Die Mutter war schon lange krank, das Herz, und sie bezog seit Jahren Arbeitslosengeld 2. Manuels Ausbildungsvergütung wurde auf ihre Hartz IV-Leistung angerechnet, weil er mit seiner Mutter in einer sogenannten Bedarfsgemeinschaft lebte. Dafür hasste er die fetten Anzugträger in Berlin, die nur Sprüche absonderten, aber es nicht hinkriegten, dass normale Menschen normal leben konnten.

„Geld", sagte er leise, „man braucht eine Menge Kohle. So einfach findest du in Spanien als Ausländer keinen Job."

„Ja, einen Haufen Geld, soviel, dass man keine Sorgen hat. Da unten in Saus und Braus leben, das wär´s", schwärmte Angelique weiter. „Den ganzen Tag nur Sonne und Faulenzen. Cocktails trinken und Liebe machen. Ach, Manuel", seufzte sie, „und mit dem Cabrio über die Insel cruisen."

In Angeliques Fantasie tauchte ein breiter, weißer Strand auf. Außer Manuel und ihr war kein Mensch zu sehen. Neben einer kleinen Gruppe von Palmen, deren Blätter sich im Wind bewegten, sah sie eine runde Strandbar aus Bambus. Sie trug einen knallroten Bikini, der in der Sonne leuchtete, ebenso wie das

Lachen im gebräunten Gesicht ihres Freundes. In ihrem Kopf reifte der drängende Wunsch heran, mit einem Schlag alles zu verändern. Der gleiche Wunsch, den auch Manu schon lange hegte. Er hatte ihr erklärt, dass es genug Geld im Land gab, es hatten nur immer die falschen Leute. Jene, die es nicht verdient hatten, und die damit nichts anzufangen wussten. Manus Chef im Betrieb zum Beispiel. Er war kein wirklicher Krösus, aber auch er hatte ein Ferienhaus in Neuharlingersiel. Und der Touareg, den er fuhr, war kaum ein Jahr alt. Und was machte er damit? Das Ferienhaus stand leer, bis auf wenige Monate im Sommer, in denen er es vermietete. Ansonsten war er von morgens sieben Uhr im Betrieb bis es dunkel war.

In Angeliques Gedanken entstand die Schalterhalle der Sparkasse. Die Pflanzenkübel neben dem gläsernen Eingang, Die langgezogene Theke, hinter denen die sogenannten Kundenbetreuer an ihren Schreibtischen saßen, deren Überheblichkeit von ihren Anzügen und Kostümen unterstützt wurde. Sie alle standen weit über ihnen. Sie verwalteten das Geld, das sie nicht hatten. Sie verweigerten die Herausgabe von Geld mit bedauerndem und mitleidigem Kopfschütteln, mit süffisantem Schmunzeln und dem Hinweis auf das ohnehin überzogene Girokonto. Sie sah die

Bankautomaten, deren künstliche Intelligenz der abweisenden Arroganz ihrer menschlichen Kollegen in nichts nachstand. Und dann war da in seinem gläsernen Terrarium der Kassierer, der, verborgen vor neugierigen Blicken, in geheimen Fächern über so viel Geld verfügte, wie sie und Manuel Gallo in ihrem ganzen Leben nie auf einem Haufen sehen würde. Unten, in den Tresorräumen, die sie nur aus dem Fernsehen kannte, horteten sie Hunderttausende in Banknoten, säuberlich zu handlichen Päckchen gestapelt wie Briketts in einem Brennstoffhandel.

Manu überraschte Angelique mit einem schnellen Kuss auf die Wange und schwang seine Beine aus dem Bett, um nach der Packung Marlboro zu greifen. Angelique drehte sich zu ihm um und griff spontan nach seinem Glied. „Kann ich heute bei dir pennen?“, fragte sie und grinste ihn frech an. Manuel grinste zurück und warf die Kippen zurück auf den Nachttisch.

9

Der dunkelblaue Passat B8, den Oberkommissar Lücke als Dienstwagen fuhr, war aus 2014 und scheckheftgepflegt, wies aber am linken hinteren Kotflügel drei hässliche, parallel verlaufende Kratzer auf, die er sich beim Umfahren einer Mauerecke auf dem Hof des Präsidiums zugezogen hatte, als er die Länge des eigenen Fahrzeugs unterschätzte. Als er ein paar Meter vor dem rotweißen Absperrband, das den Zutritt zu einem großen Bereich des Bürgersteigs verweigerte, mit zwei Rädern auf dem Bordstein parkte, war der ganze Heimatverein in den dunkelblauen Uniformen schon vor Ort. Auch Kommissarin Krass, seine junge Kollegin, deren Name oft Anlass für lustige Wortspiele bot, stand neben dem Eingang der Sparkassenfiliale und sprach mit einer jungen Frau, die einen vielleicht sechsjährigen Bengel an der Hand hielt.

Lücke stieg aus dem Wagen und schlug die Tür zu. „Tach, Walter“, sprach er einen grauhaarigen Polizeibeamten in Uniform an, der eben um die Hausecke rechts neben dem Haupteingang bog und in seiner rechten, handschuhbewehrten Hand etwas Rotes trug.

„Tach, Bernie“, erwiderte der Angesprochene, „auch schon da?“

Walter Dunst bekleidete den gleichen Dienstrang und war etwa im gleichen Alter wie Bernhard Lücke, der zur Kripo gehörte, und durfte sich derlei Respektlosigkeiten herausnehmen, zumal sie spaßhaft gemeint waren.

Lücke knurrte nur etwas Unverständliches und endete mit der Frage: „Was hast Du denn da?“

„Mützen“, antwortete der, „Wollmützen. Und guck ma hier.“ Ein Finger seiner Hand, die in einem weißen Kunststoffhandschuh steckte, ragte aus einem Loch in einer der Mützen.

„Mit Augenschlitzen. Praktisch bei Schneesturm am Südpol. Oder wenn man nicht erkannt werden will.“

„Aha, aber die Typen sind natürlich weg.“

„Natürlich.“

„Wie viele waren es denn?“

„Zwei, wenn man den Zeugen glauben darf. Und die sagen alle das Gleiche aus.“

„Okay, ich sprech ma mit Lina.“

„Is ja Krass“, entgegnete Kommissar Dunst und brachte die roten Mützen zum Wagen der Spurensicherung.

„Guten Tag, ich bin Oberkommissar Lücke von der Kripo“, sagte Lücke zu der jungen Frau mit dem Kind, als er sich neben seine Kollegin stellte. „Braucht ihr noch lange?“, fragte er die Kommissarin. Die hatte ihre langen rötlichen Haare am Hinterkopf zu einem Knoten gebunden, und das einfache T-Shirt, das sie der Hitze geschuldet, an diesem Freitag trug, brachte Lücke einmal mehr zu dem Schluss, dass die junge Frau genau seine Kragenweite gewesen wäre, würde sie nicht locker als seine Tochter durchgehen. Wahrscheinlich sogar als eine Tochter, die ihm erst in der Mitte des Lebens geschenkt worden war.

„Sind sie so nett, und gehen jetzt zu meinem Kollegen da drüben und erzählen dem noch mal ganz genau, was sie gesehen haben, nachdem die Räuber aus der Bank kamen?“ Kommissarin Krass deutete auf einen Obermeister, der auf dem Beifahrersitz seines Streifenwagens saß und sich Notizen machte. Dann wandte sie sich grinsend an ihren Kollegen: „Hi, Bernie, du siehst ein bisschen fertig aus.“

„Wie, fertich?“

„Nur so.“

Ihr Blick hatte nur für die Dauer eines Augenblicks sein über dem Bauch gespanntes Hemd gestreift, bevor er dazu gekommen war, diesen einzuziehen. Klar, unter den Achseln war das Hemd ziemlich durchgeschwitzt und hinten am Rücken hatte es beim Aussteigen aus dem Auto auch geklebt. Er hasste diese Hitze, bei der man schon schwitzte, ohne sich zu bewegen. Richtig wohl fühlte Bernhard Lücke sich tatsächlich nicht. Eben im Auto hatte er festgestellt, dass die Toffifees in seinem Handschuhfach den Aggregatzustand gewechselt hatten, und man sie nicht mehr aus der Kunststoffschablone puhlen konnte, ohne die Finger in flüssige Schokolade zu tauchen. Seit er sich vom Alkohol fernhielt, stopfte er sich tagsüber immer mal wieder gerne einen oder mehrere dieser runden Glücksbringer in den Mund. An irgendwas musste der Mensch sich ja festhalten. Irgendeine Konstante brauchte man im Leben. Und da er heute Mittag keine Zeit zum Essen gehabt hatte, war ihm zeitweise ein bisschen flau im Magen. Die Hitze tat sicher auch ihr Übriges dazu.

„Geht schon“, knurrte er, „dann mach du ma hier draußen weiter. Habt ihr schon mit dem Filialleiter gesprochen, oder wie das hier heißt?“

„Nein, der hat heute frei. Ist aber auf dem Weg hier hin. Lukas hat ihn auf dem Handy erreicht.“

„Okay, ich geh ma rein und nehm mir den Kassierer vor, wenn der nicht heute auch frei hat."

Lücke sah missmutig hinüber zu der Menschenmenge, die sich auf der gegenüberliegenden Straßenseite zusammengefunden hatte. Ein paar Schaulustige machen Fotos mit den Handys oder filmten den Aufmarsch an Polizisten und Polizeifahrzeugen mit aktiviertem Blaulicht. Dann passierte er die Glastür. Im Vorraum, wo die Bankautomaten standen, herrschte eine Bullenhitze, aber in der eigentlichen Schalterhalle war die Klimaanlage dermaßen hochgedreht, dass Lücke spontan eine Gänsehaut auf den nackten Armen bekam. *Wenn man sich da mal keine Erkältung holt,* dachte er.

„Sind sie hier der Verantwortliche?" Der Mann im karierten, langärmligen Hemd, der entschlossen auf Lücke zutrat, war noch dicker und auch bestimmt älter als er selbst.

„Oberkommissar Lücke", stellte sich der Beamte vor, „und mit wem spreche ich?"

„Lehmkühler, mein Name. Ich hab dem Täter gleich gesagt, er soll es lassen."

„Aha, sie sind also Zeuge. Waren sie die ganze Zeit während des Überfalls im Schalterraum?" Lücke schielte zu der Sitzgruppe hinüber, die sich in einer

Ecke des Raumes befand. „Kommen Sie, wir setzen uns da kurz hin“, sagte er zu dem Mann, der einen beängstigend roten Kopf hatte. Sie setzten sich auf puristische, schwarze Kunstledersofas.

„Also, Herr … wie war ihr Name?“ „Lehmkühler, Friedrich.“

„Aha, Herr Lehmkühler, wie hat sich das Ganze abgespielt, was haben Sie beobachtet?“

„Hah! Beobachtet ist gut. Mit dem Tode bedroht hat mich der Kerl.“

„Fangen Sie mal am Anfang an. Wann kamen Sie in die Bank?“

„Das muss so gegen viertel vor Zwölf gewesen sein. Ich war vorher noch beim Arzt. Der Blutdruck, wissen sie?“

Lücke nickte verständnisvoll. Das Problem war auch ihm nicht fremd. „Und?“, hakte er nach.

„Ich wollte meine Pension abholen. Ich war Amtmann vorher, im Finanzamt Essen-Nordost, an der Altendorfer. Hab mich da hochgedient. Aus einfachen Verhältnissen. Ohne Abitur, verstehen sie? Von der Pike auf. Nicht wie die Studierten heutzutage …“ „Sie sind also um Viertel vor zwölf in die Bank gekommen, und dann?“, unterbrach Lücke ungeduldig.

„Ja, ich wäre bald dran gewesen, an der Kasse. Vor mir war nur eine Frau. Da hinten die in dem blauen Kostüm.“ Friedrich Lehmkühler deutete mit dem Zeigefinger auf eine Frau, die Mitte der Vierziger sein mochte, in einem hellblauen Outfit, dass Lücke ein bisschen altbacken vorkam. Die Frau trug kurze, braune Haare und sprach, unterstützt durch ausladende Gesten, mit einer Polizistin in Uniform. Die beiden saßen an einem der freien Schreibtische hinter dem Tresen.

„Aha“, sagte Lücke. Er zog ein kleines Notizbuch aus der Gesäßtasche und kritzelte etwas hinein.

„So, also, wie ich ihrer Kollegin schon gesagt habe, die Frau war also vor mir dran und machte eine Einzahlung. Da kamen die beiden Gauner rein. So rote Masken hatten die vor die Gesichter gezogen. Rote Wollmützen mit Löchern. Der eine war eine Frau, das ist ganz sicher, die haben sich sogar mit Namen angeredet.“

„Mit Namen“, staunte der Kommissar. Wissen sie, welche Namen? Das wäre natürlich hilfreich.“

Der Zeuge dachte kurz nach. „Hm, nein, nicht wirklich“, sagte er. Ich hatte es eben noch auf der Zunge. Die Frau hat den Mann zuerst angesprochen. Der war ganz schön sauer darüber. War wohl irgend so ne Abkürzung, Kosename oder so. Ich komme nicht drauf. Aber doch, er hat sie Angel genannt. So wie Engel, verstehen sie?“

„Ja, ich verstehe. Angel. Vielleicht fällt ihnen der Name des Mannes ja noch ein. Also die kamen rein. Und dann?“ Oberkommissar Lücke kritzelte wieder.

„Der Mann hat sofort mit einer Pistole herumgefuchtelt, so ein schwarzes Ding. Ganz schön gefährlich. Ich hab gleich gedacht, wenn so ´n Ding versehentlich losgeht. Also gut, er hat rumgebrüllt, wir sollen uns alle auf den Boden legen. Da waren vier Kunden im Raum, und die Angestellten. Wir natürlich alle gleich auf den Boden. Der Kerl war auf jeden Fall ziemlich nervös. Ganz bestimmt Anfänger, keine Profis. Das hat man gleich gemerkt. Überhaupt, dass die sich mit Namen ansprechen. Ich hab mir gleich gedacht, der wird bestimmt nicht schießen. Aber so nervös, wie der war, da hätte sich gut mal ein Schuss aus Versehen lösen können. Und dann will ja keiner der Pechvogel sein.“

„Nein. Und was ist dann passiert?“

„Der hat mit dem Kassierer debattiert. Also er hat ihn angeschrien. Es war ihm zu wenig Geld. Ich glaub, Neuntausend Euro hat der Kassierer gesagt. Der Räuber hatte wohl mit mehr gerechnet. Ist ja auch nicht viel für eine Bank. Dafür riskiert doch kein richtiger Bankräuber Knast. Oder, Herr Kommissar?“

„Nein, eigentlich nicht.“

„Das Geld hat der Kassierer dann in so eine schwarze Reisetasche getan. Oder Sporttasche. Damit sind die beiden dann auf und davon. Aber der Name des Mannes fällt mir bestimmt auch noch ein. Irgendwas mit M war das, glaub ich.“

„Können Sie sagen, wie groß die Täter waren, und vielleicht das Alter schätzen?“

„Wie groß … ich denke, der Mann war vielleicht eins siebzig oder eins achtzig. Und die Frau stand ja weiter weg. Schwer zu sagen, Eins sechzig vielleicht? Und jung waren sie beide, und schlank. Jugendliche würd ich sagen. Die haben ja heute keine Ideale mehr. Wollen sich nicht mehr hochdienen. Nur das schnelle Geld im Kopf.“

Lücke nickte und rieb seine schwitzigen Handflächen am Hosenstoff auf den Oberschenkeln ab. Er hatte vorhin eine Beobachtung gemacht, die ihm erst jetzt bewusstwurde. Leider hatte sie nichts mit dem Banküberfall zu tun. Hinter der Menschenansammlung auf der anderen, der der Sparkasse gegenüberliegenden Straßenseite hatte er eine Frittenbude gesehen. Dönergrill oder sowas. Dem erfahrenen Kriminalisten entging nichts. Das wär's jetzt. Eine doppelte Portion Pommes. Oder ein halbes Hähnchen. Dann würde es ihm bestimmt besser gehen. Und dann noch ein oder zwei kühle Bierchen …

Ja, genau, vergiss es Freundchen!

Im Laufe der Zeit hatte Lücke sich an die Stimme in seinem Kopf gewöhnt, die ihm aus der Blütezeit seiner Sauferei geblieben war, aus der Zeit kurz bevor der Kriminalrat ihn vor die Wahl gestellt hatte: Kur oder Entlassung. Mit der Stimme hatte er sich abgefunden, zumal es Hannes Stimme war. Andere sahen weiße Kaninchen. Was solls? Wie gern hätte er Hannes Stimme noch einmal live gehört. Etwas ungewöhnlich fand er es zwar, dass die Stimme sich manchmal noch zu Wort meldete, obwohl er schon lange nicht mehr trank, aber er hatte sie als Teil seines Lebens akzeptiert. Früher hatte ihn eine innere Stimme zum Saufen animiert, das war aber damals seine eigene gewesen, heute rief Hanne ihn zur Ordnung, wenn er schwach zu werden drohte.

„Danke, Herr Lehmkühler, das war doch schon sehr aufschlussreich", sagte Lücke und sah der Polizeimeisterin entgegen, die sich ihnen näherte.

„Oberkommissar Lücke?" Er sah sie heute zum ersten Mal.

„Ja.“

„Der Kassierer, Herr Magnus, ist jetzt frei. Wollen Sie ihn sprechen?“

„Ja, bitte. Bringen Sie ihn hier her.“

Friedrich Lehmkühler machte keine Anstalten, zu gehen und sah interessiert von einem zum anderen.

„Das wars fürs Erste, Herr Lehmkühler“, sagte Lücke, „halten sie sich noch einen Moment zur Verfügung. Kann sein, dass wir nachher doch noch Fragen haben.

10

Während sie sich in der Bar umsah, ließ Valerie mit einem schwarzen Trinkhalm, den sie mit spitzen Fingern führte, die schmelzenden Eiskugeln in ihrem Glas kreisen. Das leise Klirren, das dadurch entstand, war trotz der gedämpften R&B-Musik, die kristallklar aus unsichtbaren Lautsprechern perlte, gut zu hören. Günther Krapp, die Zielperson, wenn man so sagen wollte, saß in seiner perfekt sitzenden dunkelblauen

Hose und dem weißen Hemd, flankiert von zwei deutlich jüngeren, ebenfalls edel gekleideten Männern, an der Bartheke und war in eine angeregte Diskussion vertieft. Trotzdem vermied Valerie es, ihn von ihrem kleinen runden Tischchen aus direkt anzuschauen. Ihre dunkelrot geschminkten Lippen schlossen sich um das obere Ende des Trinkhalms und sogen einen Mundvoll der orangefarbigen Flüssigkeit ein, die aus Ananassaft, Pfirsichsaft und Preiselbeersirup bestand. Es war die alkoholfreie Version des Klassikers *Sex on the beach. Safer Sex on the beach* pflegte es Dennis, der *Keeper* des *Golden Shot* im Schanzenviertel spaßhaft zu nennen, wo sie manchmal, wenn sie einen klaren Kopf behalten musste, bei dieser alkoholfreien Variante blieb. Und um einen möglichst klaren Kopf war sie immer bemüht, wenn sie einen Job zu erledigen hatte. Wie in jedem Job, so musste man auch in diesem professionell vorgehen, wenn man erfolgreich bleiben wollte. Und wenn man keine Fehler machen wollte. Fehler in diesem Job konnten fatale Folgen haben. Wenn es zum Beispiel der Polizei gelang, eine Verbindung zwischen einem Opfer und ihr herzustellen.

Als sie das Glas auf der gläsernen Tischplatte abstellte, schwang sich Günther Krapp (im Milieu nannte man ihn *El Krappo* – so stand es im Dossier) von seinem Barhocker herunter und ging zur Wendeltreppe, die zu den Waschräumen hinunterführte. Dabei kam es zu einem ersten, kurzen Blickkontakt. Während danach Krapps vom Gel glänzender Schopf unterhalb des Geländers verschwand, stellte Valerie befriedigt fest, dass sie in der wichtigen Sekunde, in der sich ihre Blicke begegnet waren, ein Meisterwerk abgeliefert hatte. Das Gesicht eigentlich gesenkt, ihrem Getränk zugewandt, die Augen, die im genau richtigen Moment von unten heraufgeschaut hatten, lange schwarze Wimpern, die wie ein verheißungsvoller Vorhang gelüftet, den Blick auf dezent glimmenden Bernstein freigegeben hatten, der Blick eindringlich, aber nicht aufdringlich. Das Lächeln, kaum deutlicher als das der Mona Lisa, nur zu erahnende Mischung aus Verlockung und Spott. Ja, sie freute sich auf das was kommen würde, kommen musste, daran hatte sie keinen Zweifel. Dieser Krapp war nicht unattraktiv, wenn auch ein bisschen alt.

Touch my body sang Mariah Carey mit einer süßlich-einschmeichelnden Stimme, die Valerie viel zu anbiedernd fand. *Anscheinend hat die fette Kuh es nötig,* dachte sie. Angeblich ließ sich die Diva vor Auftritten in ihre Kleider einnähen, wenn man den Klatschportalen glauben konnte. *Damit ihr der Pudding nicht aus dem Dekolleté quillt.*

Am besten wäre es, wenn sie sich ein gemeinsames Taxi nähmen, Günther Krapp und sie. Irgendein kleines verschwiegenes Hotel würde es hier in der Nähe schon geben. Ein anonymes Etablissement, wo keiner so genau hinschaut, wer da kommt und geht. Valerie war sich sicher, dass Krapp sich damit auskannte. Den eigenen Mietwagen, leider war nur ein Golf verfügbar gewesen, hatte sie in der Tiefgarage des *Atlantic* abgestellt. Sie hatte erst am Abend einchecken können, weil der ganze Nachmittag für den ADAC-Abschleppdienst und Telefonate mit SIXT draufgegangen war. Als alles erledigt war, war sie komplett durchgeschwitzt gewesen. Ihr Shirt hatte am Körper geklebt, als sei sie zu Fuß durch eine Waschanlage gegangen. Der arme Fahrer des Abschleppwagens, der sie auch mit in die Stadt nahm, hatte sich nur mit Mühe auf seine Arbeit konzentrieren können.

Leonie (den Nachnamen der Frau in der Gärtnerei hatte sie schon wieder vergessen) war mit ihr über einen Feldweg zur Bushaltestelle gelaufen. Dort hatte Valerie dann plötzlich vollen Handyempfang gehabt und es deshalb vorgezogen, gleich von dort die notwendigen Telefonate zu führen. Diese Leonie war schon eine skurrile Frau. Valerie war nicht aus ihr schlau geworden. Sie schien ein sehr warmherziger und bescheidener Mensch zu sein. Auf der einen Seite wirkte sie sehr naiv, fast wie ein Kind, auf der anderen Seite war sie ihr zeitweise vorgekommen, als sei sie nicht ganz dicht. Von ihrem Mann sprach sie, als könne er jeden Moment zur Tür hereinkommen. Dabei hatte Valerie den Eindruck gewonnen, als sei er nur ein Hirngespinst der Frau. Der Blutfleck auf der Sitzbank ließ sogar noch Raum für ganz andere Spekulationen. Auf jeden Fall hatte sie sich fest vorgenommen, vor ihrer Abreise nach Hamburg noch einmal dort vorbeizufahren und Leonie für ihre Hilfsbereitschaft zu danken. Aber was brachte man der Inhaberin einer Gärtnerei mit? Einen Strauß Blumen? Astern vielleicht?

Valerie schlürfte den Rest ihres *Safer Sex* aus dem Glas. Günther Krapp näherte sich mit federndem Schritt ihrem Tisch. Er hatte eine Körperhaltung, als gehöre ihm nicht nur diese Bar, sondern die ganze Stadt.

„Darf ich sie noch zu einem Getränk einladen?“, fragte er mit einer nicht sehr tiefen, aber angenehmen Stimme. Er wirkte wie ein Mann, dem man zuhört. Valerie zeigte ein dünnes, nicht zu einladendes Lächeln, aber ihre Augen drückten Offenheit aus.

„Warum nicht?“, sagte sie, nachdem ihr Blick ganz bewusst vom Gesicht des Mannes abwärts bis zu seinen glänzenden italienischen Slippern und wieder hinauf gewandert war. Günther Krapp sollte wissen, dass sie ihn taxiert hatte. Und er sollte ahnen, dass ihr Urteil positiv ausgefallen war.

Jürgen kam ihr kurz in den Sinn. Und das *Café Mozart* in Hamburg fiel ihr wieder ein. Damals war noch vieles anders gewesen, sie selbst eingeschlossen.

11.

Sie hätte kaum erwartet, dass es noch dazu kommen würde, aber jetzt hatte der schöne Mann am Nachbartisch tatsächlich damit begonnen, sein Stück Torte zu verzehren. Und er tat es auf eine Art, als habe er seit Tagen keine Nahrung mehr zu sich genommen, und es würde ab morgen auch nichts mehr geben. Die großen Stücke verschwanden in seinem Mund, und er schien dabei kaum zu schlucken. War es möglich, sich in einen Menschen zu verlieben, mit dem man noch nie ein Wort gesprochen hat? Natürlich, man konnte alle eigenen Wünsche und Träume in einen Fremden hineinprojizieren und sich einreden, dass er all diese

Wunschkriterien erfüllte. Ganz augenscheinlich war der Mann unglücklich. Wie gerne wäre sie aufgestanden und zu ihm gegangen. Aber die vier oder fünf Meter, die zwischen ihnen lagen, schienen Valerie Bensheim unüberbrückbar wie ein reißender Fluss voller Piranhas. Es war keine Angst oder Panik (Torschlusspanik war so ein ekelhaftes Wort), es war eher eine Traurigkeit, die sie gelegentlich überfiel, wenn ihr bewusst wurde, wie oft sie schon mit großen Hoffnungen eine Beziehung begonnen hatte, und dann immer wieder hatte realisieren müssen, das alles nur Fassade und schöner Schein gewesen war. Natürlich war auch sie, die erfolgreiche Eventmanagerin, die gutes Geld verdiente und auf niemanden angewiesen war, eine Frau, die Träume hatte, die eines Tages gemeinsam mit einem liebenden Mann an der Seite alt werden wollte. Gemeinsam verreisen, gemeinsam Freunde treffen, nicht immer nur die Typen in den Clubs, nein ganz normale Leute aus der Nachbarschaft, Leute die nicht die Hälfte des Tages damit verbrachten, sich den Kopf zu zerbrechen, wie sie ihr Outfit am stylishsten aufpimpen konnten und die andere Hälfte dazu nutzten mit einem Drink in der Hand den anderen vorzumachen wie cool sie waren.

Mit dem Mann ihres Lebens gemeinsame Abende am Kamin eines schönen Hauses mit Garten und Pool zu verbringen, ein Labrador oder ein Retriever, der es sich auf einem Fell im Kaminzimmer zu ihren Füßen bequem macht, mehr wollte sie doch gar nicht. Aber irgendwie schien dieser Traum unerfüllbar, wie sehr sie auch die ganzen Jahre an ihrer eigenen Perfektion gearbeitet hatte.

Als Valerie Bensheim einen guten Schluck Marillenlikör im Mund hin und her bewegte, bevor sie ihn herunterschluckte, musste sie an ihren Vater denken, Werner Bensheim, ein großer bulliger Mann, Außendienstmitarbeiter für einen bekannten Fertighausanbieter, der häufig und lange außer Haus war und stets weiße Hemden trug. Letzteres war eine der klarsten Erinnerungen, die Valerie an ihren Vater hatte. Das und die Tatsache, dass er gelegentlich die uralte Regel, dass *Mann* keine Frauen schlägt, außer Kraft setzte, zumindest wenn es seine Ehefrau betraf. Die junge Familie Bensheim lebte damals, Mitte der 1980er Jahre, in einem kleinen Einfamilienhaus in einer dünn besiedelten Gegend der Stadt, die durch die angrenzenden Äcker und Weiden einen ländlichen Charakter besaß.

Wer heute die Berliner Stadtteile Kreuzberg oder Prenzlauer Berg kennt, um ihre Entwicklung von ehemaligen Arbeiterbezirken zu prosperierenden *Invierteln* weiß, der wird schnell die Parallelen zu

Ottensen erkennen, das zum Bezirk Altona gehört. Wo früher Schiffsschrauben produziert wurden, sitzt man heute im Café *Knuth* oder in der *Rehbar*, trinkt seinen Cappuccino und schaut jungen Müttern und Vätern dabei zu, wie sie ihre Kinderwagen durch die Straße schieben, Familien die mit vollen Einkaufstüten zu ihren geparkten SUVs streben und Männern und Frauen in grauen oder blauen Kostümen oder Anzügen, die in der Mittagspause aus ihren kleinen Büros in ehemaligen Läden hervorquellen um in den umliegenden Bistros einen Salat oder ein Tunfischbaguette zu verzehren.

In den Achtzigern sah es hier noch anders aus. Das Grundstück in Ottensen hatte Werner Bensheim sehr günstig ergattert, und das adrette weiße Fertighaus war, dank des Mitarbeiterrabattes, ebenfalls ein Schnäppchen gewesen. Auf dem Grundstück hatte es früher mal ein halbverfallenes ehemaliges Bauernhaus gegeben, das von Kindern der Umgebung, trotz des Bauzaunes mit Warntafeln, als Abenteuerspielplatz genutzt wurde, bis man es Ende der Siebziger abriss. Durch Werner Bensheims Beziehungen zu Bauunternehmern konnten die Kellerräume des alten Hauses erhalten werden und das eigentlich kellerlose Fertighaus wurde einfach darübergestülpt. So war es jedes Mal eine kleine

Zeitreise, zumindest empfand die kleine Valerie es damals so, wenn man im Erdgeschoss des Hauses die so moderne wie einfache Sperrholztür öffnete und plötzlich eine urtümliche ausgetretene Holztreppe vor sich sah, die hinab in das aus roten, alten Backsteinen rundgemauerte Gewölbe führte. Die einzige, halbkugelförmige Lampe, die an einem schwarzen Kabel von der Kellerdecke hing, flutete eine kreisrunde Fläche aus unregelmäßig behauenen Pflastersteinen mit gelbem Licht, während der Rest des Kellers im Halbdunkel von geheimnisvollen Schemen alter Holzfässer, Kisten und Regale beseelt war. Niemals wäre es Valerie eingefallen, freiwillig über die hölzernen Stiegen in diesen Hades hinabzusteigen. Trotzdem würde sie sich noch als erwachsene Frau gelegentlich in ihren Träumen auf den beiden oberen Stufen der Treppe, im Dunkeln kauernd, wiederfinden, die krampfhaft geschlossenen Augen nur öffnend, um einen dürren Lichtfaden anzuhimmeln, der durch die geschlossene Kellertür drang, während von unten unsichtbare Ungeheurer die Treppe heraufkrochen, unendlich langsam aber unaufhaltsam um mit klammen Fingern nach ihren nackten Beinchen zu tasten.

Valerie war sechs Jahre alt gewesen, es waren vielleicht vier oder fünf Wochen nach der

Einschulung, als sie zum ersten Mal bewusst mitbekam, dass der Papi die Mami schlug. Worum es in den Gesprächen der Erwachsenen ging, verstand sie nicht, sie nahm lediglich wahr, wie die Stimme der Mami im gleichen Maße leiser wurde wie Papis Lautstärke anschwoll. Die Bedeutung des Begriffs Ohrfeige kannte Valerie nur theoretisch, sie wurde von ihren Eltern nie geschlagen. Die Ohrfeige, die der Papi am Ende des Streitgespräches ihrer Mami gab, reichte immerhin aus, dass Petra Bensheim zur Seite taumelte und mit der Schulter hart gegen den Küchenschrank prallte.

„Hör auf zu heulen, dumme Kuh!", hatte der Vater gebrüllt, „du bist es doch selber schuld!" Der grollende Unterton in der Stimme des großen Mannes war einschüchternd für Valerie.

„Und du“, wandte sich der wütende Papi an das Kind, „was stehst du da rum? Verschwinde auf dein Zimmer!"

Das letzte was Valerie sah, bevor sie sich schockiert abwandte, war die Mami, die sich ihre Hand auf die linke Schulter gelegt hatte. Ihr Haarknoten hatte sich gelöst und entließ wirre Strähnen, die dramatisch an einer Seite herabhingen.

Von diesem Tag an brachte das Kind das Wort Papi

nicht mehr über die Lippen, obwohl die Mami ihr am nächsten Tag eindringlich versicherte, dass der Papi es nicht so gemeint hatte, dass er einfach zu viel arbeiten musste und sie, die Mami, selber Schuld gehabt hätte.

Ärgerlich kippte Valerie Bensheim den Rest des Marillenlikörs über die Unterlippe. Sie strich sich eine Haarsträhne nach hinten, die sich nach vorne über die Schulter gewagt hatte. Missmutig starrte sie auf den schönen Mann am Nebentisch. Was suchte der eigentlich noch hier? Sollte er doch gehen. Sie selbst sollte auch längst nicht mehr hier sein. Überhaupt ging ihr das ständige Gegeige auf die Nerven. Das Gebrabbel von den Nebentischen verschmolz zu einem unverständlichen, sphärischen Hintergrund-rauschen. Das einzig Positive war die Wärme, die der Marillenlikör in ihrem Kopf entwickelte. Am liebsten hätte sie Joschi gebeten, ihr die ganze Flasche zu bringen. In diesem Moment hob der schöne Mann den Kopf und blickte ihr direkt in die Augen. Welch ein Abgrund, in den man abtauchen möchte, dunkel und tief wie die...

Um ihr die Angst vor der Kellertreppe zu nehmen war die Mami einmal zusammen mit ihr hinabgestiegen. Das helle Licht aus der Diele, das durch die geöffnete Tür auf die Holzstiegen fiel, unterstützte wohltuend die dürftige Leuchtkraft der Kellerlampe. Hier unten hatte die Familie in Regalen eine ganze Menge Konserven gestapelt. An der Wand gegenüber, wo der altersschwache Putz großflächig die Backsteinmauer freigab, hatte der Vater sich eine Werkbank eingerichtet, die er aber nie benutzte. Er müsse hier noch eine Leitung für die Neonröhre verlegen, hatte er mal verkündet, wozu es aber niemals kam. Neben der Werkbank standen ein paar Kästen *Flensburger*, die der Vater heruntergeschafft hatte und die Mutter regelmäßig in kleineren Mengen nach oben in den Kühlschrank verfrachtete.

In den Monaten nach dem Vorfall in der Küche wurde Valerie immer frühzeitig auf ihr Zimmer geschickt, bevor die Situation zwischen Mami und dem Vater wieder eskalierte. Schlimmer als den Gewaltakten beizuwohnen, war es ihr im Rückblick erschienen, mit angezogenen Beinen auf ihrem Bett zu sitzen, in ihrer Ungewissheit die Arme um die Knie geschlungen, und dem unterdrückten Wimmern und dem Poltern aus dem Erdgeschoss zu lauschen.

Fast nie konnte man der Mami später Spuren der Gewalt ansehen, allerdings trug sie meistens auch im Sommer hochgeschlossene Pullis oder Blusen mit langen Ärmeln. Eines Morgens allerdings erschrak Valerie, als sie in die Küche kam, um vor der Schule ihr Marmeladenbrot und die Schokoflocken zu verzehren. Die linke Gesichtshälfte der Mami war blauviolett angelaufen und ihre Unterlippe zierte eine blutige Kruste.

„Sieht schlimmer aus, als es ist, Kind“, hatte die Mami gesagt und ein Lächeln versucht, dass sie sofort abbrach, als die Kruste an der Unterlippe aufplatzte, „ich bin die Kellertreppe runtergefallen. Das geht schnell wieder weg."

Da war sie wieder, die Kellertreppe. Aber Valerie, damals schon siebenjährig, war nicht blöd. Ihr war sehr wohl klar, dass die Verletzungen der Mami nicht von der Kellertreppe stammten. Nach der Schule wurde das Kind zum Bäcker geschickt, weil die Mami so nicht auf die Straße gehen wollte. *Die Leute reden ja und denken sich sonst was.*

Die nächsten Monate waren diejenigen, in denen sie lernte ihren Vater zu hassen. Er war einfach nicht mehr ihr Vater, er war für sie gestorben. Aber gleichzeitig lernte sie auch durch Beobachtung ihrer Mutter, wie man sich hübsch macht, wie man süß lächelt und in einer möglichst gefälligen Stimmlage spricht, um die Stimmung im Haus möglichst positiv zu beeinflussen. In der Tat fiel ihr auf, dass die Mami häufiger ihre guten Kleider trug, wenn ER abends nachhause kam, dass sie sich auch an Werktagen schminkte, IHN mit einem Küsschen auf die Wange begrüßte und IHM unaufgefordert sein Bier hinstellte. Auch Valerie machte sich gerne hübsch, benutzte Mamis rosafarbenen Nagellack, bürstete sich häufiger als früher die Haare und fragte IHN, ob sie den Fernseher für ihn einschalten solle. Das wirkte sich tatsächlich insofern aus, dass die Prügelattacken seltener auftraten, zumindest für eine gewisse Zeit. Ganz beheben ließ sich das Problem dadurch nicht.

An einem Abend im März, da war Valerie schon acht, hielt sie es nicht in ihrem Zimmer aus. Das Wimmern der Mami war so durchdringend und wurde von vereinzelten Schreien unterbrochen, dass sie die Tür ihres Kinderzimmers öffnete und entschlossen die Wendeltreppe hinunterstürmte. Auf dem Fliesenboden der Küche kauerte die Mami auf Händen und Knien. Ihre Haare hingen nach vorn über ihr Gesicht und darunter tropfte Blut auf die Fliesen. Ihr Körper zuckte unter regelmäßigem Schluchzen. ER stand breitbeinig vor ihr und brüllte: „Das ist hier kein normaler Haushalt mehr, sondern ein Saustall! Und mitten drin hockt die größte Schlampe von allen!" In seiner Hand hielt er eine geöffnete Bierflasche, und Valerie kam es so vor, als wolle er die Mami damit schlagen.

„Lass die Mami in Ruhe! Hör auf!", schrillte die helle Mädchenstimme durch den Raum. In ihrem hellblauen Nachthemd stand sie barfüßig in der Küchentür. Für einige Sekunden erstarrte ER. Dann drehte er sich langsam um und ließ tatsächlich von der Mama ab. ER kam langsam auf sie zu, wurde zu einem großen, mächtigen Turm, der immer höher vor ihr aufragte, je näher er kam. Sein Gesicht glänzte in ungesunder Röte. Die Flasche *Flens* in der Linken, griff er mit der rechten Hand nach Valeries dünnem weißen Arm. Die Finger schlossen sich darum wie eine Blutdruckmanschette.

„Pass auf, mein Frollein“, knurrte er sie leise und bedrohlich an, „das hier ist Erwachsenensache, klar? Das geht kleine Mädchen nichts an. Du bist auch nicht besser als die da." Die Hand mit der Bierflasche deutete auf ihre Mami, die sich langsam aufrichtete. Blut tropfte von ihrem Kinn. Ein Auge war beinahe zugeschwollen.

„Lass das Kind los“, murmelte sie hilflos, „nicht auch noch das Kind."

Die Faust des... SEINE Faust war wie ein Schraubstock und staute das Blut ihres Armes. Valerie versuchte das süßeste Lächeln, das sie gelernt hatte und schenkte es IHM, als er zu ihr herabblickte. „Auch noch frech werden!", bellte er, „warte, für dich hab ich einen guten Platz!"

Er ignorierte seine Frau und zerrte Valerie in die Diele und zur Kellertür. Als Valerie zu ahnen begann, was folgen würde, fing sie an zu weinen. „Nein, nicht zum Keller“, jammerte sie. ER öffnete die Tür und schob sie hindurch auf die oberste Stufe.

„So, Frollein, hier kannst du mal in Ruhe nachdenken“, empfahl ER und warf die Tür hinter ihr zu. Valerie hörte die Drehung des Schlüssels im Schloss. Sie wusste, dass sich der Schalter für das Kellerlicht außerhalb, neben der Tür in der Diele befand. Tiefe, undurchdringliche Schwärze umgab sie, die so zäh war, als bestünde sie aus schwarzem Wachs, aus dem man Stücke hätte herausschneiden können. Weit unten jenseits der Holzstiegen befanden sich die grauenhaftesten Kreaturen, die die menschliche Fantasie hervorzubringen vermag. Drachen mit drei Köpfen, deren rotglühende Augen man nur deshalb nicht sehen konnte, weil die Monster sie in perfider Bosheit geschlossen hielten. Halbverweste Zombies wie in dem Schwarzweiß-Comic, den ihr Vetter Berthold ihr mal anlässlich einer Geburtstagsfeier gezeigt hatte, in zerrissenen Kleidern aus denen verstümmelte Gliedmaßen ragten, tote

Gesichter, die sie mit lückenhaften Gebissen und Lippen, die bis zu den Ohren aufgerissen waren, von unten herauf angrinsten. In der entstandenen Stille, die Valerie umgab und in der sie durch flaches Atmen versuchte, kein Geräusch zu verursachen, dass die Monster anlocken könnte (denn sie ernährten sich von der Angst der Menschen) wuchs das kaum hörbare Surren der Stromzähler zu einem Schleifen heran, das klang, als würden die Zombies auf ihrem Weg zur Treppe zerfaserte Taue oder ihre zerschmetterten Beine hinter sich herziehen. Unerträglich langsam humpelten sie der untersten Stufe der Treppe entgegen. Nicht weil sie nicht schneller laufen konnten, sondern weil sie ihre Vorfreude länger auskosten wollten. Schon griffen die ersten nach dem hölzernen Vierkant, welches das Geländer der Treppe bildete. Valerie starrte in die Schwärze und konnte auf den unteren Stufen schon erste Konturen ausmachen. Sie hatte nicht die Kraft den Kopf zu drehen und nach dem Schlüsselloch Ausschau zu halten, das vielleicht ein kleines bisschen leuchtende Hoffnung spenden konnte. Die Knie eng zusammengepresst, die kleinen Füße einander zugewandt krallten sich ihre Finger um den Rand der Stufe, auf der sie kauerte und auf der sich nun eine warme Lache von der Flüssigkeit bildete, die ihre Blase nicht mehr halten konnte.

Valerie sah zum Fenster. Draußen hatte es wieder begonnen zu regnen. Ein Laster mit der roten Aufschrift REWE fuhr vorbei und verwirbelte das Wasser über dem nassen Asphalt. Ihr iPhone lag noch immer unverändert am Rand des Tisches. Warum lag es da? Hatte sie vielleicht auf eine Nachricht von Jürgen gewartet? So ein Schwachsinn! Warum kam nur gerade heute dieser ganze alte Scheiß bei ihr hoch? Das war so lange her, und sie hatte doch eigentlich alles vergessen. Verdrängt. Der schöne Mann sah sie wieder an. Keine Ahnung wie lange er sie schon beobachtete. Warum tat er das? Natürlich, sie war eine Granate, da konnte man jeden fragen. Valerie Bensheim war ein Hingucker auf jeder Party. Aber das war der Typ da drüben auch. Und sein Blick drückte keineswegs aus, dass er scharf auf sie war. Aber eine melancholische Sehnsucht lag darin. Wie er wohl hieß? Wie es sich wohl anhörte, wenn er sprach? Valerie blickte zurück, versuchte ein Lächeln. Aber es wollte nicht recht gelingen.

„Hallo Valerie."

Neben ihr stand Alina, die Frau von Aljoscha. Irgendwie kam es Valerie irreal vor, dass jemand anderes als der schöne Mann sie ansprach.

„Hi, Alina.“ Valerie fing sich, war wieder ganz sie selbst.

„Darf ich mich setzen?", fragte Alina. Sie trug eine blütenweiße Schürze mit Rüschen.

„Aber klar. Warum nicht?" Valerie lächelte erstaunt.

Alina setzte sich auf den Stuhl Valerie gegenüber.

„Joschi meinte, ich könne dir vielleicht helfen?"

12

Leonie Breuning konnte sich gut daran erinnern, Gerd und sie hatten erst kurz zuvor geheiratet, als die Zementfabrik auf dem weitläufigen Areal hinter der Gärtnerei noch in Betrieb war. Damals war hier noch viel Leben in der Umgebung gewesen. Die Arbeiter waren morgens mit dem Bus oder dem Auto zur Schicht erschienen, die schweren LKWs mit der roten

Aufschrift UNION-ZEMENT waren vom Fabrikgelände über den festgestampften Kiesweg seitlich an den Gewächshäusern vorbei zur Straße gerollt, an trockenen Tagen mit den groben Profilen der großen Reifen graue Staubwolken aufwirbelnd.

Die Zementfabrik war aber schon vor vielen Jahren geschlossen worden. Seitdem standen die rotbraunen Gebäude verwaist da und verfielen langsam. Die Scheiben der blinden Fenster waren zum großen Teil eingeworfen von Jugendlichen, die sich hier nachts manchmal herumgetrieben hatten. Die Fenstergitter waren verrostet, ebenso wie die turmhohen Silos, die nur noch geringfügige Reste der ursprünglich hellblauen Farbe trugen. Die geteerten Flächen zwischen den Gebäuden wiesen unzählige Risse und Schadstellen auf, und Löwenzahn, Wegerich und Farn hatte das Terrain erobert. Entlang der verwitterten Mauern lagen zerdrückte Getränkedosen und zersplitterte Glasflaschen herum, in den leeren Fabrikhallen fanden sich versiffte Matratzen und sogar Reste von Feuerstellen, die von illegalen Grillfesten kündeten. Gerd hatte damals mehrfach die Polizei rufen müssen, weil betrunkene Jugendliche grölend um die Gewächshäuser gezogen waren, und man befürchten musste, dass die großen Glasfenster Ziel ihrer Zerstörungswut wurden. Heute kamen schon längst keine Jugendlichen mehr her. Das Gelände der Gärtnerei und der Zementfabrik war zum Niemandsland geworden. Manchmal glaubte Leonie, dass die Gegend hier gar nicht mehr auf aktuellen Stadtkarten verzeichnet war.

Mit dem Rücken lehnte sie sich erschöpft gegen eine alte, rostige Gitterboxpalette, als ihr vorübergehend schwindelig wurde. Sie wusste, wenn sie jetzt nicht bald etwas trinken würde, konnte sie ohnmächtig werden, Nein, das war hier keine Arbeit für eine Frau, noch dazu bei dieser Hitze. Die beiden Jugendlichen mit der Schubkarre von der Straße über den trockenen, staubigen Parkplatz, entlang der Gärtnerei bis ganz nach hinten zur Fabrik zu befördern, war eine übermenschliche Anstrengung gewesen. Zuerst hatte sie die leblosen Körper von der Straße weg hinter ein Gebüsch gezerrt, um sie vor neugierigen Blicken zu schützen, für den unwahrscheinlichen Fall, dass sich doch noch ein Auto hierher verirrte. Dann hatte sie den schweren Karren mit dem Wassertank auf die gegenüberliegende Straßenseite gezogen, denn die Koniferen mussten bis heute Abend unbedingt noch gewässert werden, sonst war es bald aus mit der grünen Pracht. Den jungen Mann und das Mädchen musste sie getrennt, nacheinander auf die Schubkarre hieven und nach hinten bugsieren. Es hatte eine gefühlte Ewigkeit gedauert, bis beide endlich in dem kleinen Nebenraum der Fabrikhalle untergebracht waren. Der trockene, dumpfe Knall, mit dem ihr Moped gegen den Tank geprallt war, hallte ihr noch immer in den Ohren.

Nachdem Leonie den schweren Handwagen mit dem großen, mit Wasser gefüllten Kunststoffbehälter darauf, vom Gewächshaus über den weitläufigen, verwaisten Kiesparkplatz bis an den Straßenrand gezogen hatte, musste sie eine Pause einlegen. Schwer atmend wischte sie sich mit dem Ärmel ihres Sweatshirts den Schweiß von der Stirn. Die Hitze rief Kurzatmigkeit bei ihr hervor, und sie wusste, dass das wahrscheinlich mit dem Herzen zu tun hatte. Sie hasste es, wenn die Kleidung so am Körper klebte. Solch eine langanhaltende Hitze und Trockenheit hatte sie selten erlebt, und in den Nachrichten brachten sie täglich Berichte über den weltweiten Klimawandel, der von ein paar Wissenschaftlern und Politikern angezweifelt wurde. Zu diesen hatte sich der amerikanische Präsident gesellt, der zwar über keinerlei Sachkenntnis, dessen Twitter-Account jedoch über eine beachtliche Anzahl von Followern verfügte. Leonie maßte sich kein Urteil darüber an, ob die verheerenden Waldbrände in Kalifornien und Spanien, die extremen Stürme im Herbst und Frühjahr, die leeren Talsperren, die miserable Getreideernte und die gesunkenen Flusspegel, die kaum noch Schifffahrt zuließen, natürliche, vorübergehende Erscheinungen waren, oder ob es sich um die Folgen der von Menschen verursachten Schäden an der Natur handelte. Was sie wusste, war, dass Gerd und sie noch niemals zuvor solche Unmengen an Wasser für die Pflanzen im Freiland, und vor allem für die Koniferen-Schonung verbraucht hatten. Wenn Klusmann von der Sparkasse seine Ankündigung wahr machte und die Kreditlinie weiter herabsetzte oder gar aufkündigte, würde sie demnächst die Nebenkosten nicht mehr bezahlen können. Gerd würde das schon wieder hinbiegen, wenn er zurückkam. *Wenn* er zurückkam. Etwas tief in ihrem Inneren sagte ihr, dass er nicht zurückkam. Weil er nicht zurückkommen konnte. Aber sie hatte gelernt, dieses Innere zu ignorieren. Schließlich hatte sie schon genug andere Probleme.

Leonie blinzelte, rücklings gegen den Wassertank gelehnt, hinauf in den hellblauen Himmel, wo die Sonne des frühen Nachmittags unvermindert die ohnehin schon ausgetrocknete Erde zu versteinern suchte. Sie zog das rotkarierte Leinentuch aus der

Bauchtasche ihres fleckigen, grünen Overalls und wischte sich damit den Schweiß aus den Augen. Dann ging sie wieder vor den Wagen, nahm die eiserne Deichsel vom Boden auf und zerrte mit einem Ruck daran. Die Karre setzte sich widerwillig in Bewegung. Der Wasserspiegel hinter dem milchigen, transparenten Kunststoff geriet in Unruhe, schwappte vor und zurück und produzierte leise gurgelnde Laute. Leonie stemmte sich stöhnend nach vorne, der Straße entgegen und zog ihre Last über den schmalen Grünstreifen auf den Asphalt. Zwischen den Rädern und dem Straßenbelag knirschten die Reste der Asche vom Parkplatz, die sich dort in das Hartgummi der Reifen gedrückt hatten. Missmutig blickte Leonie hinüber auf die kleine, mit Unkraut bewachsene Bodenwelle auf der anderen Straßenseite, die es zu überwinden galt, bevor sie mit ihrem Karren auf den schmalen Pfad aus knochentrockenem Lehm einbiegen konnte, der zwischen den Koniferen hindurchführte. Das ist keine Arbeit für eine Frau, dachte sie, früher hatte sich Gerd um solche Sachen gekümmert, während sie die Herrschaft über die Treibhäuser, die Blumen im Verkaufsraum und ihre geliebten Astern ausübte. Das helle, blecherne Knattern, das sich näherte und sehr schnell zu einem unangenehmen Lärmen anschwoll, konnte sie zunächst gar nicht zuordnen. Sicher rief die Hitze auch im Gehirn eine Trägheit hervor, die sie ihren Kopf wie in Zeitlupe zur Seite wenden ließ. Sie hatte den Wagen beinahe bis zur Straßenmitte gezogen und blieb nun wie in Trance stehen. Das schrill kreischende Moped kam eben aus der Kurve und verfiel sofort in einen taumelnden Zickzackkurs, kippte mal auf die eine, mal auf die andere Seite. Der Fahrer zerrte jäh den Lenker nach links, dann nach rechts. Sein Gesicht kam sehr schnell näher. Und Leonie konnte die weit aufgerissenen Augen sehen, den Mund, der zu einer Grimasse verzerrt war. Hinter ihm saß ein Mädchen. Sie schien etwas zu rufen. In dem Moment legte sich das Moped in die Horizontale und prallte mit einem lauten, dumpfen Geräusch gegen den Karren. Dann kippte es krachend auf den Asphalt zurück. Leonie konnte sich nicht bewegen, sondern beobachtete fassungslos, wie die beiden menschlichen Körper schwerelos in der Luft hingen, Arme und Beine ausgebreitet, als versuchten sie, aus eigener Kraft an Höhe zu gewinnen, um dann doch hart, mit einem hässlichen, auf eine unwirkliche Weise feucht klingenden Klatschen auf den Boden zu fallen. Der Motor des Zweirads war sofort verstummt, während sich das Vorderrad, auf der Seite liegend, in einem hellen Stakkato quietschend, weiterdrehte. Dann war es still. Die Hitze brütete über der Szenerie. Nach wenigen Sekunden setzte das elektrisch anmutende Zirpen der Grillen im hohen Gras auf beiden Seiten der Straße wieder ein, als sei nichts geschehen. Ihre Welt hatte sich nicht verändert. Sie hatte nur für einige Augenblicke angehalten.

Langsam erwachte Leonie aus ihrer Lethargie. Sie musste helfen. Offensichtlich handelte es sich um sehr junge Menschen, ein Mann und eine Frau, eher ein Mädchen, die mit seltsam verdrehten Gliedmaßen auf der Straße lagen, keine zwei Meter voneinander entfernt, das Mädchen neben dem Karren mit dem Wassertank, der Straßenseite zugewandt, auf der sich die Gärtnerei befand, der junge Mann halb unter dem Wagen. Er blutete stark aus einer Wunde am Kopf. Auch das Mädchen blutete. Soviel Blut. Sogar am Kunststofftank waren verschmierte Blutspuren zu sehen. Außerdem war er etwa in der Mitte eingedrückt. Dann entdeckte Leonie, dass er einen Riss hatte. Ein feines Rinnsal Wasser quoll daraus hervor, sickerte entlang der gewölbten Plastikwand abwärts, bevor es an dessen Unterseite auf den Boden tropfte. Das machte Leonie wütend. Sie mochte es nicht, wenn es in ihrem Leben Störungen gab. Veränderungen brachten sie aus dem Konzept. Dieser Wunsch nach Kontinuität, und die Ablehnung von unvorhergesehenen Ereignissen hatten sich stärker ausgeprägt, seit Gerd verreist war. Manchmal war sie sich nicht einmal mehr sicher, ob sie es mögen würde, sollten doch noch einmal Kunden in der Gärtnerei auftauchen.

Neben dem Moped lag eine alte Sporttasche, und unter dem tropfenden Wassertank lag noch etwas, dass Leonie erst beim zweiten Hinsehen erkannte. Es war eine Pistole.

Leonie löste sich von der Gitterboxpalette. Sie musste ins Haus gehen und etwas trinken. Die alte Sporttasche aus billigem Kunststoff nahm sie vom Boden auf und sah noch einmal auf die fleckige Ziegelsteinmauer der Fabrik. Drinnen gab es ein paar kleine Räumlichkeiten ohne Fenster. Wozu sie einmal gedient hatten, wusste sie nicht. Es mochten Umkleide- oder Lagerräume gewesen sein. In einem davon hatte sie die beiden Unfallopfer untergebracht. Ihr erster Impuls, zu helfen, hatte sich schnell wieder verflüchtigt, nachdem sie einen Blick in die Tasche der beiden geworfen hatte. Da war Geld drin, sehr viel Geld, und die Tatsache, dass sie eine Pistole dabeihatten, sprach nicht dafür, dass es sich um freundliche Zeitgenossen handelte. Die beiden mochten schwer verletzt sein. Die Frau hatte ganz sicher Knochenbrüche erlitten, und der Mann machte den Eindruck, als sei er mehr tot als lebendig. Leonie war schnell zu der Erkenntnis gekommen, dass die beiden so schnell wie möglich aus dem Verkehr gezogen werden mussten. Wenn sie wach wurden, würde es ihr vielleicht schlecht ergehen. Und das Geld, verdammt, das mussten ein paar Tausend Euro sein. Das löste ein paar ihrer Probleme. Da das Telefon nicht funktionierte, konnte sie ohnehin keinen Notruf absetzen. Das Mädchen hatte zwar ein Handy in der Gesäßtasche gehabt, aber Leonie wusste nicht, wie man mit solchen Geräten umging. Und sollte sie doch einen Rettungswagen hierher bekommen, würde unweigerlich auch die Polizei auftauchen. Und das war etwas, das wusste sie instinktiv, was die nicht brauchte. Ganz und gar nicht. Die Polizei stellte Fragen, möglicherweise Fragen, auf die sie keine Antwort wusste.

Hinter der Eisentür, die sie mit einem schweren Vorhängeschloss gesichert hatte, waren die beiden erst einmal gut aufgehoben, bis ihr eine Lösung einfiel.

Während Leonie auf ihren Bungalow zuging, kam ihr der Gedanke, dass die beiden dort in der Fabrik sterben könnten. Immerhin bluteten beide, und wenn sie nicht ärztlich versorgt wurden, konnte so etwas passieren. Aber hatte sie um diesen Besuch gebeten? Drüben warteten die Koniferen auf Wasser, und sie selbst musste bald das Abendessen auf den Tisch bringen. Dass die beiden Gauner ausgerechnet hier vorbeigekommen waren, und ausgerechnet vor ihrer Gärtnerei einen Unfall hatten, das war nicht ihr Problem. Man kann sich nicht um alles kümmern, und das Alles hier war überhaupt keine Arbeit für eine Frau.

Auf halbem Weg zwischen Fabrik und Haus blieb sie abrupt stehen. Hatte jemand gerufen? Der Laut war nur ganz schwach an ihre Ohren herangeweht. Es hätte auch der Schrei eines weit entfernten Vogels gewesen sein können. Wie *Hilfe* hatte es geklungen und wenn es kein Vogel gewesen war, dann wohl eine hohe Mädchenstimme. Es mochte sein, dass das Mädchen aufgewacht war und sich nun fragte, warum es eingesperrt war. *Sicher ist sicher*, dachte Leonie, und sie hatte sich jetzt um andere Dinge zu kümmern. In ihrer Küche trank sie gierig ein ganzes Glas Leitungswasser aus und machte sich dann, mit einem Besen bewaffnet, erneut auf den Weg zur Straße. Die letzten Spuren des Unfalls mussten beseitigt werden. Schon von weitem sah sie den offenen Sportwagen herannahen, der ein ziemlich rasantes Tempo vorlegte.

13

Die Cranachstraße in Essen-Holsterhausen war gar nicht besonders weit vom Präsidium entfernt. Bernhard Lücke hatte sich aber noch den Luxus erlaubt, am Klinikum nach rechts in die Hufelandstraße einzubiegen und im Hellas-Grill einzukehren. Stavros machte hier den besten Dönerteller, der ihm je untergekommen war. Nachdem der Oberkommissar die Reste seiner Mahlzeit mit einer Cola Light heruntergespült hatte, machte er sich mit einem befriedigenden Sättigungsgefühl auf den Weg zu seinem Wagen. Nachdem auch Lina sich krankgemeldet hatte, blieb die ganze Arbeit nur noch an ihm hängen. Schulte und Brettschneider fielen schon seit zwei Wochen aus, die Küster war auf Fortbildung und Lessing und Binder waren im Urlaub. Schön weit weg mit dem Flieger, damit man sie bloß nicht erreichen konnte. Seit die Ketteler, dieser alte Drachen, das Kommissariat übernommen hatte, hatten sich die Krankmeldungen erstaunlicherweise fast verdoppelt. Erstaunlich war auch, dass solche Leute heute überhaupt noch als Führungskräfte eingesetzt wurden. Die Art, wie diese

Schnepfe ihre Leute führte, stammte ganz offensichtlich aus dem vorigen Jahrhundert. Aus der ersten Hälfte des vorigen Jahrhunderts. Eigentlich wäre er mit der Beförderung dran gewesen. Aber dass die Sache mit seiner Sauferei so weit gediehen war, das hatte er sich natürlich auch ein bisschen selbst zuzuschreiben. Hätte er nicht deshalb zur Kur gemusst, wäre er längst Hauptkommissar geworden und müsste sich jetzt nicht mit Esther Ketteler herumschlagen. Die ließ es ihn nämlich gerne spüren, dass er ein Alki war, obwohl er seit seiner Kur keinen Tropfen mehr angerührt hatte. Trotzdem beäugte die Alte ihn mit Argusaugen und fragte bei jeder Gelegenheit: „Na, Lücke, sie haben aber nicht wieder…“ Ein Blick, der vielsagend rüberkommen sollte, auf ihn aber blödsinnig wirkte, traf ihn dann von oberhalb ihrer randlosen Halbbrille.

Dass er langsam wäre, nicht effizient in seiner Arbeit, *beamtenhaft*, hatte sie zu ihm gesagt. Dass er die Methoden moderner Polizeiarbeit nicht verinnerlicht hätte, hatte sie gemeint. Brettschneider war dabei anwesend gewesen und hatte erstaunt aufgeschaut. Polizeiarbeit, was verstand die davon? Er war schon viele Jahre auf der Straße gewesen und hatte Gauner dingfest gemacht, bevor diese Trulla eine Akademie von innen gesehen hatte.

„Klären sie mir diesen Bankraub auf, Lücke, sonst wars das für sie hier in der Abteilung.“ Mit diesen warmen Worten hatte sie ihn am Morgen empfangen. Sie selbst schien im Präsidium zu übernachten.

Die schwere, gutgewürzte Mahlzeit und die schnell heruntergestürzte Cola Light führte nicht nur dazu, dass Lücke herzhaft aufstoßen musste, sondern auch, dass ihm jetzt, draußen auf der Straße, der Schweiß aus allen Poren trieb. *Diese verdammte Hitze!* dachte er, sogar nachts kam man nicht mehr in den Schlaf, selbst wenn man auf die Bettdecke verzichtete. Er öffnete die Fahrertür des Passats und entließ einen Schwall heißer Luft in die Freiheit. Dann ließ er sich entschlossen auf den Fahrersitz fallen und startete sofort den Motor. Die Klimaanlage stand auf der höchsten Stufe und blies ihm zunächst warme Luft ins Gesicht. Die Cranachstraße war von hier aus nur fünf Minuten entfernt. Und wenn er es sich ehrlich eingestand, dann war die opulente Zwischenmahlzeit, die er sich eben genehmigt hatte, und die damit verbundene Vergeudung von Dienstzeit, für die schließlich der Steuerzahler aufkam, nicht zuletzt eine Trotzreaktion gegenüber der Ketteler gewesen. Wenn sie seine Arbeit ohnehin langsam fand, dann konnte man diesem Urteil auch gerecht werden.

Kurze Zeit später rollte der Dienstwagen mit

Bernhard Lücke am Steuer neben dem Bürgersteig einer schmalen Straße mit dichter Bebauung aus. Damit verletzte er wissentlich ein absolutes Halteverbot im Bereich einer Toreinfahrt, aber alle legalen Parkflächen waren besetzt. Und dass seine Ermittlungsarbeit noch langsamer würde, dass konnte er dem Steuerzahler und Esther Ketteler wirklich nicht zumuten.

Die Klimaanlage hatte es nicht geschafft, in der kurzen Zeit erträgliche Bedingungen im Innenraum zu erzeugen. Für die Dauer eines Augenblicks mäanderte der Gedanke an ein frischgezapftes Pils an Lückes geistigem Auge vorbei. Und dann noch eines, dieses Mal in Begleitung eines doppelten Wodkas, der in einem beschlagenen, weil eisgekühlten Glas serviert wurde. Er wartete förmlich auf einen bissigen Kommentar von Anne, beziehungsweise ihrer Stimme in seinem Kopf, der jedoch seltsamerweise ausblieb. Er öffnete die Kühltasche, die im Fußraum des Beifahrersitzes stand, und drückte sich ein Toffifee aus der Verpackung. Er hatte überhaupt keinen Hunger und es war eine dumme Angewohnheit, aber es half über noch dümmere Angewohnheiten hinweg.

Familie Meckel stand auf dem schmalen Schildchen neben der dritten Klingel von unten, auf die er drückte. Zweiter Stock, schätzte Lücke, das ging ja gerade noch. Die Häuser hier waren viergeschossig, und das Hemd klebte ihm ohnehin am Körper. Ein schlechtgelauntes Surren ließ die Haustür aufspringen, und der Kommissar machte sich an den Aufstieg. Auf halber Strecke entfuhr seiner Kehle ein herzhafter Rülpser, der nicht von schlechten Eltern war. Das steinerne Treppenhaus erzeugte einen interessanten Halleffekt.

In der halbgeöffneten Tür stand ein Mann in mittleren Jahren, nicht weniger korpulent als er selbst, mit einer Halbglatze. „Ja?", knurrte er und schaute dem Besucher, der eben schnaufend die letzten Stufen erklomm, fragend entgegen.

„Oberkommissar … pfff … Lücke", stellte sich der Beamte vor, „Herr Meckel?"

„Ach so, ja."

„Wir hatten telefoniert, kann ich reinkommen?"

Heinz Meckel schob die Tür ein Stückchen weiter auf und trat ein paar Schritte zurück. Lücke benutze gewohnheitsmäßig die Fußmatte, obwohl diese eher aussah, als würde man sich daran die Schuhe schmutzig machen.

„Kommse rein, Herr Kommissar." Meckel ließ den Polizisten an sich vorbei in die Diele und schloss dann die Tür. „Wir setzen uns ins Wohnzimmer", schlug er vor und ging voraus, in einen nicht sehr großen Raum, der von einem riesigen Sofa und einem ebenso überdimensionierten Flachbildfernseher beherrscht wurde. Darauf waren zwei Polizisten auf der Straße zu sehen, im Gespräch mit einer Frau in einem sehr engen T-Shirt mit vielen Strasssteinen, die sich in einem sehr erregten Zustand befand. „Ich hab das von Anfang an gewusst, Herr Wachtmeister“, schimpfte die Dame, „diese Lisa ist eine ganz fiese Schlampe. Die hatte das schon die ganze Zeit nur auf das Geld von meinem Thomas abgesehen, ganz ehrlich!“

„Warten sie, ich mach das aus“, brummte Heinz Meckel und drückte den entsprechenden Knopf auf der Fernbedienung. Dann legte er sie wieder zurück auf den Glastisch, neben die Packung Marlboro und eine Bierflasche aus Plastik mit einem blauen Etikett. Die Sonne, die durch die Gardinen drang, setzte die mit Zigarettenasche angereicherte Staubschicht auf der Glasplatte ins rechte Licht.

„Setzen sie sich Herr Kommissar“, forderte der Hausherr seinen Gast auf und deutete auf den einzigen Sessel, der dem Monstersofa, dass von der Tür bis zur nächsten Wand reichte, gegenüberstand. „Moment!“, rief er dann und ergriff hastig eine Jogginghose, die jemand achtlos auf dem Sessel zurückgelassen hatte. „Sorry“, sagte er und grinste verschämt, während er das Kleidungsstück über eine Lehne des Sofas hängte. Dann setzten sich beide.

„Ich dachte ja die ganze Zeit, Angelique wäre bei ihrem Freund“, sagte Heinz Meckel, während sich seine Finger nervös auf den Armlehnen des Sofas den Anschein gaben, als spielten sie Klavier, „das ist so ein Taugenichts. Kein guter Umgang. Aber als die Mutter von dem Jungen anrief und fragte, ob ihr Sohn hier wäre, hab ich mir doch so meine Gedanken gemacht, verstehen sie? Und der Frau Gallo geht’s natürlich nicht anders.“

Kommissar Lücke hatte bereits mit der Mutter von Manuel Gallo gesprochen, die ihren Sohn ebenfalls als vermisst gemeldet hatte.

„Herr Meckel“, sagte er, während sich nach dem Treppenanstieg langsam wieder eine normale Pulsfrequenz einpendelte, „wie lange ist ihre Tochter schon mit Manuel Gallo befreundet?“

„Woher soll ich das wissen? Die spricht doch nicht mit mir. Zuhause erzählt die so gut wie gar nichts. Macht, was sie will. Dabei ist sie erst siebzehn, und ich bin doch verantwortlich.“

„Das ist richtig. Kennen sie Manuel Gallo persönlich?“

Meckel schüttelte mit dem Kopf. Sein Blick fiel

auf die Zigarettenpackung.

„Wollen sie auch eine?“, fragte er und griff danach.

„Danke ich rauche nicht“, antwortete der Kommissar. Er blickte auf die Bierflasche. Die Plörre vom Discounter hatte er zwar nie gemocht, und der Inhalt war bestimmt auch schon warm, aber so ein einziger, kräftiger Zug …

„Persönlich kennen, kann man nich sagen“, murmelte Meckel mit einer Kippe im Mundwinkel. Mit einem Einwegfeuerzeug entzündete er sie und blies den Rauch des ersten Zuges zur Deckenlampe. Zwischen den einzelnen Lampenarmen konnte man Spinnweben sehen. *Das spricht immerhin für eine trockene Wohnung*, dachte Lücke.

„Wenn der Angelique abgeholt hat, hat er nur geklingelt und unten gewartet. Sie wollte nicht, dass er raufkommt. Ist nicht einfach mit dem Mädchen, seit ihre Mutter tot ist, das können sie mir glauben. Da kann einem schon mal die Hand …“ Meckel ließ den Satz unvollendet.

„… ausrutschen?“, half Lücke ihm auf die Sprünge, „es gab einen Streit zwischen ihnen und ihrer Tochter?“

„Mein Gott, ja, was heißt Streit? Wir haben oft Meinungsverschiedenheiten. Die Pubertät, wissen sie? Ich hab Angst, dass sie auf die schiefe Bahn gerät. Das passiert doch heutzutage so schnell. Drogen, Klauen oder noch Schlimmeres."

„Schlimmeres?", der Kommissar neigte sich nach vorn.

„Naja, sie müssten sehen, wie die sich in letzter Zeit anzieht. Wie ne Nutte. Schrecklich ist das. Sie wissen doch wie die Kerle sind."

Kommissar Lücke nickte. Er wusste, wie die Kerle sind.

„Es kam also zum Streit", hakte er nach, „und sie haben sie geschlagen."

„Geschlagen, geschlagen, ja mein Gott, eine Ohrfeige hat sie gekriegt. Ich hab sie noch nie geschlagen, aber sie hätten mal hören sollen, wie die mit mir redet. Die hat überhaupt keinen Respekt mehr." Meckel zog an seiner Marlboro und atmete den Rauch mit einem tiefen Seufzer aus. „Und deswegen mach ich mir ja Sorgen, Herr Kommissar", sagte er verzagt, „Ich hab ihr eine geknallt. Ja. Sie ist in ihr Zimmer. Und kurze Zeit darauf hab ich gehört wie die Haustür knallt. Und das wars. Die hat mal so rumgesponnen, will nach Mallorca auswandern, oder Ibiza. So Spinnereien halt. Dafür hat sie doch gar kein Geld. Aber inzwischen denke ich, die ist tatsächlich mit diesem Manuel auf und davon. Das Kind kommt doch unter die Räder. Der Kerl schickt sie bestimmt auf den Strich. Sie finden sie, oder?“

Der Blick von Heinz Meckel hatte einen flehenden Zug angenommen. Seine grauen Augen waren weit geöffnet, die Bindehäute gerötet. Er griff zu der Bierflasche.

„Entschuldigung, wollen sie auch was trinken?“

„Nein, nein, danke.“

Meckel trank aus der Flasche und drückte sie danach zwischen seinen Fingern zusammen.

„Herr Meckel“, sagte Lücke, „hat ihre Tochter irgendwelche Einkünfte? Hat sie einen Beruf?“

Der Angesprochene wendete den Kopf zum Fenster und blickte hinaus. Draußen war nicht mehr zu sehen, als die Äste einer Platane, deren Zweige sich in leichtem Wind bewegten.

„Herr Meckel?“

„Beruf“, erwiderte der, „ihre Lehre hat sie geschmissen. Oder vielmehr, man hat sie rausgeschmissen. Das ist schon die zweite Lehrstelle. Kann sich einfach nicht einordnen. Kann ihre Klappe nicht halten.“

„Wo war die Lehrstelle?“

„Helens Hair & Beauty heißt der Laden, die Adresse muss ich ihnen raussuchen.“

„Ja, tun sie das, das wäre gut.“

„Herr Meckel, hat ihre Tochter eine rote Wollmütze?“

„Hm?“, machte Meckel erstaunt, „rote Wollmütze? Wieso? Weiß ich nicht. Was soll jemand bei diesem Wetter mit einer Wollmütze?“

„Frau Gallo, die Mutter von Manuel, hat uns erzählt, dass die beiden sich rote Wollmützen gekauft haben. Sozusagen im Partnerlook. Sie kennen also so eine Mütze nicht?“

„Davon weiß ich nichts“, knurrte Horst Meckel unwirsch, „ich weiß auch nicht, was sie mir für bescheuerte Fragen stellen.“ Er wirkte auf einmal aggressiv auf den Kommissar.

„Sie stellen mir hier Fragen nach Wollmützen und Lehrstellen! In der Zeit sollten sie meine Tochter suchen! Warum setzen sie nicht längst den ganzen Polizeiapparat in Marsch? Wofür zahle ich eigentlich Steuern?“

„Herr Meckel“, Lückes Stimme wurde scharf, „wenn am Ende eines Satzes die Stimme angehoben wird, handelt es sich fast immer um eine Frage. Und auf eine Frage möchte ich eine Antwort, keine Gegenfrage. Haben sie bemerkt, dass ich meine Stimme angehoben habe? Für die Fragen bin ich verantwortlich. Von ihnen brauche ich Antworten. Und wenn sie hier mitmachen, haben wir vielleicht eine Chance, ihre Tochter zu finden.“

Horst Meckel war ein wenig auf seinem Sofa zusammengesunken. Der Kommissar fuhr fort: „Ihre Tochter hat also keine Einkünfte. Hat sie sich ihnen gegenüber mal dahingehend geäußert, dass sie sich Geld beschaffen will? Oder anders vielleicht, hat sie von ihnen Geld verlangt?“

„Pfh! Die verlangt ständig Geld von mir. Braucht angeblich immer neue Klamotten, oder Schminke, oder was weiß ich. Aber meine Oma hat immer gesagt *Wo du nicht bist, Herr Jesus Christ, da schweigen alle Flöten.* Also besser gesagt, woher nehmen und nicht stehlen.“

Jetzt blickte Oberkommissar Lücke zum Fenster und beobachtete die Platanenzweige dabei, wie sie im Wind leicht hin und her pendelten.

„Ja“, sagte er gedankenverloren, „das ist eben genau die Frage. Ach ja, und es wäre gut, wenn ich eine Haarbürste oder eine Zahnbürste von ihrer

Tochter mitnehmen könnte.“

14

„Sag Günther zu mir“, bot Günther Krapp lächelnd an und hob sein Whiskyglas an, „ein spießiger Name, ich weiß, aber ich hab nur diesen.“

Valerie hob ebenfalls ihr Glas. Sie hatte sich für einen Caipi entschieden, aber einen richtigen, mit Cachaca. Ein Schuss Alkohol war nicht schlecht, um in die richtige Stimmung zu kommen. „Cheers“, sagte sie, „der Name ist nicht entscheidend, sondern der Mann. Ich bin Valerie.“ Ihr fiel der Spitzname *El Krappo* ein, aber er durfte nicht wissen, dass sie den kannte.

Günther Krapp saß ihr an dem kleinen Tischchen gegenüber, und sein Hemd schimmerte in der Barbeleuchtung blauweiß. Es hatte die Farbe seiner Zähne.

El Krappo hatte Valerie erzählt, dass dies seine Stammbar war (was sie natürlich wusste) und dass ihm der Laden, wie auch drei weitere Betriebe und ein Club in Düsseldorf, gehörte. Was Valerie ebenfalls wusste, wenn auch nicht von Krapp, war, dass ihm zwei Häuser in der Stahlstraße gehörten, die er an Nutten vermietete. Die Häuser standen im Rotlichtviertel, unweit von IKEA. Den Grund dafür, warum eine Zielperson aus dem Leben befördert werden sollte, teilte ihr der Auftraggeber, der sich Johnny nannte, und den sie noch nie gesehen hatte, nicht mit. Valerie interessierte sich auch nicht dafür. Es war nur hinderlich, wenn man zu viel Hintergrundwissen besaß. Offenbar war Krapp irgendjemand zu sehr in die Quere gekommen. Irgendjemand, dem es viel Geld wert war, sollte Günther Krapp sich zeitnah aus dem Geschäftsleben zurückziehen.

„Aber erzähl mal von dir, was macht eine Frau wie du am Samstagabend alleine in einer Bar?“, fragte der Mann mit den dunklen Augen mit einem herausfordernden Lächeln. Die beiden geöffneten oberen Knöpfe seines Hemdes ließen dunkle Brustbehaarung sehen, durchwirkt von vereinzelten, grauen Fäden.

„Du kommst doch aus dem Norden, oder?“

Valerie zeigte gespieltes Erschrecken. „Oh, Gott! Hört man das?“

„Nur ganz leicht. Du hast so was Hanseatisches in der Stimme.“

„Touché, aus Hamburg, ich komme aus Hamburg“, gestand Valerie.

Der Mann hatte etwas, und es wäre für sie der Typ zum Verlieben gewesen, hätte sie nicht längst mit dem Thema Beziehungen abgeschlossen.

„Und was führt dich in unsere schöne Stadt?“, fragte Günther, „beruflich oder privat?“

„Ich bin Eventmanagerin“, antwortete Valerie wahrheitsgemäß, „ich betreue Harry Lehnert, kennst du den, den Sänger?“

Günther Krapp schob die Unterlippe vor, „Ich glaub nicht, leider. Oder doch, das ist der blonde Typ von den Plakaten an der Grugahalle, oder?“

„Ja, genau!“

„Und da bist du immer viel von zuhause weg, nicht? Was sagt denn dein Mann oder dein Freund dazu?“

„Ich habe keinen Freund, ich bin allein.“ Valeries Blicke spannen unsichtbare Fäden der Schwarzen

Witwe um Günther Krapp, die er, der Mann von Welt, der sicher kein Kostverächter war, und der sich mit Frauen auskannte, nicht bemerkte. Sie hatte sich bei ihrem letzten Satz leicht nach vorn gebeugt und beide Unterarme auf dem Tisch abgelegt. Die Finger beider Hände mit den dunkelrot, fast schwarz lackierten Nägeln fuhren langsam, fast zärtlich an der Außenseite ihres Glases auf und ab. Sie zwang seinen Blick in den spitzen Ausschnitt ihres schlichten, schwarzen Cocktailkleides von Luisa Cerano, dessen leicht glänzender Stoff das farbige Licht in der Bar bei jeder Bewegung auf andere Art reflektierte. Ihren nackten Hals zierte lediglich ein dünnes Goldkettchen mit einem kleinen goldenen Kreuz, das den Weg zu zwei angedeuteten, weißen Hügeln wies, die in feine, erst kürzlich im Alsterhaus am Jungfernstieg erstandene Dessous gebettet waren.

Kaum eine halbe Stunde später betraten Valerie und Günther Krapp eilig das nicht sehr große, sauber aber spärlich eingerichtete Zimmer im ersten Stockwerk eines kleinen Garnie-Hotels in Rüttenscheid. Schon im Taxi war es zu drängenden, von beiden Seiten befeuerten Zungenküssen und zielgerichteten Berührungen gekommen. Im Aufzug hatte El Krappo seine Eroberung gegen die verspiegelte Wand gedrückt und fordernd seine Hände auf ihrem Po platziert. Der ältere Mann an der kleinen Rezeptionstheke hatte kaum aufgeschaut, wer ihn da störte. Vielmehr hatte er bei der Aushändigung des Zimmerschlüssels mit einem Auge die Fernsehshow weiterverfolgt, die auf einem kleinen Empfangsgerät hinter seinem Pult übertragen wurde. Valerie hatte es vermieden, dem Mann direkt ins Gesicht zu blicken, und der schien dieses Verhalten von Damen, die zu so später Stunde mit einem Herrn eincheckten, gewohnt zu sein.

Hinter der abgeschlossenen Zimmertür nahm Günther Krapp ein wenig Tempo aus dem Geschehen und öffnete die Minibar.

„Champagner gibt's leider keinen", sagte er, „leider nur Prosecco." Er hielt die kleine Flasche hoch und grinste dabei. Als er auf der kleinen Anrichte nach Gläsern suchte, nahm Valerie ihm das Getränk aus der Hand, öffnete den Drehverschluss und trank direkt aus der Flasche. Krapp beobachtete sie dabei und sagte: „Du bist eine megascharfe Braut, weiß du das?"

„Ja", sagte Valerie knapp und lächelte, Sie übergab ihm die Flasche und öffnete ihren Reißverschluss am Rücken. Das Kleid glitt elegant zu Boden. Günther blickte fasziniert auf die schwarze Unterwäsche. Dann trank er gierig ein paar Schlucke. Valerie trat nah an ihn heran. Er hielt ihr die Flasche an den Mund

und sie schloss ihre Lippen um den gläsernen Hals. Valerie schluckte zwei Mal, dann stellte Günther die Flasche ab.

Er legte seine Hände auf die beiden schwarzen B-Körbchen, und Valerie küsste seinen Hals. Jetzt musste es passieren. Zu einem Job gehörten zwei Akte. Und sie mochte beide. Den ersten Akt konnte sie ebenso genießen, wie den zweiten.

Es war ungefähr eine Viertelstunde später, als er sich aus ihr zurückzog. In dieser Zeit war Valerie zwei Mal gekommen, und die fordernde, fast grobe Art, mit der Günther vorgegangen war, ohne dabei brutal zu sein, hatte ihr gefallen. Er hatte ihr kaum Gelegenheit gegeben, selbst die Initiative zu ergreifen, aber das war okay. Vielleicht stand ja noch eine Wiederholung an, bevor der Vorhang sich zum zweiten Akt hob.

Es hatte sich von Anfang an so ergeben, dass Valerie nie eine Waffe benutzte. Das war unverfänglicher, und es bannte die Gefahr, dass vorher oder nachher eine Tatwaffe gefunden werden konnte.

Günther machte einen Knoten in das Kondom und ließ es achtlos neben das Bett fallen. „Das war der Wahnsinn, mein Törtchen“, sagte er schmunzelnd, „war es für dich auch gut?“

Valerie stemmte sich auf den Ellbogen und fuhr mit

ihren Fingernägeln durch seine Brusthaare, die Sean Connery zur Ehre gereichten. Sie waren schwarz, mit deutlichem Grau durchwirkt. Der Titel „Törtchen“ stieß ihr im Großhirn sauer auf, aber sie küsste ihn auf die Schulter. „Einfach irre, mein Tiger. Ich will mehr davon. Sie fasste sein noch feuchtes Glied an. Allerdings dauerte es noch eine halbe Stunde und eine Dose Bier aus der Minibar, bevor sie es erneut taten. Dieses Mal übernahm Valerie die Führung, und sie saß auf ihm.

Danach, während Günther zur Fernbedienung griff, und auf dem Fernseher verschiedene Programme durchzappte, ging Valerie nackt und mit ihrer Handtasche bewaffnet ins Bad. Außer zwei umgedrehten Zahnputzgläsern und ein paar kleinen Plastikflaschen mit Duschgel gab es hier keine weiteren Utensilien. Wenn sie sich in der Wohnung einer Zielperson befand, gab es in der Regel eine größere Auswahl an brauchbaren Werkzeugen. Valerie rollte etwas Toilettenpapier ab und faltete es mehrfach. Dann ließ sie kurz Wasser darüber laufen und rieb sich damit oberflächlich zwischen den Beinen ab. Dann wusch sie sich die Hände. Sie öffnete ihre Handtasche und legte ein rotes Etui heraus. Darin befanden sich eine kleine Nagelschere, eine Pinzette und eine Nagelfeile. Nachdenklich besah sie sich

Letztere. Die Länge musste reichen. Zumindest hoffte sie das inständig. Auf einen Kampf mit dem Mann durfte sie es nicht ankommen lassen. Dazu war es bisher auch zum Glück nie gekommen. Und dabei sollte es auch bleiben. Theoretisch war die Nagelschere, die eine scharfe Spitze hatte, eine Option. Aber wenn sie schnell und effektiv arbeiten wollte, musste sie wohl mit der Feile vorliebnehmen. Die Aktion erforderte aber große Präzision, wenn sie erfolgreich sein sollte. Am besten würde es sein, wenn der Mann schlief. Aber auf so viel Glück konnte man kaum hoffen. Sie klappte das Etui zu und legte die Nagelfeile so in ihre Handtasche, dass sie schnell griffbereit war. Dann betätigte sie die Klospülung und ging hinaus ins Zimmer. Günther lag rücklings auf dem Bett, den Kopf etwas erhöht auf seinem zusammengefalteten Kissen. Auf dem Bildschirm zeigte Claudia Kleinert eine ausgedehnte Hochdruckzone, die von Belgien bis Polen reichte. Mit Regen, so sagte sie, sei leider auch in den nächsten Tagen nicht zu rechnen. Es folgte eine Reihe von Bildern, die Getreidefelder zeigten, deren Ähren nicht einmal halb so groß waren, wie üblich. Es folgte die Ansicht von Tankstellen-Preisschildern (da die Tankschiffe auf dem Rhein nur noch mit halbierter Ladung fahren konnten, waren die Benzinpreise in die Höhe geschnellt), und zuletzt sah man Menschen, die über die ausgetrockneten Uferzonen wanderten, wo sonst der Schicksalsstrom der Deutschen mächtig dahinfloss. Im Hintergrund war der Düsseldorfer Fernsehturm zu sehen.

„Hi, Törtchen", sagte Günther Krapp schläfrig, „wo bleibst du denn?" Seine Augen glitten über ihren nackten Körper, aber sein Interesse war weniger erkennbar, als noch vor kurzer Zeit. Valerie sah sich im bodentiefen Spiegel, der gegenüber der Badezimmertür an der Wand hing. Der Anblick, vollständig unbekleidet, mit einer Umhängetasche über der Schulter, wirkte schon ein wenig belustigend.

„Ich komme ja", sagte sie und ging lächelnd zum Bett. Die Tasche platzierte sie auf dem Nachttisch. Dann legte sie sich neben Günther.

„Woll´n wir nachher noch irgendwas essen gehen?", fragte er, „bei *Dal Passatore* hab ich einen festen Tisch, den hält der immer für mich frei. Auch wenn´s voll ist, wie Samstagabend."

„Gerne warum nicht", stimmte Valerie zu, obwohl sie keineswegs die Absicht hatte, „aber erst noch ein bisschen kuscheln, ja?" Sie fühlte Müdigkeit aufkommen. Das war nicht gut. Der Caipirinha, dann der Prosecco, und eben noch das Bier, das war unprofessionell. Aber sie hatte auch registriert, dass

Günther, als sie aus dem Bad kam, schläfrig gewirkt hatte. Sie legte sich dicht neben den Mann und legte ihren Kopf an seine Schulter.

„Okay“, murmelte der und blickte auf den Fernsehschirm, wo jetzt der Vorspann von einem alten Spielfilm ablief. Valerie schloss die Augen. Einschlafen würde sie ganz sicher nicht, dazu war sie zu angespannt. Es blieb also zu hoffen, dass der Mann nach zwei Ejakulationen und entsprechendem Alkoholkonsum, klischeegemäß bald einschlief.

Schon wenige Minuten später verriet ein hörbares, regelmäßiges Pusten, das aus Günthers Lippen kam, dass er dem Film nicht aufmerksam folgte. Valerie lauschte einige Zeit den regelmäßigen Atemzügen, bis sein Mund sich öffnete und ein lautes Schnarchgeräusch erzeugte, Offenbar hatte den Schläfer sein Schnarchen selbst erschreckt, denn er atmete kurz und scharf ein und drehte sich auf die Seite, zum Fenster, so dass er Valerie den Rücken zuwandte. Valerie blickte auf den Rücken des Mannes, der ebenfalls behaart war, wenn auch nicht so stark wir die Brust. Zwischen den Haaren verliefen ein paar senkrechte Kratzer. *War ich das?* dachte Valerie und musste böse grinsen. Sie wartete noch eine Weile und wandte sich dann ganz langsam der Handtasche auf dem Nachttisch zu. Ohne hinzusehen, fand sie mit einem Griff die Nagelfeile. Seltsam, dass sie beim Anblick des schlafenden Mannes schon wieder an Basti denken musste, den Mann, der sie damals so sehr enttäuscht hatte. Und sie dachte an den schönen Mann im Café Mozart. Es war gut, dass sie ihn nach ihrem letzten Besuch dort nie mehr wiedergesehen hatte. Gut für ihn, denn sonst hätte es womöglich am Ende auch mit seinem Tod geendet.

Valerie platzierte die Nagelfeile vorsichtig oberhalb von Gerds auf der Seite liegendem Kopf. Die Spitze zielte nach unten, direkt auf sein rechtes Ohr. Valerie brauchte beide Hände, um die Feile richtig zu platzieren. Um die Annäherung zu tarnen, berührte sie mit ihren Lippen seinen Nacken zu einem Judaskuss. Als die Finger ihrer linken Hand die Spitze ein kleines Stück in die Öffnung der Ohrmuschel eingeführt hatte, legte sie den Handballen der rechten auf den Griff und stieß das Werkzeug mit aller Kraft hinein. Es ging leichter, als gedacht. Gleichzeitig mit der Stoßbewegung sprang sie vom Bett auf und entfernte sich rasch ein paar Schritte. Günther Krapp stieß ein tiefes Brummen aus und hob den Kopf. Er drehte sich zu Valerie um und glotze sie mit einem derart blöden Gesichtsausdruck an, dass sie fast hysterisch aufgelacht hätte. Sein Unterkiefer klappte herunter, und mit einem unmenschlichen Blöken drehte er seine

Pupillen nach oben. Ein Schwall dunkelroten Blutes ergoss sich aus seinem Ohr über Kinn und Schulte, und bildete einen großen hässlichen Fleck auf dem Kopfkisten. Dann fiel Günthers Kopf aufs Kissen zurück, und er rührte sich nicht mehr. Aus seinem Ohr ragte der weiße Kunststoffgriff.

Eine ungeheure Zufriedenheit durchströmte Valerie. Es war sogar eine Art von Glücksgefühl. Wieder einer weniger von diesen Scheißkerlen auf der Welt. Wie gut, wenn man sein Hobby zum Beruf machen konnte. Für einen Moment überlegte sie, ob sie Günther die Nagelfeile als Souvenir dalassen sollte. Dann entschied sie sich dagegen. Na klar, hier im Hotelzimmer gab es jetzt eine Menge Fingerabdrücke von ihr. Sogar Körperflüssigkeit würde die Spurensicherung von ihr finden. Aber erstens war sie bisher noch nirgendwo aktenkundig, und zweitens, hey! Das hier war ein Hotelzimmer. Genetische und andere Fingerabdrücke gab es hier in Hülle und Fülle. Aber man musste es nicht darauf ankommen lassen. Sie packte mit beiden Händen zu, und stieß den leblosen Körper vom Bett. Mit einem dumpfen Poltern stürzte er auf die Auslegeware. Dann zog sie die Bettdecke ab, rollte sie zusammen und warf sie in die Dusche. Diese füllte sie mit Wasser und dem Inhalt eines der Fläschchen Duschgel. Eines der

Handtücher im Bad hielt sie unter den laufenden Wasserhahn und wischte dann damit den Toilettensitz und die Türdrücker ab. Dann breitete sie das Handtuch auf dem Bett aus, legte die kleine Sektflasche und die leere Bierdose darauf. Entschlossen ging sie zu dem Toten am Boden und zog die Nagelfeile aus seinem Ohr. Diese wischte sie an seinem Hemd ab und legte sie ebenfalls aufs Handtuch. Alles zusammen faltete sie zu einem handlichen Paket zusammen. Noch einmal blickte sie auf den am Boden liegenden Toten, dessen Augen die Steckdose neben dem Bett zu fixieren schienen. Wieder dachte sie an Basti. Damals war ihr das Ganze noch nicht so leicht von der Hand gegangen.

15

„Das beruhigt mich ein bisschen, Valerie“, sagte Alina obwohl sie nicht ganz überzeugt wirkte.

„Glaub mir, Süße“, sagte Valerie und spielte dabei mit dem Henkel ihrer leeren Kaffeetasse, „es ist nichts. Klar, ich bin wohl noch ein bisschen runter nach der Sache mit Jürgen. Liebeskummer. Wir Frauen sind schon blöd. Dabei sind´s die Kerle überhaupt nicht wert."

„Die meisten wohl nicht“, erwiderte Alina.

„Da hast du recht, dein Joschi ist schon was Besonderes."

„Ich weiß." Alina schmunzelte in sich hinein. *Sie sieht wirklich glücklich aus*, dachte Valerie. *Beneidenswert. Und hübsch ist sie.* Ein bisschen zu moppelig vielleicht, aber manche Männer mögen das ja. Vielleicht sind das überhaupt die richtigen Männer, die sowas mögen, für die nicht ein perfekt gestylter Body das Allerhöchste der Gefühle ist. Sie sollte sich den schönen Typen da drüben aus dem Kopf schlagen. Das wäre doch auch wieder nur so eine hübsche Larve. Da würde sich das Karussell doch nur eine

Runde weiterdrehen.

„Bekommst du noch was?", fragte Alina und blickte zweifelnd auf die leere Kaffeetasse und das Likörglas.

Valerie blähte ihre Wangen und blies Luft durch die gespitzten Lippen. Sie sah auf ihre Armbanduhr. Noch ein Geschenk von Basti. Ein edles Teil von Breitling, das Zifferblatt umrahmt von Brillis. Zu schade, um es ihm zurückzugeben.

„Eigentlich hätte ich jetzt eher Appetit auf was Herzhaftes. Ne Currywurst oder ein Käsebaguette oder sowas." Sie musste lachen.

„Kann ich dir machen, Valerie“, nickte Alina eifrig, du müsstest aber mit nach hinten kommen. Hier vorne, also, es steht nicht auf der Karte."

„Nein, nein, bloß nicht, das war nicht ernst gemeint, Alina. Ich glaub ich nehme noch ein Wasser, einfach ein großes Glas Mineralwasser. Das wär das Richtige. Ich muss ja dann auch mal bald los."

„Bist du sicher? Es würde mir nix ausmachen. Ein überbackenes Käsebaguette krieg ich hin, ist keine Sache."

„Nein Alina, echt nicht. Ein Wasser wär toll."

„Okay“, sagte Alina und nickte. Sie stand auf und

schob den Stuhl wieder in die richtige Position. „Ich schick dir den Joschi“, sagte sie und ging.

Der Tag der Beerdigung war noch nicht lange her. Vier Wochen vielleicht, oder fünf. Es war November. Zwei Tage nach Valeries achtzehntem Geburtstag war die Mutter gestorben. Anscheinend, angeblich hatte ihr Herz in der Nacht einfach aufgehört zu schlagen. In dem Jahr wurde Wladimir Putin nach seinem Vorgänger Boris Jelzin neuer russischer Präsident. In Hannover fand die Expo statt, Baschar-al-Assad wurde Staatspräsident von Syrien und die dänischen Bürger lehnten in einer Volksabstimmung die Einführung der Gemeinschaftswährung Euro ab.

Valerie Bensheim war schon einige Tage vor der Beerdigung zu ihrer Schulfreundin Paula gezogen, die eine Zweizimmerwohnung im Haus ihrer Eltern bewohnte. Allein, ohne die Mutter, wollte sie mit IHM, der vor zwei Jahren seinen Job bei der Fertighausfirma verloren hatte, nicht unter einem Dach leben. Der Hauptgrund für die Entlassung von Werner Bensheim war damals zweifelsfrei seine immer inniger werdende Freundschaft zu den Bierflaschen im Keller gewesen, mit denen er sich nicht länger nur am Abend traf, sondern sie auch tagsüber in seinem Firmenwagen nicht missen wollte.

Valerie hatte ihren Vater am Telefon sehr freundlich darum gebeten, an diesem Sonntagnachmittag nicht zuhause zu sein, wenn sie ins Haus kam, um die restlichen Kleidungsstücke aus ihrem Schrank im Kinderzimmer abzuholen. Der hatte ihr das auch gutgelaunt versprochen. Als sie jedoch mit ihrem Schlüssel die Haustür öffnete und den Flur betrat, hörte sie unnatürlich laute und aufgeregte Stimmen aus dem Wohnzimmer, untermalt von dramatischen Synthesizerklängen.

„Missus Heart! Sind sie da drin, Missus Heart?", schnarrte eine kehlige Männerstimme. „Max, hier bin ich!", antwortete eine warme Frauenstimme. „Mein Gott Max, gut dass sie da sind. Wie haben sie mich gefunden? Wie geht es Jonathan?"

ER war also zuhause und schaute seine Serien. Und das in einer ohrenbetäubenden Lautstärke. Das war kein gutes Zeichen.

„Mister Heart geht´s gut, er ist den Kerlen hinterhergefahren. Keine Sorge, die Polizei muss auch jeden Moment hier sein."

Valerie ging an der Wohnzimmertür vorbei, ohne hineinzusehen. Vielleicht konnte sie die Treppe hoch und unbemerkt in ihrem Zimmer verschwinden.

Aus dem Wohnzimmer waren jetzt hochtourige

Motorengeräusche und quietschende Reifen zu hören. Dazu steigerte sich die Musik in einem hysterischen Crescendo.

„Machs du´n hier?", fragte Werner Bensheims Stimme hinter ihr. Er stand in der Tür und stützte sich mit einer Hand an der Holzzarge ab. Die Zunge folgte in ihren Bewegungen offenkundig nicht ganz seinem Willen und erschwerte so die Bildung von Konsonanten.

„Ich hatte dir gesagt, dass ich heute komme. Und du hattest mir versprochen, nicht zuhause zu sein. Du wolltest zu Onkel Hans." Valerie versuchte, ihrer Stimme einen freundlichen und ruhigen Klang zu verleihen, bemerkte aber selbst, dass ihr dies nur zum Teil gelang.

„Quatsch, das´s immer noch mei Haus. Und du has´ hier gar nix z´melden“, polterte Werner Bensheim, dem es kaum gelang, Worte zu bilden und wenn, dann klebten sie an seiner Zunge wie Flocken alten Tapetenkleisters.

„Du hast getrunken“, bemerkte Valerie trocken, während sie ihm ihr Profil zuwandte und dabei nur halbherzig ihre Verachtung verbarg. Dann ging sie entschlossen auf die Wendeltreppe zu. In einem Tempo, dass sie ihm nicht zugetraut hatte, eilte

Werner Bensheim ihr hinterher und packte sie grob am Arm.

„Lass - mich - los!", zischte Valerie fast ohne Lippenbewegung. In ihren Augen loderte unbändige Wut. In diesem Moment spürte sie, wie seine freie Hand grob an ihren Hintern griff. Werner Bensheim grinste blöde. Zwischen seinen Zähnen sah Valerie farbige Rückstände, die vom Belag einer Pizza stammen mochten.

„´N fest´n Arsch hassu immerhin“, lallte er, „nich wie deine Mutter, die fette Kuh." Sie versuchte ihn abzuschütteln, aber der Griff seiner starken Hände lockerte sich nicht. Er zog sie hinter sich her.

„Lass mich los!", schrie sie ihn an. Valerie glaubte die Anwesenheit ihrer toten Mutter zu spüren, die traurig und hilflos beobachtete, was hier vorging.

„Kann´s dei´m alten Vadder wenig´s mal ´n Bier raufholn“, knurrte Bensheim und stieß Valerie zur Kellertür. Sie versuchte, an ihrem Vater vorbei erneut zur Wendeltreppe zu gelangen, aber er versperrte ihr den Weg mit seinem massigen Körper. Eine Wolke aus Bierdunst und altem Schweiß wehte ihr entgegen und verursachte kurzfristig Übelkeit.

„Lass mich in Ruhe, altes Schwein!", kreischte sie sie in aufkeimender Panik mit sich überschlagender

Stimme. Werner Bensheim verharrte reglos mit herabhängenden Armen und glotzte sie mit glasigen Augen an.

„Ach leckt mich doch alle“, brummte er und griff nach dem Türdrücker der Kellertür. Seine andere Hand knallte routiniert auf den Lichtschalter neben der Tür, der an der ansonsten weiß gestrichenen Wand von einer schmutziggrauen Korona umgeben war. Ruckartig riss er die Tür auf. Unten im Keller flammte lustlos die Deckenlampe auf. Werner Bensheim ging einen Schritt nach vorn und blieb mit seinem Hausschuh an der obersten Holzstiege hängen. Für einen Moment taumelte er und drohte zu stürzen. Dann bekam er mit der Rechten den Handlauf zu fassen und fing sich.

„Verdammt´ Scheiße“, knurrte er. Valerie verließ ihren eigenen Körper, war nur noch Beobachter, sah sich selbst vorstürmen, mit zwei, drei Schritten die Distanz zur Kellertür überwinden und beide Handballen dem Mann, der reglos dastand und nach unten starrte, in den Rücken stoßen. Bensheim verlor durch den unerwarteten Schlag die Kontrolle, und der schwere Körper kippte nach vorne, während seine beiden Hände ins Leere griffen. Entsetzt über sich selbst, Augen und Mund aufgerissen, stand Valerie im Rahmen der Kellertür und lauschte auf das dumpfe

Poltern auf der Treppe, sah den Körper ihres Vaters mal links, mal rechts ans Geländer schlagen und schließlich mit einem matten Klatschgeräusch auf dem Steinboden landen. Gänsehaut überlief in Wellen ihren Körper. Erst als sie den Geschmack von Eisen im Mund wahrnahm, merkte sie, dass sie ihre Unterlippe zerbissen hatte.

Sie lauschte nach unten, sah den reglosen Körper seltsam verdreht auf den Pflastersteinen liegen. Den machtvollen Impuls, der sie zur Haustür treiben wollte, zur Flucht (weg hier, weg hier so schnell und so weit wie möglich) unterdrückte sie. Sie blieb stehen. Unten regte sich nichts. *Halali*, fuhr es ihr durch den Sinn. Was sollte das? Das hatte sie in diesem Jägermagazin gelesen, als sie vor Wochen bei Doktor Bruns im Wartezimmer saß. Da gab es ein Hornsignal. *Halali, die Sau ist tot*, sagten die Jäger. Oh mein Gott, wie schrecklich. Sie hatte den eigenen Vater getötet. Sie schlug beide Hände vors Gesicht. Sie musste Gewissheit haben. Langsam setzte sie einen Fuß vor den anderen und stieg die erste Stufe hinunter. Unsichtbare Gummibänder versuchten sie am Fortkommen zu hindern wie in einem Alptraum. Aber es wurde von Stufe zu Stufe immer leichter. Langsam stieg sie die Treppe hinab. Die Deckenlampe tauchte den Kellerboden und die untere Hälfte von

Werner Bensheim konsequent in kreisrundes, gelbes Licht. Der Oberkörper war nur als dunkle Kontur auszumachen, aber Valeries Augen gewöhnten sich schnell an die spärlichen Lichtverhältnisse. Als sie fast unten war, hörte sie ein Geräusch, ein Stöhnen das von einem Menschen, aber genauso gut von einem wilden Tier stammen konnte. Lähmendes Entsetzen fuhr in ihre Brust, drückte auf die Lungenflügel. Sie glaubte, der Kopf habe sich bewegt, ein kaum merkliches Zucken habe den liegenden Körper durchlaufen.

Er lebt, dachte sie und wusste nicht ob das gut oder schlecht war. Er lebt, und er wird mich kriegen, und dann wird es schlimm.

Sie blieb starr auf der untersten Stufe stehen und betrachtete schwer atmend das wächserne Gesicht im Halbdunkel. Dann schlug Werner Bensheim die Augen auf und blickte ihr direkt ins Gesicht. Seine linke Gesichtshälfte hatte begonnen anzuschwellen, und ein Auge hatte sich, aus einer klaffenden Wunde an der Stirn gespeist, mit Blut gefüllt. Als er blinzelte und das Blut sich spontan über seine Wange ergoss, bahnte sich ein ersticktes Seufzen den Weg aus Valeries Kehle. Sie drehte sich um und wollte die Treppe hinaufstürmen, blieb aber ruckartig stehen. Sie musste die einmal begonnene Geschichte jetzt und hier zu Ende bringen. Sie war auf den Zug aufgesprungen, und wenn sie jetzt absprang, würde sie sich im Schotterbett der Gleise mindestens schwer verletzen. Sie drehte sich erneut zu der Gestalt am Boden um, deren Finger der linken Hand sich vom Steinboden hoben, als wollten sie sich zu einem lässigen Gruß formieren. Ein rasselndes Geräusch verließ die Kehle von Werner Bensheim, als würde jemand mit einem Strohhalm in sein gefülltes Glas Schorle pusten. Valeries Augen lösten sich vom Kopf des Mannes, der kaum einen halben Meter entfernt vom Rand der hölzernen Werkbank auf dem Steinboden lag. Die Arbeitsplatte der Werkbank wurde an ihren Rändern von einer etwa fünf Zentimeter breiten Eisenschiene begrenzt. Auf der Platte lagen ungeordnet diverse Werkzeuge, die Bensheim bestenfalls einmal in den Händen gehalten hatte, nämlich an dem Tag, als er sie erstanden und hier abgelegt hatte. Der schwere stählerne Schraubstock, den er schon immer fest mit der Werkbank hatte verschrauben wollen, mehrere Stemmeisen, ein Satz Inbusschlüssel, eine metallene Wasserwaage, ein Gummihammer, ein Gliedermaßstab, ein Hobel und noch viele andere Kleinteile. Valerie Bensheim drehte sich um und sah nach oben zur hell erleuchteten Tür der Diele. Sie war mit IHM allein im Haus und würde es wohl auch bleiben. Solange wie sie brauchte. Wenn er mit dem Kopf auf die Metallkante der Werkbank gefallen wäre, sicherlich hätte das die Sache zum endgültigen Abschluss gebracht. Sie musste es also nur vollenden. Eine winzige Korrektur des Schicksals. Ihr Blick fiel erneut auf den Schraubstock. Das Ding war aus massivem Stahl und schimmerte blau in der spärlichen Beleuchtung. So ein Ding musste mindestens fünf Kilogramm wiegen, eher mehr. Aufkommende Übelkeit drückte ihr die Kehle zu. Es ging nicht anders, sie musste bei dem vorgegebenen Unfallhergang bleiben. Valerie Bensheim machte, von der unteren Treppenstufe aus, einen großen Schritt zur Seite, an dem am Boden liegenden Mann vorbei. Als sie vor der Werkbank stand, packte sie für einen Moment die Angst, kräftige Hände könnten nach ihren Fußgelenken greifen und sie zu Boden reißen. Sie umfasste mit beiden Händen den Schraubstock und konnte ihn kaum anheben. Das Ding war noch schwerer als vermutet. Aber gut so. Mit angewinkelten Armen wuchtete sie das Stahlgebilde von der Platte und drehte sich zu IHM um. ER starrte sie mit blutigen Augen an. Ihr wurde mit Schrecken klar, dass sie ab dem heutigen Tag wohl nie mehr eine Nacht ruhig würde schlafen können. Den Schraubstock gegen ihre Brust gedrückt stellte sie sich breitbeinig hin. Sie stemmte ihre Last bis etwa in

Augenhöhe nach oben. Es würde nur mit geschlossenen Augen gehen, soviel war klar. Sie musste ihr Ziel vorher genau anvisieren. Valerie presste ihre Augen fest zu, worauf sich heiße Tränenflüssigkeit über ihre Wangen ergoss und beugte sich nach vorne. Ein dumpfes feuchtes Knacken, als würde jemand eine Axt in einen nassen Baumstumpf schlagen, drang in ihre Ohren, in ihren Magen. Jetzt hier nicht übergeben, bloß nicht, nicht hier! Sie öffnete die Augen und sah den Schraubstock schwer und polternd neben den Kopf des Mannes fallen. Keuchend stand sie über ihm und starrte in die Augen, die jetzt aussahen, als bestünden sie aus zerstoßenem Eis, welches jemand mit einer roten Lampe anstrahlte. Die nach innen eingedrückte Stirn war weiß, füllte sich aber dann spontan und in einem Schwall mit Blut. In ihrem Bauch begann irgendetwas zu rollen und wurde in die Speiseröhre empor gedrängt. Valerie Bensheim rannte so schnell sie konnte die Treppe hinauf, riss die Tür zum Gästeklo auf und stürzte sich über die Toilette.

Sonnenstrahlen fielen plötzlich durch die hohen, schmalen Fensterscheiben auf ihren Tisch. Valerie blickte hinaus. Am Himmel verabschiedete sich eine dunkle Wolkenfront hinter die gegenüberliegende

Häuserzeile. Ungläubig fiel ihr Blick auf die kleine Flasche Apollinaris mit dem roten Dreieck. Das Glas daneben perlte halbvoll. Sie hatte nicht bemerkt wann man ihr das gebracht hatte. War Joschi hier gewesen oder Alina? Hatte sie geschlafen? Sie musste auf die Toilette. Sie hatte das Gefühl, schon Stunden im Café zu sitzen. Außerdem hatte sie schon am Mittag ein leichtes Ziehen im Unterleib registriert. Valerie stand auf und nahm ihre Tasche von der Stuhllehne. Auf dem Weg zu den Toiletten musste sie dicht am Tisch des schönen Mannes vorbei. Der hatte die ganze Zeit gedankenverloren Falttechniken an seiner Serviette ausprobiert. *Vergiss den Kerl, die sind doch alle gleich!* Sie nahm einen schwachen Hauch Chanel Bleu war. Dann verschwand Valerie hinter der Tür der Damentoilette und schloss sich in einer Kabine ein. Nicht dass es sie unvorbereitet getroffen hätte, aber ihre Regel hatte sich noch nicht eingestellt. Während sie ihrem eigenen Strahl lauschte, hörte sie im Geiste das Wasser in der Gästetoilette ihres Elternhauses, und zwar so real, als sei es eben erst passiert. Die kleine blaue Umhängetasche betrachtend, die am Haken an der Innenseite der Toilettenkabine hing, die Unterarme auf den Knien abgestützt, dachte Valerie daran, wie sie damals am Waschbecken gestanden hatte, während Wasser von Kinn und Nase abtropfte, dass sie sich, um klar denken zu können, mit beiden

Händen ins Gesicht geschaufelt hatte. Sie hatte einen Mord begangen! Genau genommen waren es zwei schwere Straftaten in Folge gewesen. Obwohl sie das Jurastudium, mit dem sie in der Oberstufe eine Zeitlang liebäugelte, nie aufgenommen hatte, wusste sie, dass das Herunterstoßen von der Kellertreppe nicht nur schwere Körperverletzung, sondern ein Mordversuch gewesen war. Vielleicht versuchter Totschlag. Ein guter Anwalt hätte sie mit Verweis auf Notwehr herausgepaukt, vielleicht hätte es eine Bewährungsstrafe gegeben. Was aber danach passierte, war Mord. Ein starkes Wort. Vier Buchstaben, die nicht nur den Tod eines Menschen kennzeichneten, sondern auch andere Leben grundsätzlich verändern konnten. Zerstören konnten. Dass sie ihr Herz im Hals pochen fühlte, dass ihr die Hände zitterten und sie nicht ruhig stehen konnte, beruhte ganz sicher nicht auf der Trauer um ihren Erzeuger. Es war vielmehr die Angst vor dem was jetzt kommen würde. Polizei, Haft, Verhöre, Untersuchungshaft, Mordanklage. Lange Jahre im Knast standen ihr bevor, zusammen mit Frauen, die sie sich bestimmt nicht freiwillig als Umgang ausgesucht hätte. Und danach, irgendwann wieder in Freiheit? Auch dann würde nichts mehr sein wie vorher. Ganz langsam wandelte sich Valerie Bensheims panische Verwirrtheit in kühle

Berechnung. Das Schwein hatte es nicht anders verdient, soviel war klar. ER hatte schon genug Elend angerichtet, ihrer Mutter die besten Jahre gestohlen, sie schließlich in den Tod getrieben. Ihr eigenes Leben sollte er nicht auch noch auf dem Gewissen haben. Werner Bensheim war ein Säufer gewesen. Er ist sturzbesoffen die Kellertreppe hinuntergefallen, beim Versuch, sich Biernachschub zu besorgen. Sowas kriegte einer ganz allein hin, dazu musste ihn niemand stoßen. Dass man sich auf dem Weg nach unten ein paar Knochen brach, dass man mit dem Schädel auf den Steinboden prallte, auch dass schaffte ein schwerer, unsportlicher Mann, der außerdem ein paar Flaschen *Flens* intus hatte, ohne jede fremde Hilfe. Wenn er dann noch mit dem Kopf auf die Stahlkante einer Werkbank schlug...

Valerie war nie hier gewesen. Sie war mit ihrer Freundin an die Alster gefahren. Werner Bensheim war allein im Haus gewesen. Niemand hatte sie gesehen, zumindest waren ihr beim Eintreffen keine Nachbarn begegnet.

Sie musste noch mal in den Keller. Den ersten Impuls, fluchtartig das Haus zu verlassen, hatte sie längst überwunden. Die Tür zum Keller stand noch immer weit offen. Das fahle Licht der Kellerlampe beschien noch immer den leblosen Körper auf den

Pflastersteinen. Mit kühler Gelassenheit stieg Valerie die Stufen hinab. Sie sah sich suchend um. Der blau schimmernde Schraubstock lag neben dem zerschmetterten Schädel ihres Erzeugers. Nur eine winzige Spur Blut war daran zu erkennen. Neben Werner Bensheims Kopf hatte sich jedoch eine größere Blutlache gebildet, die ihm von der Stirn herablief und aus dem linken Ohr sickerte. Man konnte die Leiche nicht näher an die Werkbank heranziehen. Das würde eine verräterische Schleifspur erzeugen. Der halbe Meter musste reichen. Bensheim musste auf die Kante geprallt und dann doch irgendwie einen halben Meter entfernt auf dem Rücken liegend mit seinem Kopf auf dem Boden gelandet sein. War doch alles möglich. Das war Sache von Kriminaltechnik und Rechtsmedizin, nicht ihre. Blut an der Metallkante wäre nicht schlecht. Das würde die Sache abrunden. Aber der Schraubstock musste weg. Fingerabdrücke irgendwo im Keller waren kein Problem. Schließlich hatte Valerie lange genug hier im Haus gelebt. Nur Fingerabdrücke am Schraubstock wären schlecht. Valerie ging zum Holzregal an der hinteren Wand des Kellers. Hier waren allerlei Holzkisten, Pappkartons, leere Konservendosen und Stapel von Putzlappen aufgereiht, alles von einer Staubschicht überzogen. Zwischen der niedrigen Kellerdecke und dem Regal spannte sich das filigrane Werk fleißiger Spinnen, die aber sicher inzwischen schon an Altersschwäche gestorben, verhungert oder ausgewandert waren. In einem Karton fand Valerie mehrere Rollen blauer Müllbeutel. Sie riss einen von der Rolle ab und packte den Rest wieder in den Karton. Sie verstaute die schwere Tatwaffe mühsam im Beutel und holte dann sicherheitshalber noch einen zweiten, weil sie Angst hatte, einer allein könnte reißen. Dann nahm sie einen der Putzlappen aus Filz aus dem Regal und tunkte ihn vorsichtig in die Blutlache, peinlich darum bemüht kein Blut an die Finger zu bekommen. Dann tupfte sie mit dem getränkten Lappen auf die Stelle der Werkbankkante, die dem Kopf des Toten am nächsten war. Nicht ohne eine gewisse Zufriedenheit betrachtete sie ihr Werk. Dann stopfte sie auch den Lappen in den doppelten Müllbeutel und knotete ihn zu. Sie sah sich um. Hatte sie irgendetwas Wichtiges vergessen? Wenn man die Leiche irgendwann finden würde, das konnte in ein paar Tagen oder in ein paar Wochen sein, wäre ganz sicher der erste Eindruck der eines Unfalls. Und sollten doch Ungereimtheiten auftauchen, was hatte sie damit zu tun? Sie hatte IHN zum letzten Mal bei der Beerdigung der Mutter gesehen. Und sich, nebenbei bemerkt, gewundert, dass er es überhaupt hatte einrichten können.

Valerie griff den Müllbeutel mit beiden Händen und wuchtete das schwere Ding die Treppe hinauf. Erst oben in der Diele bemerkte sie, dass sie am ganzen Körper nass geschwitzt war.

Sie betätigte die Wasserspülung und kramte vorsorglich einen Tampon aus ihrer Handtasche. Später am Waschbecken dachte sie daran, dass ihre Prognose, nie mehr gut schlafen zu können, sich nicht erfüllt hatte. Über Wochen, zeitweise über Monate hinweg, dachte sie überhaupt nicht an die alte Geschichte. Nur manchmal meldete sie sich mit Macht zurück, und dann war es sehr beunruhigend und mit häufigen Alpträumen der übelsten Sorte verbunden. Sie erinnerte sich daran, dass sie damals sehr akribisch vorgegangen war. Mit dem Zug hatte sie einen Ausflug ins Alte Land südlich der Elbe in die sogenannte Elbmarsch unternommen. Ganz allein hatte sie eine lange Wanderung gemacht, ihren alten Kinderrucksack auf dem Rücken, für eine Achtzehnjährige eine sehr untypische Freizeitaktivität. Mehrere Stunden war sie durch Dörfer gelaufen, über Feldwege, vorbei an alten Höfen, Äckern und Heidelandschaften sowie Apfel- und Kirschbaumplantagen, bis sie endlich eine einsame Stelle gefunden hatte, wo sie es wagte, ihre schwere Last aus Stahl in einen munter plätschernden Bachlauf fallen zu lassen. Sie hatte ein paar größere Kieselsteine gesammelt und sie so angehäuft, dass der Schraubstock im Bachbett kaum noch auffiel. Hier würde das murmelnde Wasser die restlichen Blutspuren verschwinden lassen. Später, wieder in der Stadt, hatte sie am Rand eines Gewerbegebietes, weitab ihres Wohnortes, die blauen Mülltüten und den Rucksack in getrennten Containern entsorgt. Danach war sie mit dem Bus zu Paulas Wohnung gefahren, die zum Glück nicht zuhause war, und hatte sich unter die Dusche gestellt, wo sie fast eine Stunde lang Kummer, Angst und Schuld vom Körper spülte, die zusammen mit den Tränen der Erschöpfung im Abfluss verschwanden.

Valerie trocknete sich die Hände mit einem der Papierhandtücher ab, welches sie aus dem Spender an der Wand gezogen hatte.

Ich sollte jetzt nach Hause, dachte sie. Dann fiel ihr der schöne Mann draußen im Gastraum wieder ein. Sie hatte nie ein Problem damit gehabt, bei Männern den ersten Schritt zu tun. Nicht dass sie das je nötig gehabt hätte. Obwohl sie nie über Mangel an einschlägigen Angeboten zu klagen gehabt hatte, waren ihre Beziehungen fast immer auf ihre eigene

Initiative hin entstanden. Auf nennenswerte Gegenwehr war sie dabei nie gestoßen. Aber es musste doch auch für sie etwas von Dauer geben. Wie lange ließ sich Schönheit auf hohem Niveau konservieren? Irgendwann würde man auf der Straße sagen *Sie muss früher mal eine schöne Frau gewesen sein.*

Vor dem Spiegel zog sie ihren Lippenstift nach, überprüfte die Haare und sprühte sich je eine Salve Versace Couture hinter die Ohren und ins Dekolleté. Dann schritt sie zurück ins Café.

16

„Ich hoffe, es macht dir nichts aus, Gerd, aber ich hab uns schnell ein paar aufgetaute Schnitzel gebraten ja? Es war heute so viel zu tun in der Schonung, ich hatte keine Zeit."

Leonie Breuning hatte Teller und Besteck schon auf den Tisch gebracht. Für Gerd hatte sie ein Bier eingeschenkt, sich selbst ein Glas Wasser hingestellt. Sie wusste, wenn sie nach diesem anstrengenden, heißen Tag Alkohol trinken würde, es wäre nicht gut für ihren Kreislauf. Zuerst Gerd und dann sich selbst legte sie mit einer Gabel jeweils ein paniertes Schweineschnitzel auf die Teller. Dabei achtete sie darauf, dass Gerd das etwas größere Exemplar bekam. Dann holte sie die Schüssel mit dampfenden Pellkartoffeln von der Spüle. Gerds Platz war wie immer leer, bis auf die bunte Decke, die dort lag. Leonie setzte sich dem verwaisten Platz gegenüber hin und bemerkte einmal mehr, dass sie bereits begann, sein Gesicht zu vergessen. Zuletzt war es ohnehin nicht mehr sehr gut anzuschauen gewesen und hatte wenig Ähnlichkeit mit Gerd gehabt, wie sie ihn mal gekannt hatte. Irgendwann Anfang Juni dieses Jahres war es gewesen, da hatte sie ihn hinausbringen müssen, nach hinten in die Zementfabrik. Das war ein gutes Stück Arbeit gewesen. Eigentlich keine Arbeit für eine Frau. Die Gespräche mit ihm vermisste sie nicht. Gerd hatte auch vorher nie viel geredet. Er hatte andere Formen der Kommunikation gehabt.

Zuletzt hatte Gerd sich, und das war kein Scherz, am 1. April dieser besonderen Kommunikationsform bedient. Ausgerechnet an diesem Ostersonntag 2018 hatte es noch einmal eine kurze Kälteperiode gegeben. Regen und Schneeregen war von einem kalten Ostwind über das Gelände der Gärtnerei geweht worden. In den Nachrichten hatten sie gesagt, dass in Mecklenburg-Vorpommern sogar bis zu zehn Zentimetern Neuschnee gefallen war. Aber in den nächsten Tagen sollte der Frühling mit Temperaturen von bis zu 23 Grad so richtig Fahrt aufnehmen. Gerd hatte schon am Vormittag zwei Flaschen Bier getrunken, was Leonie beunruhigend fand. Dann hatte er sich aber aufgerafft und war noch einmal ins Gewächshaus gegangen. Er wollte da noch mal alles für das Frühjahrsgeschäft *auf Vordermann* bringen, hatte er gesagt. Leonie wusste aber, dass Gerd im Gewächshaus seine speziellen Verstecke für Hochprozentiges hatte. Nicht, dass er sich scheuen würde, in ihrer Anwesenheit Schnaps zu trinken. Aber wahrscheinlich wollte er sich selbst nicht eingestehen, dass der Fusel mehr Macht über ihn hatte, als ihm lieb war.

Ziemlich genau um dreizehn Uhr kam er wieder ins Haus, da hatte er eine innere Uhr in seinem Magen. Leonie hatte zu Ostern einen Rollbraten mit Kartoffelklößen und Rosenkohl auf den Tisch gebracht. Die gelbe Tischdecke mit den kleinen Osterhasen am Rand wurde in der Mitte von der großen gläsernen Vase und einem Strauß aus Weidenkätzchen geziert. Gerd schlurfte in seiner schmutzigen Latzhose und Gummistiefeln in die Wohnküche und ließ sich auf seinen Stammplatz auf der Sitzbank fallen. Damals lag dort noch nicht die bunte Wolldecke. Düster starrte er aus glasigen Augen auf die Schüsseln auf dem Tisch. Leonie kam herbei und legte ihm eine dicke Scheibe des aufgeschnittenen Bratens auf den Teller. Als sie ihm auch Klöße dazugeben wollte, nahm er ihr den Löffel aus der Hand.

„Meinste das kann ich nich selber?“, knurrte er, und die Zunge schien sich dabei schwer von seinem Gaumen zu lösen, wie Leonie es schon oft erlebt hatte. Ein dumpfes, unbestimmtes Gefühl der Angst beschlich sie, ein durchaus gewohntes Gefühl. Eine unterschwellige Alarmbereitschaft, die permanent da war, sobald sie sich mit Gerd im selben Raum befand.

Sie sagte nichts und setzte sich Gerd gegenüber. Während er sich den Teller mit Klößen und Rosenkohl voll schaufelte, und das Ganze in einem See aus brauner Soße ertränkte, nahm sie sich ebenfalls eine Scheibe des Bratens. Gerd leerte das Bierglas bis zur Hälfte und schnitt sich ein großes Stück Fleisch ab, das er sich in den Mund schob. Missmutig kaute er mit offenem Mund darauf herum.

„Total versalzen", maulte er, schluckte den Bissen aber dennoch hinunter. Leonie nippte verzagt an ihrem Glas. Diese Situationen waren ihr nur zu vertraut. Gerd stopfte sich ein großes Stück eines mit Soße getränkten Kloßes in den Mund. Die Soße tropfte dabei auf sein Kinn und die Tischdecke.

Kauend murmelte er: „Sach ma, die sind ja schon kalt. Kannst du nich ma zu Ostern was Anständiges auf′n Tisch bringen? Was machst du eigentlich den ganzen Tach?"

Ein Stück Kloß fiel ihm aus dem Mund. Er glotzte Leonie aus rotgeänderten Augen an. Die wenigen verbliebenen Haare standen ihm wirr vom Kopf ab. Leonie hatte inzwischen auch ein Stückchen des Bratens probiert, und fand es überhaupt nicht versalzen.

Gerd stürzte den Rest seines Bieres hinunter. „Ungenießbar, der Scheiß!“, brüllte er, fasste mit den erdigen Fingern einer Hand unter den Tellerrand und kippte den Teller mit einer schnellen Bewegung um. Braune Soße ergoss sich über den Tisch und wurde begierig von der Tischdecke aufgesogen. Rosenkohl rollte bis zu Leonies Platz.

„Gerd“, sagte sie kraftlos.

„Ja, Gerd, Gerd“, keifte ihr Gegenüber und versetzte der Vase einen Schlag, dass sie samt Inhalt über die Tischkante kippte und auf dem Fliesenboden zerschellte. Dann stand er auf. Während er um den Tisch herumkam, schaute Leonie hoffnungslos auf ihren Teller. Die sechshundert Gramm Putenrollbraten hatte sie für 6,99 Euro bei REWE erstanden. Mit dem Bus war sie dorthin gefahren und hatte sich in das Kampfgetümmel vor den Ostertagen gestürzt. Sie wagte keine Gegenwehr, als er mit einer Hand grob ihren Hinterkopf fasste und sie mit dem Gesicht auf ihren Teller presste. Leonie fühlte, wie warme Bratensoße in ihre Nasenlöcher drang. „Gerd“, jammerte sie noch einmal, bevor er sie an den Haaren nach hinten riss und sie rücklings zusammen mit ihrem Stuhl auf den Boden stürzte.

„Deinen Fraß kannst du alleine fressen!“, schrie Gerd Breuning mit rotem Gesicht. „Los, hau ab, ich will dich hier nich mehr sehen!“ Dann versetzte er der am Boden liegenden einen Tritt mit dem Gummistiefel in die Seite. Leonie schrie kurz auf und versuchte sich aufzuraffen. Während sie langsam auf die Beine kam und sich die Hand auf ihre Niere presste, stampfte Gerd zum Kühlschrank und nahm sich eine neue Flasche Bier heraus. Leonie unterdrückte den stechenden Schmerz über ihrer Hüfte und schlich wortlos aus der Küche.

„Ja, verschwinde bloß, blöde Kuh!“, rief der Mann hinter ihr her, als sie durch den Hausflur humpelte.

Leonie hatte Tränen in den Augen, während sie in ihrer Kittelschürze über den Hof zum Gewächshaus ging. Sie öffnete die Seitentür und ging hinein. Nur weg von diesem Kerl. Erst jetzt merkte sie, dass ihre Nase blutete. Mit dem Ärmel wischte sie sich das Blut zusammen mit Bratensoße aus dem Gesicht. Die Stelle, wo Gerds Gummistiefel sie getroffen hatte, pochte dumpf. *Wurde auch Zeit, dass es Nachschub gibt*, dachte sie bitter, wo doch die alten blauen Flecke an Brust und Schulter langsam verblassten. Sie ging langsam an der Rückwand des Gewächshauses entlang, wo die Hochbeete mit ihren Astern aufgereiht standen. Dann fuhr ihr mit einem Mal ein lähmender Schreck in die Glieder, und ihre Beine schienen sich in Gummi zu verwandeln. Leonie starrte auf die

Blumentöpfe, wo die Bergastern, Strandastern und Frühlingsastern standen, ihre leeren, im Nichts endenden, grünen Stängel klagend in die Luft reckend, ihrer weißen, leuchtend blauen und violetten Blüten beraubt, die resigniert neben den Pflanzen auf dem Hochbeet oder achtlos am Boden herumlagen. An eins der Hochbeete war die grobe Heckenschere mit der Spitze nach unten angelehnt, wie eine hoffnungslos überlegene Waffe, eine Kanone, mit der man auf Spatzen schießt. Ein unfairer Kampf der groben Klingen aus Edelstahl gegen zarte, filigrane Blütenstängel. Leonie wurde übel, und sie wusste nicht, ob das an Gerds Tritt in ihre Niere, oder an dem unsäglichen Frevel lag, den er hier begangen hatte. Grobe Zerstörungswut, die gegen sie gerichtet, aber an den harmlosen, wehrlosen Geschöpfen ausgelassen worden war. Heiße Tränen schossen ihr erneut in die Augen. Keine Tränen des Schmerzes, sondern der Trauer. Und ein weiteres Gefühl stellte sich zusätzlich ein. Unbändiger, kalter Hass. Es musste ein Schlussstrich gezogen werden. Sollte sich so etwas nochmal wiederholen, sie würde es sicher nicht überleben. Wenn Gerd sie nicht eines Tages totschlug, dann würde sie an dieser sinnlosen Gewalt zugrunde gehen, die ihren Herzensblumen angetan wurden.

17

Da es absolut still im Haus war, hörte Gerd Breuning, wie die Haustür leise ins Schloss fiel. Er saß in der Küche und hatte sich eben sein Glas gefüllt. Die Schaumkrone kippte zur Seite, und das Bier lief mit einer dünnen, feuchten Spur außen an seinem Glas herab, wo sich das Getränk auf der Tischdecke in den See aus Bratensoße ergoss.

„Na, geht's wieder?", fragte er. Seine Wut war fürs erste verraucht, und man konnte zur Tagesordnung übergehen. Von ihm aus konnte die Alte ein paar Schnittchen machen, oder Frikadellen braten, oder irgendetwas anderes, damit es doch noch ein guter Ostersonntag wurde. Ihrem Blick glaubte er anzusehen, dass sie ihre heißgeliebten Astern entdeckt hatte. Darüber empfand er diebische Freude. Wie ein feierliches Ritual hob er sein Bierglas und führte es langsam zum Mund. Auch wenn er schon einiges intus hatte, tat es immer noch gut, das kühle, perlende Getränk durch die Kehle rinnen zu lassen. Schließlich war heute Feiertag. Gerds vom Alkohol umnebelte Sinne verlangsamten seine Reaktionen, und er hatte die Art, wie seine Frau sich ihm näherte, nicht richtig zu deuten gewusst. Auch reichte sein Vorstellungsvermögen nicht für eine sinnvolle Einschätzung aus, warum sie die Heckenschere in beiden Händen hielt. Als die Spitze der geschlossenen Schere auf seine Brust zeigte, war es zu spät. Sein Blick fokussierte sich auf die Adern an den Schläfen seiner Frau, die deutlich hervorgetreten waren. Und in ihren Augen lag ein Flackern, dass ihm bisher nie aufgefallen war.

Als Leonie zurück ins Haus kam, zog sie die Tür leise hinter sich ins Schloss. Mit hängenden Schultern schlurfte sie durch den Flur und betrat die Küche. Auf seinem Platz saß Gerd, die eine Hand um die Bierflasche, die andere um ein gefülltes Glas geschlossen. Er blickte ihr entgegen, die Augen feucht und ausdruckslos, das Gesicht vom Alkohol gerötet.

„Na, geht's wieder?“, fragte er ohne jedes Interesse. Um seine Mundwinkel zuckte etwas, das Leonie wie Triumpf vorkam. Das höhnische Grinsen war so dünn, dass nur Leonie es erkennen konnte. Der Kerl wusste, dass sie die massakrierten Astern entdeckt hatte. Und er genoss es. Sie ging langsam auf ihn zu. Gerd hob das gefüllte Bierglas an wie einen Pokal und führte es zum Mund. Dabei schloss er seine Augen für einen Moment. Leonie hob die

Heckenschere. Ihre Hände krampften sich um die beiden hölzernen Griffe. Sie sah wie Gerd seine Augen weit öffnete, sie anglotzte und dabei weiterhin das Bierglas vor sein Gesicht hielt, als habe er in ihm den Heiligen Gral erkannt. Dann stürmte sie auf ihn zu, stand neben ihm, holte aus und stieß die Heckenschere mit einem seitlichen Schwung in seine Brust. Was sie damit erreichen wollte, war ihr selbst nicht klar. Wollte sie ihm wehtun, ihm einen Denkzettel erteilen oder ihn wirklich umbringen? Das blieb offen. Auf jeden Fall war sie erstaunt, wie leicht das Werkzeug sich in seinen Brustkorb versenken ließ. Hatte sie so viel Kraft entwickelt, war die Schere so scharf, oder gab das Gewebe so leicht nach? Oder alles zusammen. Am Zug in ihren Armen hatte Leonie bemerkt, dass sich zuerst ein Widerstand bemerkbar machte, sich die Schere fast unmerklich um ein paar Grad drehte bevor die Klingen waagerecht zwischen den Rippen verschwanden. Sie starrte in das unbewegliche Gesicht, in die roten Augen, die zurückstarrten, zuerst direkt ihr ins Gesicht, und dann abdrifteten in Richtung der Küchenspüle, die sich der Bank gegenüber befand, auf der Gerd saß. Sie sah, wie sein Unterkiefer nach unten klappte und die Lippen die Zähne des Unterkiefers freigaben, die bräunlich verfärbt waren. Leonie ließ die Griffe der Heckenschere los und ging ein paar Schritte rückwärts. Ungläubig starrte sie auf den Mann, der unverändert dort saß und mit der linken seine Flasche umklammerte. Das Glas war ihm aus der rechten Hand gefallen, die nun flach auf dem Tisch in einer Lache aus Soße und Bier ruhte. Aus seiner Brust ragte der metallene Teil des Gartenwerkzeugs, wo sich die beiden Klingen kreuzen. Die beiden langen hölzernen Griffe standen hervor, wie die Banderillas, die der Matador dem Stier in den Rücken gerammt hat. Die grüne Latzhose des Mannes begann sich vor seinem Bauch dunkel zu verfärben, dort wo ein stärker werdender Strom dunkelroten Blutes pulsierend ins Freie drängte.

Damals hatte Leonie sich ihrem Mann gegenüber auf ihren Stuhl gesetzt und ihn lange angesehen, hatte beobachtet, wie sein Kopf nach vorn kippte, das Kinn auf die Brust, während das Leben seine Augen verließ. Dann war sie irgendwann aufgestanden, hatte bedächtig die Glasscherben der Vase eingesammelt und die Tischdecke in die Waschmaschine gesteckt. Draußen hatte ein kurzer Hagelschauer winzige Tropfen gefrorenen Wassers knatternd gegen die Scheibe geworfen.

Heute, an diesem heißen Samstag im August, wo Hagel und Schneeregen nur noch eine vage

Erinnerung waren, hatte es Schweineschnitzel gegeben, und Gerd hatte sich nicht über zu viel Salz beklagt, so wie er sich seit dem 1. April 2018 nie mehr über irgendetwas beschwert hatte.

Leonie dachte an die elegante Frau, die sie heute Nachmittag zu Besuch gehabt hatte. Obwohl auch Valerie (der Nachname war ihr entfallen) unter der Hitze zu leiden schien, waren sowohl ihr Shirt als auch die tolle Jeans, die bestimmt sehr teuer gewesen war, in einem tadellosen Zustand gewesen, und die Frau hatte einen Hauch der großen Welt um sich verbreitet. Eine wirkliche Schönheit war sie. Und Leonie hoffte, dass Valerie noch einmal vorbeischauen würde, wie sie es versprochen hatte, während sie auf den Beifahrersitz des Abschleppwagens geklettert war. Der Prada-Schriftzug hatte in dezentem Silber auf ihrer rechten hinteren Gesäßtasche kurz im Sonnenlicht aufgeblitzt. Leonie musste nur aufpassen, dass die schöne Frau nicht in die Nähe der Zementfabrik kam. Das würde ihr möglicherweise nicht gut bekommen.

18

Mehrmals hatte Angelique ihre Arbeit unterbrechen müssen, weil die Schmerzen im rechten Arm so schlimm geworden waren, dass ihr Tränen der Verzweiflung über die verschwitzten Wangen rannen. Wenn sie sich eine Weile nicht bewegte, ließen die Schmerzen nach, und sie konnte weitermachen. Schließlich gelang es ihr, das T-Shirt mit der linken Hand und den Zähnen in zwei Teile zu zerreißen. Das Teil war zum Glück nicht mehr ganz neu und durch viele Waschgänge mürbe geworden. Es hatte ewig gedauert, den Stoff so lange an einer der rauen Mauerecken der Tür zu reiben, bis sich ein Riss bildete. Dann hatte sie sich mit beiden Füßen auf ihr T-Shirt gestellt und mit der linken Hand ruckartig daran gezerrt bis das Material endgültig aufgab. Die offene Wunde am Arm, aus der ein Ende des gebrochenen Radiusknochen herausragte, blutete nicht mehr so stark wie vorher, sah aber aus wie die Miniaturausgabe eines mit glühendem Magma gefüllten Vulkankraters, und der Anblick hatte Angelique so schockiert, dass sie nach dem lieben Gott gerufen hatte und nach ihrer Mama, die schon gestorben war, als sie noch in die zweite Klasse ging.

Sie zitterte am ganzen Körper, während sie notdürftig mit einer Hand versuchte, einen der Stofffetzen so fest wie möglich um ihren Ellenbogen zu wickeln. Ab und zu stöhnte Manuel in seiner Ecke an der Mauer, kam aber nicht zu Bewusstsein.

Angelique kam auf die Knie und stemmte sich mühsam mit einer Hand in die Höhe, begleitet von einem wütenden Schmerz, der von den Fingerspitzen der rechten Hand bis in ihre Schulter jagte.

„Schatz“, schluchzte sie, „Schatz, wach doch auf, bitte.“

Sie humpelte zu ihrem Freund und beugte sich über ihn. Manchmal kam der Schmerz aus ihrer Hüfte und von ihrem aufgeschürften Knie durch, aber meistens wurde alles andere von der Qual in ihrem Arm überlagert, die dröhnte wie die Sonntagsglocken in einem Kirchturm, die von keinem Küster wieder abgeschaltet wurden.

„Kannst du mich hören, Manu?“, fragte sie ohne viel Hoffnung in der Stimme. Sie bückte sich und drückte einen Knäuel von ihrem T-Shirt-Stoff vorsichtig auf die blutende Wunde an seinem Kopf. Wir werden sterben, dachte sie, wenn dieser Perverse uns nicht hier rauslässt. Wenn wir nicht schnellstens in ein Krankenhaus kommen. Wenn wir nicht verbluten, werden wir verdursten oder verhungern.

Es war inzwischen so dunkel, dass selbst durch die Türritzen kaum noch Restlicht in den Raum drang. Als sich in Manuels düsterem Gesicht, in dem kaum noch Einzelheiten erkennbar waren, plötzlich die Lider hoben und seine Augen offenbar das gesamte spärliche Licht auf sich zogen, entfuhr Angelique ein kurzer, trockener Aufschrei und sie taumelte ein paar Schritte rückwärts. Die Augen sahen nicht menschlich aus, sondern glitzerten wie die eines bösen Wolfs, dem der Sinn nach einem oder mehreren Geißlein stand. Ein erneutes dumpfes Stöhnen, dann sagte er etwas, das wie „… vergiss es, Kalle, Abschreiben is nich …" klang. Dann fielen ihm die Augen wieder zu, als hätte jemand einen Lichtschalter betätigt. Obwohl es Angelique selbst absurd vorkam, war sie irgendwie froh darüber. Trotz der Schmerzen und der Hitze in dem dunklen Raum war ihr ein frostiger Schauer über den Rücken gelaufen, und ihre Brustwarzen zogen sich unter dem blutbefleckten Büstenhalter unangenehm zusammen. Es kam ihr vor, als wäre Manuels Stimme schon von der anderen Seite der Schranke gekommen, die uns vom Jenseits trennt. Jene Region, die hinter dem Licht liegt, das die Menschen angeblich kurz vor dem Tod am Ende des Tunnels zu sehen glauben.

„Hilfe!“ Der Schrei kam spontan, und Angelique hatte ihre ganze Angst und Verzweiflung hineingelegt. Die Stimme klang seltsam hohl in diesem kahlen und düsteren Raum.

„Lass uns hier raus! Mach die Tür auf, du Schwein!“

Die pochenden Schmerzen im Arm ignorierend lief sie zur Tür und hämmerte mehrmals mit der linken Faust gegen die rostige Tür, die einen metallenen Hall von sich gab. Dann blieb sie eine Weile reglos stehen und lauschte hinaus in die abendliche Stille und in das Pochen in ihrem Arm. Kein Geräusch war zu hören, nicht mal Fahrgeräusche von der nahen Straße. Ganz weit weg glaubte sie das Bellen eines Hundes zu vernehmen, das aber bald wieder erstarb. Als das Adrenalin nachließ kam der Schmerz zurück, als würde jemand einen Dolch in ihrem Arm langsam herumdrehen. Sie glitt an der Eisentür abwärts und ließ sich auf die Knie fallen. Erstmalig bemerkte sie jetzt auch den nagenden Durst. Die Lippen waren spröde und rissig, und ihre Zunge fühlte sich an wie ein trockenes Stück Stoff. Ihre Augen brannten.

19

Wieder einmal klebten einem die Klamotten am Körper. Bernhard Lücke trug ein hellblaues Hemd mit kurzen Ärmeln, was heute Morgen ein lupenreiner Fehlgriff gewesen war. Die ersten Schweißflecke hatten sich schon deutlich abgezeichnet, bevor er überhaupt im Präsidium angekommen war.

Auf der Straße, die er jetzt befuhr, war außer seinem Passat kein anderes Fahrzeug unterwegs. Lücke war in Essen geboren, und hatte die Stadt in den siebenundfünfzig Jahren seines Lebens nur für Urlaubsreisen, Verwandtenbesuche im Hunsrück und Fortbildungsmaßnahmen der Polizei verlassen. Er kannte sich also hier aus. Auch hier musste er schon mal gewesen sein, im Niemandsland zwischen Essen und Mülheim, unweit des Flugplatzes, oberhalb der Ruhr. Aber das mochte Jahre her sein, eher Jahrzehnte. Der Oberkommissar konnte sich nicht erinnern hier inmitten des Ruhrgebiets, der Region mit der größten Bevölkerungsdichte der ganzen Republik, eine solche gottverlassene Gegend gesehen zu haben. Überall sonst wurde heutzutage jeder noch so kleine, grüne Fleck mit Beton zugebaut, aber das hier schienen die Stadtplaner komplett vergessen zu haben. Sowohl die Essener als auch die Mülheimer. Dementsprechend ungepflegt war auch der Straßenbelag, der von Rissen im Asphalt und notdürftig geflickten, und längst erneut aufgebrochenen Schlaglöchern durchsetzt war. Bernhard Lücke hatte ohnehin einen gemäßigten Fahrstil, aber mit Rücksicht auf die Stoßdämpfer fuhr er jetzt besonders langsam, auch wenn es ein Dienstwagen war, den ihm das Land zur Verfügung stellte. Wer weiß, wie lange noch. Eigentlich verwunderlich bei dem apokalyptischen Sparkurs, den Länder und Kommunen seit Jahren einschlugen. Bestimmt würden die Polizisten in ein paar Jahren mit Privatwagen unterwegs sein. Oder mit Dienstfahrrädern. Mit etwas Glück würde man ihm vielleicht eins dieser Elektroräder spendieren. Es gab schließlich kein schlechtes Wetter, sondern nur empfindliche oder falsch angezogene Beamte. Dass er jedenfalls diesen gottverdammten Fall so gut wie allein an der Backe hatte, war auch eine Folge dieser Sparwut, an der unter anderem auch diese schwarze Null schuld war, die seit Jahren das Finanzministerium regierte. Früher hatten sie im Kommissariat sogar mal eine Sekretärin gehabt. Und sie waren mit acht Kommissaren unterwegs gewesen, Fahnder und Ermittler. Und sie hatten einen Chef gehabt, der was von Polizeiarbeit verstand, und nicht so eine wandelnde Exceldatei, wie diese Ketteler.

Missmutig fuhr Lücke um eins der größeren Schlaglöcher herum, über dessen Rand sich traurig ein paar gelbe, vertrocknete Halme reckten, möglicherweise in der unberechtigten Hoffnung auf eine Flutwelle. Hinter einer langgestreckten Linkskurve sah er auf der rechten Straßenseite, hinter einem so weitläufigen wie leeren Parkplatz ein verlassenes Gebäude. Es war weitgehend verglast und sah aus, als sei das früher einmal ein Gartencenter gewesen. Lücke erinnerte sich, dass er schon einmal hier gewesen war. An dem Schild war er zu schnell vorbei, um es lesen zu können. Er schielte auf die Kopie des Stadtplans, die er ausgebreitet auf dem Beifahrersitz liegen hatte. Mit einem leuchtend gelben Textmarker war darauf die Fahrtstrecke von der Altendorfer Straße in einer nervösen Zickzacklinie bis irgendwo hier in dieses Neverland gekennzeichnet. Lücke selbst hatte die Linie, die ursprünglich mit einem Kugelschreiber eingezeichnet gewesen war, mit dem Textmarker nachgezogen, um sie besser sehen zu können. Es war ja nur ein Versuch. Von einer heißen Spur konnte nicht die Rede sein, sie war nicht mal lauwarm. Aber immerhin war es mehr als ein Gefühl, dass das Verschwinden der beiden jungen Leute mit dem Bankraub in Verbindung stand.

Immerhin hatte Doktor Sahin von der Rechtsmedizin eindeutige DNS-Spuren sowohl von Manuel Gallo als auch von Angelique Meckel an den roten Mützen nachweisen können, die in der Nähe der Bank gefunden worden waren. Wenn er jetzt noch am Endpunkt der markierten Linie auf dem Stadtplan, der mit einem fetten Kreis gekennzeichnet war, das Versteck der Bankräuber fand, war zumindest die Täterschaft eindeutig geklärt. Vielleicht hatte aber auch der Plan gar nichts zu bedeuten. Bettina Gallo jedenfalls, die Mutter von diesem Manuel, hatte mit dem Plan nichts anfangen können, und hatte ihn nie zuvor gesehen. Gestern am Sonntag, spätabends war er noch bei ihr gewesen. Die Frau war völlig aus dem Häuschen gewesen, als er geklingelt und sich als Polizist ausgewiesen hatte.

„Kommen sie rein, Herr Oberinspektor“, sagte sie mit zittriger Stimme, in der offenen Wohnungstür stehend, obwohl Lücke sich ihr vorher am Telefon als Oberkommissar vorgestellt hatte.

„Inspektor gibt's nicht“, erwiderte Lücke und wunderte sich einmal mehr darüber, wie die schon seit vielen Jahren ausgemusterte Krimiserie *Derrick* so nachhaltig einen bei der deutschen Polizei unbekannten Dienstrang in die Kollektiverinnerung der Bevölkerung hatte einschleusen können.

„Bleiben sie ganz ruhig, Frau Gallo“, fügte er beschwichtigend hinzu, als ihm die fast panisch aufgerissenen Augen der Frau auffielen, mit denen sie seinen Ausweis anstarrte.

„Ich mache mir solche Sorgen um den Jungen, Herr Inspek … Herr Kommissar. Der würde nie so lange wegbleiben, ohne sich bei mir zu melden.“

„Darum bin ich hier“, sagte Lücke. Ein Stockwerk tiefer hörte er langsame Schritte, die die Treppe hinauf schlurften.

„Können wir vielleicht einen Moment reingehen, Frau Gallo?“

„Ach so ja natürlich, entschuldigen sie.“

Die Frau trat zurück in ihre Diele und der Kommissar folgte ihr.

„Kommen sie durch ins Wohnzimmer, aber gucken sie bloß nicht so genau …“

„Alles kein Problem, Frau Gallo, machen sie sich bloß keine Umstände.“ Die Frau tat ihm leid. Dabei konnte er nicht einmal genau erkennen, ob sie so durch den Wind war, weil ihr einziger Sohn verschwunden war, oder weil sie die Polizei im Haus hatte. Wahrscheinlich war es ein Zusammenspiel von beidem.

Frau Gallo und ihr Besucher nahmen im Wohnzimmer auf einfachen, nicht mehr ganz neuen Polsterstühlen Platz.

Lücke wurde aus seinen Gedanken gerissen, als der Passat mit dem rechten Vorderrad und kurz danach mit dem Hinterrad in ein kapitales Schlagloch krachte. Die Kühltasche im Fußraum auf der Beifahrerseite fiel um, und der Werkzeugkasten im Kofferraum, den er schon lange wieder an seinem Platz in der Garage hatte deponieren wollen, gab ein kurzes, heftiges Rasseln von sich. Er war sich fast sicher, dass er, wenn man der Straßenkarte vertrauen wollte, längst hätte links abbiegen müssen. Aber da war keine Straße gewesen, nur ein schmaler Feldweg, an dem er nun schon ein paar Hundert Meter vorbei war.

Sich im Rückspiegel absichernd, bremste er den Wagen ab und hielt an. Er hätte sich aber auch gewundert, wenn ausgerechnet jetzt ein zweites Fahrzeug hinter ihm aufgetaucht wäre. In zwei Zügen wendete er den Wagen und fuhr langsam zurück. Um auf den schmalen Feldweg einzubiegen musste er den Wagen fast zum Stehen bringen. Die Schürze des Passats setzte kurz mit einem schleifenden Geräusch auf, als er den lehmigen Erdwall überwand. Bald rollten die Reifen in tiefen Furchen, die wohl von den Rädern eines Traktors in ehemals nassen Lehm gegraben worden waren, jetzt aber durch die lange Trockenheit hart waren wie Beton. Die Räder lagen so tief in den Furchen, das sie für den PKW wie Schienen wirkten, und Lücke bekam Angst, der Unterboden könnte auf der trockenen Grasnarbe dazwischen aufsetzen. Verdammter Mist, dachte er, das wäre hier eigentlich Aufgabe der Kollegen von der Fahndung gewesen. Aber wer fragte schon danach, ob er sich hier zwölf Stunden am Tag den Arsch aufriss? Jedenfalls nicht eine gewisse Frau Hauptkommissarin, die ihren Fettarsch nicht aus dem Präsidium bewegte, und ihn sämtliche Außentermine allein erledigen ließ, während sie sich lieber bei Oberrat Schlottmeier einschleimte und Bewunderung für seine Rosenzüchtungen heuchelte. Wenn sie nicht gerade damit beschäftigt war, sich mit Oberstaatsanwältin Grothe zum Golf zu verabreden.

Links und rechts des schnurgeraden Feldwegs war die Gerste offenbar auf dem Halm verdorrt. Es sah nicht so aus, als könnte noch jemand Interesse daran haben, sie zu ernten. Wahrscheinlich würde der Bauer das trockene Kraut im Herbst einfach unterpflügen. Der Passat folgte wie eine Draisine auf einem stillgelegten Gleis seiner Bahn über die weitläufigen Felder, wobei er eine weithin sichtbare Wolke aus gelblichem Staub aufwirbelte. Rechts von ihm machte der Acker einer wilden Wiese Platz, und Lücke konnte in ein paar hundert Metern Entfernung einen alten Holzschuppen sehen, der im dürftigen Schatten von zwei Bäumen stand. Lücke tippte auf Pappeln, war sich aber nicht so sicher. Jedenfalls hatten die Bäume schon jetzt, im August, einen großen Teil der trockenen Blätter abgeworfen. Der Schuppen stand rechts, etwas abseits des Feldweges, und der Kommissar hoffte, dass er mit seinen Reifen die tiefen steinharten Traktorfurchen würde verlassen können. Es zeigte sich aber, dass die Spuren jetzt abflachten und sich verzweigten. Offenbar hatte der Bauer auch gelegentlich mit seiner Zugmaschine den Schuppen angesteuert. Lücke drehte das Lenkrad nach rechts und holperte mit dem Wagen über die etwas unebene Grasfläche. Er stoppte das Auto einige Meter vor dem Schuppen, blieb aber sitzen. Bei laufendem Motor lärmte die Klimaanlage angestrengt. Er wusste, dass ihn die Hitzekeule mit voller Wucht treffen würde, wenn er jetzt ausstieg. Aber das half nichts. Zwischen der rechten Seitenwand des Schuppens und einer der mutmaßlichen Pappeln stand ein landwirtschaftliches Gerät, dass er zuerst als Heuwender einordnete, dann aber nach kurzem Überlegen als Egge erkannte. Das

Ding sah ziemlich rostig aus und die schmalen Reifen waren platt und in hohes trockenes Gras eingesunken. Auch das hölzerne Gebäude wirkte auf ihn nicht, als ob es in letzter Zeit genutzt worden wäre. Bernhard Lücke beugte sich ächzend nach rechts und holte die Walther aus dem Handschuhfach. Er überprüfte die Ladung des Stangenmagazins und schob es entschlossen zurück in den Griff. Da er nur ein kurzärmliges Hemd trug, behielt er die Waffe in der Hand. Den kurzen Gedanken an ein Toffifee verwarf er. Jetzt war er doch ein bisschen nervös geworden. Der Kommissar zog den Zündschlüssel ab und öffnete die Tür. Erwartungsgemäß fiel heiße Luft über ihn her, als hätte er sich über eine geöffnete Backofentür gebeugt. Er stieg aus und warf die Tür hinter sich zu. Langsam ging er auf die halbgeöffnete Tür des Schuppens zu. Die Pistole hielt er in der Hand, den Zeigefinger in Bereitschaft vor dem Abzug schwebend, die Arme jedoch gesenkt. Ein schwacher Geruch nach morschem Holz wehte ihm entgegen. Leichter Wind bewegte die Zweige der mutmaßlichen Pappeln. Die Holztür stand halb offen, so dass er eintreten konnte, ohne die Hände zu gebrauchen. Etwas bewegte sich plötzlich, schien jäh zu explodieren und auf ihn einzustürmen. Er riss den Arm mit der Waffe hoch und schützte gleichzeitig sein Gesicht mit dem anderen Arm, während mit lautem und aufgeregtem Flügelschlagen hintereinander drei Tauben über seinen Kopf hinweg ins Freie flatterten. „Verdammt!“, fluchte Lücke halblaut und scannte eilig mit seinem Blick den Innenraum des Schuppens. Es war überraschend hell hier drin, was daran lag, dass das hölzerne Dachgebälk sehr lückenhaft war. In der Luft schwebende Staubpartikel wurden von den schräg durchs Dach einfallenden Sonnenstrahlen illuminiert. Der Schuppen war leer, falls sich nicht zufällig jemand hinter den Holzkisten verschanzt hatte, die an der hinteren Wand gestapelt waren.

„Ist hier jemand? Polizei!“, rief er in die Stille hinein. Keine Antwort. Natürlich nicht. Selbst wenn schwer bewaffnete Bankräuber sich hier versteckt hätten, würden Sie auf seine Anfrage sicher nicht reagieren. Es sei denn, mit einer Salve aus ihren Maschinenpistolen. Aber da war niemand. Der Kommissar ging langsam um die Kisten herum und riskierte einen prüfenden Blick. Niemand zuhause. Es war im Schuppen zwar nicht wärmer als draußen, aber er spürte, wie der Schweiß ihm aus allen Poren drang. Er schaute hinter die mannshohen Holzlatten, die in einer Ecke an die Wand gelehnt waren. Hier gab es wirklich sonst kein Versteck. Weder Bankräuber noch Beute befanden sich an diesem Ort. Nervös leckte er sich die trockene Unterlippe.

Ich weiß, wie schön es für dich wäre, jetzt ein kühles Pils zu zischen, mein Lieber, aber du weißt, wohin dich das gebracht hat.

Ein Anflug von Wehmut sprang ihn an. Sie waren ein tolles Team gewesen. Einen wirklichen Streit hatte es zwischen Hanne und ihm nie gegeben. Wenn, dann war es nur um Kleinigkeiten gegangen. Aber in den wesentlichen Dingen waren sie immer auf einer Wellenlänge gewesen. Schließlich hatte er auch erst nach Hannes Tod mit dem Saufen angefangen. Erstaunlich, dass sie überhaupt davon wusste. Anscheinend war an der Sache etwas dran, dass sie jetzt von da oben auf ihn aufpasste. Und anscheinend lag ihr immer noch daran, dass er nicht unter die Räder kam. Das war ein schönes Gefühl. Schließlich liebte er sie auch noch immer. Er wischte sich mit dem rechten Unterarm, in dessen Hand er noch immer die Walther P99 hielt, über die Stirn, was nicht viel brachte, weil der Arm nicht weniger schweißnass war, als die Stirn. Dann stapfte er schwerfällig wieder nach draußen in die heiße Sonnenglut, die jetzt zwar von einem milchigen Dunstschleier eingehüllt war, deshalb aber kein bisschen zurückhaltender mit ihrer Wärmeentwicklung umging.

Vor dem Schuppen stehend betrachtete der Kommissar nachdenklich sein Auto, das sich bestimmt schon wieder ganz schön aufgeheizt hatte, und die sich dahinter erstreckenden Felder und Wiesen. Ganz weit hinten konnte er das Luftschiff am Himmel sehen, eine fette, weiße Zigarre, die, den Bug nach oben gerichtet, vom nahen Flugplatz Essen-Mülheim zu einem Rundflug startete. Die obere Rundung des gewölbten Hangars ragte über einen sanften Hügel hinweg, durch dessen trockene Grashalme ein leichter Windhauch fuhr. Eine Bö streifte auch sein Gesicht und der Schweiß kühlte für einen viel zu kurzen Moment seine Wangen.

Vielleicht war den Bankräubern irgendetwas dazwischengekommen. Vielleicht hatten sie es sich auch nur anders überlegt und ein neues Versteck für sich und die Beute gefunden. Er stellte sich vor, wie er selbst aus der Bank kommen und sich auf ein Moped schwingen würde, einen Stadtplan in der Tasche, auf dem eine Fluchtroute eingezeichnet war. Er sah sich selbst durch die Straßen der Stadt kurven, immer die Angst im Nacken, man könnte entdeckt werden, einen Unfall haben, das Moped könnte streiken, die Polizei würde einen jagen. Dann fuhr er in Gedanken diese einsame Straße außerhalb der Stadt entlang, die von Schlaglöchern gespickt war. Auch keine Strecke, auf der man mit einer altersschwachen Vespa gerne schnell fuhr.

Bernhard Lücke ging zu seinem Passat und öffnete die Tür. Er war noch nicht sehr lange draußen unterwegs gewesen, aber schon jetzt war es wieder unerträglich heiß im Innenraum. Er ließ sich in den Sitz fallen und startete sofort den Motor. Dann ließ er alle Scheiben herunter und verstaute die Waffe wieder im Handschuhfach. Entschlossen wendete er den Wagen und fuhr zügig und holpernd zurück auf den Feldweg. Warme Luft wehte durch den Wagen. Die Klimaanlage röhrte auf Hochtouren.

Er würde sich mal die verlassene Gärtnerei anschauen. Wenn er auf der Flucht wäre, er hätte das weitläufige Gelände jedenfalls einem kümmerlichen Holzschuppen vorgezogen. Da er den Weg jetzt kannte, bretterte Lücke den Feldweg schneller entlang als auf dem Hinweg und genoss das Gefühl, auf Schienen zu fahren. Allerdings sehr laienhaft verlegten Schienen mit Schweißnähten, so dick wie Tennisbälle. Ohne den Blinker zu setzen fuhr er auf die Hauptstraße, die diesen Titel nur bedingt verdiente und fuhr in die Richtung, aus der er gekommen war. Zwei Minuten später tauchte auf der linken Seite der Parkplatz der Gärtnerei auf.

20

Der Traum von einem Leben auf Malle oder Ibiza erschien ihr inzwischen weit weniger interessant, als früher. Immer wenn sie begann zu träumen, dann brannte die Sonne unbarmherzig auf einen glühend heißen Strand. Die Sonne verdorrte alles Leben, sie drang durch das Dach des Strandpavillons aus Bambus und Bast, drang durch das Dach der Hotellobby und durch die fleischigen Blätter der Dattelpalmen. Die Blüten der Hibiskussträucher hingen schlaff wie winzige gelbe Jutesäckchen an den Zweigen. Nirgends gab es Schutz. Nacheinander explodierten die Flaschen der Strandbar in einer geordneten Reihenfolge, als stürzten aneinandergereihte Dominosteine um. Nacheinander ergossen sich *Bacardi*, *Veterano* und *Carlos I.,* Mineralwasser, Cola und Sprite in den heißen Sand und verdampften dort im Bruchteil einer Sekunde. Am Horizont tauchte über dem Meer ein schmales, dunkles Band auf, kam schnell heran, wuchs zu einer Wand, die sich immer höher auftürmte und immer schneller wurde. Der zerstörerische Tsunami rollte, schneller als ein herannahender Güterzug, auf den Strand zu. Angelique zeigte erschreckt mit dem Finger auf das unheilvolle Phänomen. Manuel und der Barkeeper sahen es, lächelten aber nur seltsam entrückt und zuckten mit den Schultern. „Das passiert hier öfter“, murmelte der Barkeeper mit einer unwirklich dumpfen Stimme und trank direkt aus einer der heil gebliebenen Rumflaschen der Bar. Als der Flaschenhals zwischen seinen Lippen explodierte, grinste er Angelique mit blutigen Lippen und einem lückenhaften Gebiss an. Die düstere, sich hoch auftürmende Wand aus Wasser erreichte jetzt mit ohrenbetäubendem Grollen den Strand. Manuel saß auf einem Barhocker. Sein magerer Oberkörper war sonnengebräunt. „Ach komm, Angel, morgen gibt es wieder schöneres Wetter“, sagte er und prostete ihr mit einem Lumumba zu. Er lachte, und seine Zähne waren schwarz wie Ebenholz. Am Kopf hatte er eine große blutende Wunde. Mit einer Hand griff er in die Reisetasche, die vor ihm auf dem Tresen stand, und er holte ein dickes Bündel Euroscheine heraus. Lachend warf er es in die Luft, und die Scheine bildeten einen nervös zitternden Schwarm, der von einer Bö ins Landesinnere geweht wurde.

Mit rasendem Gebrüll stürzte sich die Wasserwand auf Angelique. Sie fühlte sich emporgehoben und eingehüllt, und das Wasser war heiß, heiß wie die Sonne, und sie konnte sehen, wie sich die Haut an ihren Armen rot verfärbte und Blasen bildete. Ihr Gesicht verzog sich und ihr Mund öffnete sich zu einem stummen Schrei, der von den Fluten erstickt wurde. Etwas war in ihrem Mund, füllte ihren Gaumen aus. Vielleicht ein Fisch oder eine Qualle, etwas das warm und trocken ihre Mundhöhle verklebte. Ein unwiderstehlicher Hustenreiz stieg in ihrer Kehle empor, und sie hörte sich selbst kraftlos und erstickt röcheln. Angeliques Augen brannten wie zwei glühende Kohlen. Wie durch einen Schleier sah sie das schmale Bündel aus Sonnenstrahlen, das durch den Schlitz der rostigen Eisentür auf den schmutzigen Steinboden fiel. Winzige Staubpartikel schwebten fast reglos in den Lichtstrahlen. Der Tür gegenüber stand ein etwa hüfthohes Schränkchen mit weißen Türen an der Wand. Aus ihrer halb liegenden halb sitzenden Position heraus konnte Angelique die Oberseite des Schränkchens nicht einsehen, aber ein dünner, gebogener Wasserhahn deutete darauf hin, dass es sich um eine Spüle handelte. Ein paar Meter links von der Spüle lag Manuel. Angelique wusste nicht, wie lange sie geschlafen hatte, aber ganz offensichtlich war ein neuer Tag angebrochen. Ihr war übel und ihre Zunge fühlte sich an wie ein Paar Wollhandschuhe. Die Sonnenstrahlen beleuchteten einen schmalen Streifen der Steinmauer links neben Manuels Kopf. Sie hatte Angst davor, dass die Sonne weiterwandern und ihr

Licht direkt auf das Gesicht des reglosen Freundes werfen könnte. Aber sie wusste, dass die Sonne das tun würde. Unbarmherzig und unwissend, welches Unheil sie damit anrichtete. Angelique wollte nicht in die wächserne Maske des Todes schauen. Sie zog das linke Bein an, um aufzustehen, und das knirschende Schleifen ihres Schuhs auf dem Boden drang ungewöhnlich laut direkt bis in ihren Schädel ein, wo es ein schrilles Dröhnen hervorrief. Sie war nun wieder ganz in der wachen Realität angekommen, und sie sehnte sich zurück in die Absurdität des Albtraums. Es war besser, leicht wie eine Feder von der Gewalt eines Tsunamis emporgeschleudert zu werden, als hier mit einem Körper, der eine Tonne zu wiegen schien, auf dem verdreckten Steinboden zu liegen. Allein der Versuch, den Kopf zu drehen, verursachte Schmerzen. Schlimmer als die Pein im rechten Arm, war der Anblick, den er bot. Aus einem schwarzrot geronnenen Klumpen ragte eine gelbliche Knochenspitze mit rötlichbraunen Verfärbungen hervor. Während eine unsichtbare Faust sich um ihr Herz zu ballen schien, kroch hoffnungslose Verzweiflung in ihrer Brust empor und bewirkte, dass ihre Gesichtsmuskeln sich verkrampfen. Sie starrte auf ihre rechte Hand, die eindeutig größer war, als die linke, und mit den angeschwollenen Fingern aussah, wie ein blauer Seestern, dessen Spitzen jemand mit rotem Nagellack verziert hatte.

Ich werde sterben, dachte Angelique ohne Gefühlsregung. *Wenn Manuel noch nicht tot ist, wird er es bald sein. Und ich werde ihm folgen.* Sie versuchte zu schlucken, was Beschwerden im Hals verursachte. *Wenn ich nur etwas zu trinken hätte.* Der Wasserhahn könnte die Rettung sein, wenigstens vorübergehend. Seltsam, dass ihr der nicht schon vorher aufgefallen war. Es kam ihr merkwürdig vor, dass von ihrem geschundenen Arm gar kein unmittelbarer Schmerz mehr ausging. Stattdessen war in ihrem ganzen Körper, vom Kopf bis zu den Füßen, eine diffuse Qual, die keiner konkreten Verletzung zuzuordnen war. Angelique krümmte sich zusammen und kam auf die Beine, wobei sie sich mit dem linken Arm an der Wand abstützte. Als sie bewegungslos auf den Füßen stand, dröhnte ihr Kopf wie eine große Kirchenglocke. Sie würde sich übergeben müssen, aber da war nichts in ihr, was sie würde von sich geben können. Das Lichtbündel von der Tür hatte jetzt das rechte Ohr ihres Freundes erreicht und ließ es in leuchtendem Gelb neben seinem dunklen Gesicht erstrahlen. Angelique wandte ihren Blick ab und schlurfte kraftlos hinüber zu der Spüle. Am Kopf des Wasserhahns hatte sich ein Pfropfen aus Kalk abgelagert. Das Spülbecken selbst war so mit einer

Mischung aus Staub und Öl verschmutzt, dass der Abfluss wahrscheinlich verstopft war.

Mit der linken Hand griff Angelique nach dem Ventil. Es ließ sich nicht nach links drehen. Sie stellte sich seitlich zur Spüle und drehte mit aller Kraft. Plötzlich gab das verklemmte Ventil nach. Fieberhaft schraubte Angelique den Hahn soweit es ging auf, es kam aber kein Wasser heraus. *Du bist so eine Idiotentussi,* dachte sie böse. Warum sollte es hier in dieser verdammten, seit Jahren verlassenen Einöde einen funktionierenden Wasseranschluss geben?

Ihr Blick fiel auf Manuel, dessen kalkweißes Gesicht jetzt im Sonnenlicht erstrahlte. Sein Unterkiefer hing schlaff herab und seine graue Zunge sah aus, als sei darauf ein Fruchtjoghurt eingetrocknet. Geronnenes Blut verklebte sein Gesicht von der Schläfe über das Jochbein bis zum Kinn. Was aber das Schlimmste war, seine Augen waren geöffnet. Wie blinde Glasmurmeln schillerten sie zwischen geschwollenen Lidern und starrten an ihr vorbei auf einen beliebigen Punkt neben der Tür. Hätte Manuel sie jetzt direkt angesehen, sie hätte wahrscheinlich geschrien. Angelique war sich darüber im Klaren, dass sie zu ihm hingehen müsste, seinen Puls fühlen, sich um den Liebsten kümmern. Aber sie war ganz sicher, dass er tot war. Und noch etwas wusste sie ganz sicher; sie hätte sich ihm auch dann nicht nähern können, wenn noch Leben in ihm gewesen wäre. Ihre Füße hätten ihr nicht gehorcht. Für sie gab es nur einen einzigen Weg, den sie gehen konnte, den zur Tür, auch wenn sie nicht sicher war, ob ihre Kräfte sie auf dem Weg dorthin nicht verlassen würden. Hoffnungslos schlurfte sie wie eine uralte Frau durch den heißen, düsteren Raum. Der modrige Geruch, eine Mischung aus Schweiß und feuchter Wäsche, Wäsche, die schon viel zu lange irgendwo herumlag, störte sie nicht mehr. Auch die Tatsache, dass sich eine weitere Komponente der Duftmischung hinzuzufügen begann, ein süßliches Aroma wie von fauligem Obst, nahm sie nur unbewusst wahr. Ihre Übelkeit kam hauptsächlich von den hämmernden Kopfschmerzen und von der Angst, hier und jetzt zu sterben.

An der Eisentür angekommen, betastete sie die Innenseite mit den Fingern der linken Hand. Den rechten Arm, den sie vielleicht nie wieder würde gebrauchen können, hielt sie in einem Fünfundvierziggradwinkel vom Körper fern. Der Türschlitz war etwa einen Zentimeter breit, und es gelang ihr, die ersten Glieder von Zeige-, Mittel- und Ringfinger hindurch zu stecken. Obwohl der Körper sich schwer wie Blei anfühlte, und sie sich am liebsten an Ort und Stelle auf den Boden gelegt und die Augen geschlossen hätte, tasteten ihre Fingerkuppen am äußeren Rand der Tür entlang, bis sie an einen Widerstand stießen. Da war ein primitiver, u-förmiger Riegel, der an der Außenseite der Mauer über einen Bügel gelegt war. Das Ganze wurde durch ein massives Vorhängeschloss miteinander verbunden.

Keine Chance, formten ihre Lippen unhörbar, und heiße Tränen quollen aus ihren Augen. Kraftlos ließ sie sich mit der linken Schulter gegen die Tür fallen und stutzte. Etwas hatte sich bewegt. Angelique lehnte den Kopf gegen das rostige Metall und starrte mit fiebrigen Augen auf den schmalen Spalt zwischen Tür und Mauerwerk. Dieser war unzweifelhaft etwas breiter geworden. Es mochten nur Millimeter sein, oder das Fieber, dass in ihrem Körper wütete, spielte ihr einen Streich. Mehrmals drückte sie ruckartig mit der Schulter gegen die Tür und sah, dass der Eisenbügel, der im Mauerwerk steckte, sich dabei bewegte. Wahrscheinlich waren Putz und Zement im Laufe der Jahre marode geworden, oder jemand hatte nachlässig gearbeitet. Angelique glaubte nicht, dass sie das Metall ganz aus dem Stein würde lösen können, aber wer konnte das schon mit Sicherheit sagen? Einmal konnte man doch auch Glück haben.

Schließlich war alles, seit sie den Salon von dieser … Ihr fiel der Name der Inhaberin ihres Ausbildungsbetriebes nicht ein. War das ein schlechtes Zeichen? Jedenfalls war auch vor ihrem Rauswurf alles nur Murks gewesen. Helene Lessing, so hieß die Bitch. Ließ sich gern Helen nennen. So stand es auch draußen an ihrem Laden. *Helens Hair & Beauty.* Dabei war es paradox, den Namen Helen in einen Zusammenhang mit dem Wort Beauty zu bringen. Dieser siffige Puff war mit ein Grund dafür gewesen, warum sie mit Manuel zusammen gerne abgehauen wäre. Verdammt! Das alles schien Jahre her zu sein. In einem anderen Leben beinahe. Wenn bloß dieser dämliche Unfall … Sie konnte sich an keinerlei Einzelheiten erinnern. Sie wusste nur, dass irgendein perverser Vollidiot sie und Manuel hier eingesperrt hatte. Und Manuel war jetzt tot. Sie stieß mit ihrer Stirn gegen die Eisentür, was ein dumpfes Dröhnen erzeugte. Irgendetwas in ihrem Kopf dehnte sich explosionsartig aus und drängte ihr Bewusstsein für kurze Zeit in den Hintergrund. Ein schwarzer Vorhang fiel herab, und sie fiel auf die Knie. Die scharfen Kanten der groben Asche, die die Kruste ihrer aufgeschürften Haut über den Kniescheiben aufrissen und frisches, helles Blut hervorquellen ließen, verhinderten die Ohnmacht. Eines hatte sie bemerkt, als sie mit dem Kopf gegen die Tür stieß:

Der Bügel in der Mauer hatte sich erneut bewegt, er war um einen oder zwei Millimeter hervorgetreten, bevor er wieder zurückschnellte.

Angelique wusste, dass das ihre einzige Chance war, und dass sie sie nutzen musste. Wenn sie ein paar Schritte zurücktreten, Anlauf nehmen, und sich mit aller Kraft gegen die Tür warf, vielleicht …

Angelique stieß sich mit der Hand ab und taumelte ein paar Meter rückwärts in den Raum. Sie war sich absolut sicher, dass sie sich übergeben würde, sobald sie gegen die Tür prallte, aber hey, Scheiß drauf, oder? Ein paar Spritzer Kotze machten den Kohl nicht fett. Wie sie jetzt im Moment aussah, hätte sie ohnehin nicht gern im Spiegel gesehen. Andererseits, sie hatte immerhin sieben Staffeln *The walking dead* verschlungen, und die Typen da sahen bestimmt kaum schlimmer aus als sie. Angelique musste grinsen, ein böses Grinsen, bei dem ihre trockene Oberlippe an mehreren Stellen riss.

Wenn du in dieser Situation grinsen kannst, dann bist du selbst schon ein Zombie, dachte sie. Vielleicht war es aber auch nur das Fieber. Oder sie war auf dem besten Weg, wahnsinnig zu werden. Sie blickte zu ihrem toten Freund hinüber, den sie wie durch einen rosa Nebel sah. „Wenn das hier vorbei ist, machen wir uns zusammen aus dem Staub, was Manu?“, sagte sie, ohne sich zu wundern, dass aus ihrer Kehle nur ein heiseres Krächzen kam, „auf nach Oceanside."

Sie senkte den Kopf, und trabte wie ein hochbetagter Jogger Richtung Tür, wobei sie ihre linke Seite etwas nach vorn drehte. Der Aufprall erzeugte ein metallisches Dröhnen, dass sich in ihrem Kopf fortzusetzen schien. Ihr Magen zog sich zusammen, und Angelique übergab sich mit winzigen Mengen weißen Schleims. *Ich kann in die Zukunft sehen*, dachte sie, als sie vornübergebeugt, mit den Handflächen auf den blutenden Knien an der Tür stand. Die Tür war weiterhin verschlossen. Mit tränenden Augen krächzte sie ein heiseres „Scheiße!" Wie ein alter Vertrauter jagte jetzt auch wieder ein schriller stechender Schmerz ihren rechten Arm hinauf. Wieder lehnte sie ihren Kopf gegen die Tür und bemerkte mit pochendem Herzen, dass der Spalt jetzt mindestens doppelt so breit war wie zuvor. Sie drückte mehrmals gegen die Tür und stellte fest, dass diese jetzt deutlich mehr Spiel hatte. Der Eisenbügel hatte sich ein kleines Stück weiter aus der Mauer geschoben und bewegte sich vor und zurück, wenn man gegen die Tür drückte.

Wow, dachte Angelique, der ist fällig. Ich krieg das hin.

Ohne weiter darüber nachzudenken, was passieren

würde, sollte sie ihr Gefängnis tatsächlich knacken können, konzentrierte sie sich auf das einzige, das nächste Ziel, das vor ihr lag. Sie bemerkte nicht einmal, dass ihre Beine zitterten, und dass sie selbst dem Tod näher als dem Leben war. Fasziniert blickte sie durch den jetzt breiteren Spalt, der sie von der Freiheit trennte. Draußen konnte sie im hohen Unkraut ein paar verrostete Gitterboxpaletten und dahinter das Heck eines Autowracks ohne Reifen sehen. Die Heckscheibe war eingeworfen worden, die hintere Seitenscheibe reflektierte das grelle Sonnenlicht, das in den Augen wehtat.

Wie in Trance trottete die junge Frau von der Tür weg, um sich ein weiteres Mal dagegen zu werfen. Als ihre Schulter erneut gegen das Metall prallte, wurde der Eisenbügel mit einem müden Schleifen aus der Mauer gezogen und pendelte kraftlos, nur durch das Vorhängeschloss gehalten, an der Tür, die mit einem Geräusch aufschwang, dass an den T-Rex aus *Jurassic Park* erinnerte. Angelique verlor den Halt und fiel nach vorne, nach draußen auf eine von Unkraut überwucherte Schotterfläche. In ihren Arm schlug ein Blitz ein, der übersprang in ihren Kopf. Dann war es dunkel, obwohl die Sonne unbarmherzig heiß auf ihren Hinterkopf brannte.

21

Das rostige Blechschild, unter dem Bernhard Lücke seinen Wagen geparkt hatte, und dessen Grundfarbe früher wahrscheinlich einmal Gelb gewesen war, trug in einfachen Versalien die Aufschrift GÄRTNEREI BREUNING. Hinter einem Gelände, das an die Miniaturausgabe eines Gartencenters erinnerte, und einigen Gewächshäusern konnte er durch die Kronen alter Bäume hindurch ein paar Gebäude und senkrechte Metallzylinder erkennen, die wahrscheinlich Silos oder etwas Ähnliches darstellten. Lücke erinnerte sich, dass es hier mal eine Fabrik gegeben hatte. Was die produziert hatte, wusste er nicht. Er öffnete den Schnappverschluss seiner Kühlbox und nahm ein paar tiefe Züge aus der kleinen Wasserflasche. Dann nahm er die Packung Toffifee heraus und schob sich zwei Exemplare in den Mund. Es war gerade eben noch kühl genug in der Box, dass die Schokolade nicht schmolz.

Nachdem er die Box wieder verschlossen hatte, stieg er aus dem Wagen. Erwartungsgemäß fiel die Hitze über ihn her wie ein hungriges Raubtier. Er würde drei Kreuze machen, wenn es endlich mal wieder einen Regenguss gäbe, der länger als drei Minuten dauerte. Und wenn er sich nachts endlich mal wieder die Bettdecke bis zum Kinn hochziehen konnte, ohne zu schwitzen.

Im trockenen Gebüsch neben der Straße hatte jemand wohl seinen Müll entsorgt, unter anderem einen alten Turnschuh. Lückes Schritte wirbelten auf dem Parkplatz des verlassenen Geländes Staub auf, und seine braunen Schnürschuhe waren bald von einer feinen grauen Schicht bedeckt. Da er es hasste, ein Holster zu tragen, erst recht bei dieser Hitze, hatte er sich dieses Mal vorsichtshalber die Waffe hinten in den Hosenbund geschoben. Das Gesicht seitlich mit beiden Händen gegen die grelle Sonne abschirmend spähte er durch die großen Glasscheiben der Verkaufshalle. Verwundert schüttelte er den Kopf, weil er darin auf vielen Hochbeeten und Stellflächen frische Grünpflanzen entdeckte. Eigentlich hatte er die Gärtnerei seit Jahren verlassen geglaubt. Man konnte ihm einiges nachsagen, aber ein sprichwörtlicher grüner Daumen gehörte nicht dazu. Trotzdem schlussfolgerte er messerscharf, dass die Pflanzen regelmäßig von jemandem gepflegt wurden. Er rüttelte kurz an der Glastür des Haupteingangs; sie war verschlossen, was für einen Sonntag nicht ungewöhnlich war. Nach allen Seiten Ausschau haltend ging der Kommissar langsam um das Gebäude herum. Obwohl das ganze Gelände äußerlich einen relativ verwahrlosten Eindruck machte, konnte er drinnen an der ganzen Seitenwand entlang frische Grünpflanzen und blühende Stauden entdecken.

Am hinteren Ende des Gebäudes angekommen, hatte Lücke bis auf ein paar vereinzelte Bäume und Büsche freie Sicht auf eine Reihe von Gewächshäusern und in einiger Entfernung dahinter auf das weitläufige Fabrikgelände. Wenn die Bankräuber sich wirklich da irgendwo eingenistet hatten, gab es unzählige Versteckmöglichkeiten. In Anbetracht der Tatsache, dass die Täter, oder mindestens einer von ihnen, bewaffnet waren, hätte er eigentlich ein SEK anfordern müssen. Jugendliche hin oder her, schließlich waren die heute manchmal gewaltbereiter als gestandene Berufsgauner. Es gab aber bisher keinen wirklichen Hinweis darauf, dass er hier nicht einem Phantom nachjagte. Und einen SEK-Einsatz ohne Ergebnis würde ihm die Ketteler links und rechts um die Ohren hauen, das war mal sicher. Und die Frau hatte Beziehungen nach ganz oben. Also würde ihm nichts anderes übrigbleiben, als zuerst mal allein die Lage zu sondieren.

Dankbar nutzte er den Schatten aus, der auf der

Rückseite des Verkaufsraumes herrschte. Hier lag ein alter, abgefahrener Satz Autoreifen, die zu groß für einen normalen PKW waren. Daneben lehnte ein demoliertes Mofa, oder eine Vespa, an der Wand, die garantiert nicht fahrbereit war. Dafür sprach nicht nur das fehlende Vorderrad, das daneben im Gras lag.

Die Fenster des flachen Bungalows, der etwa zwanzig Meter hinter der Gärtnerei stand, wurden von weißen Gardinen geziert, und Lücke glaubte hinter den spiegelnden Scheiben bepflanzte Blumentöpfe zu erkennen. Das Haus sah bewohnt aus, was ihn erstaunte. Der Kommissar entschloss sich zu klingeln und ging auf die Eingangstür zu. Als er hinter der Gardine des Fensters neben der Tür eine Bewegung wahrnahm, tastete er impulsiv nach seiner Waffe. Man sollte stets alle Möglichkeiten in Betracht ziehen, und die Möglichkeit, dass die Täter hier Unterschlupf gefunden und womöglich sogar Geiseln genommen hatten, gehörte dazu. Der Name Breuning auf dem Klingenschild war keine Überraschung. Nur wenige Sekunden nach dem Läuten wurde die Tür geöffnet, und eine Frau trat heraus, die Bernhard Lücke so stark an seine verstorbene Frau Hanne erinnerte, dass er verdutzt den Mund aufklappte.

22

Mirco Sommer war so gegen 22.30 Uhr dran gewesen. Zu der Zeit hatte die Stimmung in der Grugahalle bereits einem Hexenkessel geglichen. Es wäre vielleicht ein wenig übertrieben, Mirco Sommer als Hauptact zu bezeichnen, aber die meisten Besucher des Konzerts, überwiegend weibliche, waren ganz sicher wegen ihm gekommen. Zuvor waren die *Traunstein Twins* aufgetreten, zwei junge Mädels, die eigentlich aus Pirna bei Dresden stammten, aber in Dirndln auftraten, die mehr Busen vorgaben, als tatsächlich vorhanden war, und dazu lebendige Schlager teils in Deutsch und teils in Englisch zu Gehör brachten. Auf den Plakaten waren die „Twins“, die im wirklichen Leben in keinem verwandtschaftlichen Verhältnis zueinanderstanden, mit *Wiesen-Pop der Extraklasse* angekündigt worden.

Valerie Bensheim fand die Musik zwar zum Abgewöhnen, musste aber zugeben, dass die beiden jungen Frauen es verstanden, die Zuschauer in Feierlaune zu versetzen. Zu diesem Zweck hüpften sie zu vermeintlich alpenländischen Rhythmen wie Flummis von einem Bühnenende bis zum anderen und animierten die Menschenmenge immer wieder zum

Mitklatschen. Nicht zuletzt die Tatsache, dass innerhalb der Halle an zwei Verkaufsständen Getränke ausgeschenkt wurden, hatte dazu geführt, dass Mirco Sommer alias Harry Lehnert von der Leistung seiner Kolleginnen profitierte und der Saal schon bei den ersten Takten seines Songs *Buenas noches, mi amor* zu kochen begann.

Von der Darbietung des letzten Künstlers, Henner Stern, bekam Valerie nur den Anfang mit. Der Arme hatte das Pech, dass eine Viertelstunde vor Mitternacht viele Besucher schon den Heimweg antraten, weil sie am nächsten Morgen früh aus den Federn mussten. Zudem waren vor Sterns Auftritt ein paar zeitraubende Umbauarbeiten auf der Bühne erforderlich, so dass die Halle kaum noch zur Hälfte gefüllt war, als der Sänger endlich loslegen konnte. Henner Stern hatte sich 1993 sogar mal bis auf Platz drei der ZDF-Hitparade hinaufgesungen, wo er von Moderator Uwe Hübner in einem Atemzug zusammen mit Mathias Reim und Michelle genannt worden war. Heute hatte der Künstler einen, selbst durch geschickte Kleiderwahl nicht mehr zu kaschierenden Schmerbauch angesetzt und der Haaransatz war bis zum Zenit seines Schädels zurückgewichen, so dass ihm von seiner ursprünglichen Vokuhila-Frisur nur noch der hintere Teil geblieben war.

„Klasse, Valerie“, rief Mirco Sommer alias Harry Lehnert der Frau zu, die den Auftritt für ihn klargemacht hatte, als er zusammen mit Claudia Bös, einer Mitarbeiterin der Messe Essen GmbH aus dem Bühneneingang kam, „Essen war wieder super! Ich glaub, hier wohnen immer noch die treuesten Fans!“

Er wirkte euphorisiert und die goldblonden Locken wippten unternehmungslustig bei jedem seiner federnden Schritte. Valerie hatte ihn nie gefragt, ob er ein Toupet trug, fand es aber sehr wahrscheinlich. Lehnert sprang die zwei Metallstufen vor dem Eingang hinunter. „Warte, ich geh noch eben …“, sagte er und lief zu der Absperrung, hinter der sich eine Gruppe von Frauen drängelte und winkend „Mirco, Mirco!“ skandierte. Nachdem er dort alle Selfie- und Autogrammwünsche befriedigt hatte, kam er lächelnd zurück.

„Das war super“, lobte ihn Valerie, „Ton, Performance, die Songfolge, da hat wirklich alles gestimmt. Gratuliere, Harry. Die Leute sind steil abgegangen.“

Der Künstler strahlte. Nur das Makeup an Schläfen und Stirn hatte etwas gelitten.

„Wir müssen unbedingt noch einen trinken, okay?“, sagte er.

„Ja gerne, aber denk dran, besaufen is bei mir nich. Ich muss morgen wieder nach Hamburg."

„Klar, keine Angst, ich mach dich nicht besoffen." Er grinste breit, und die Jacketkronen blitzten kurz im Licht der LED-Leuchten über dem Bühneneingang auf. „Ich weiß doch, dass ich bei dir keine Chance hab. Alle wollen Mirco, nur Valerie nicht." Er lachte.

Valerie war ebenfalls gut aufgelegt. Wenn es ihren Künstlern gut ging, ging es ihr auch gut. Außerdem war wie vereinbart heute Morgen an der Rezeption des Atlantic-Hotels der Umschlag mit ihrem Honorar für den Job der letzten Nacht hinterlegt worden. Der Überbringer hatte weder Namen noch Gesicht gehabt, so wie sie es gewohnt war. Während Valerie mit Harry Lehnert in das wartende Taxi stieg, dachte sie an ihren ersten Kontakt mit Johnny.

Es war nur wenige Tage nach ihrem letzten Besuch im Café Mozart gewesen, als ihr an einem Abend im Schanzenviertel Basti über den Weg gelaufen war, der Besitzer des *sea fog* in Havestehude, mit dem sie damals wegen der blöden Sache in seinem Club Schluss gemacht hatte. Basti war mit einem Kumpel unterwegs, dessen Namen sie inzwischen vergessen hatte, und hatte sie auf seine charmante Art angesprochen. „Tut mir echt total leid wegen damals, Valerie“, hatte er mit seinem Hundeblick gesagt. Und da inzwischen mindestens kniehohes Gras über die Sache gewachsen war, schließlich war sie danach schon ein Jahr mit Jürgen zusammen gewesen, hatte sie die Entschuldigung angenommen, ebenso wie die Einladung, zu dritt noch etwas trinken zu gehen.

Da Bastis Kumpel seinen Audi TT in der Nähe geparkt hatte, waren sie eingestiegen und zum *Schulterblatt* gefahren, einer Straße, in der sich Bar an Restaurant, und Club an Bistro reihte. Valerie hatte positiv zur Kenntnis genommen, dass Basti keinerlei vertrauliche Annäherungsversuche machte, sondern sich verhielt wie ein alter Freund. Und sie, sollte sie noch unter Liebeskummer leiden, dann bestenfalls wegen Jürgen, dem Arsch. Die Tatsache, dass Basti sie damals zum Partnertausch hatte überreden wollen, hatte sie ihm längt verziehen. Gute Voraussetzungen also, zukünftig vielleicht einfach nur befreundet zu sein. Sie waren in der *Katze* gelandet und hatten sich jeder einen Caipi genehmigt. Der Abend war lustig bis Valerie ungewohnt früh müde wurde. Basti und der Kumpel hatten angeboten, sie nachhause zu bringen. Die Fahrt bis nach Bergedorf würde dem Kumpel nichts ausmachen, hatte er versichert.

Valeries nächste Erinnerung war der kühle Wind,

der sie frösteln ließ. Offensichtlich hatte sie gestern Abend vergessen, das Schlafzimmerfenster zu schließen. Das gleichmäßige Warnsignal eines rückwärtsfahrenden LKWs drang an ihre Ohren und dazu ein lautes metallisches Rumpeln. Ketten rasselten und der frische Wind trug das hohle Tuten eines Nebelhorns herüber. Valerie fiel ein, dass die ruhige Wohnstraße, in der sich ihre Eigentumswohnung befand, für LKWs grundsätzlich gesperrt war. Sie wollte ihre Augen öffnen, aber die Lider waren schwer wie Blei. Als es ihr endlich gelang, wurde ihr spontan übel. Sie blickte hinauf in den grauen Himmel, über den der Wind dichte Wolken trieb. Die grüne Metallwand eines MAERSK-Containers ragte neben ihr in die Höhe. Valerie stützte sich auf die Ellenbogen hoch, spürte den Schmerz im Rücken und betrachtete ungläubig ihre aufgeschürften Knie, bevor sie sich schnell zur Seite drehte und in einem spontanen Schwall übergab. Mit tränenden Augen blickte sie sich um. Neben ihr reihten sich mehrere Überseecontainer aneinander. Warum fiel es ihr nur so schwer, einen klaren Gedanken zu fassen? Mehr als zwei harmlose Cocktails und ein Caipirinha waren es doch nicht gewesen. Oder doch? Sie setzte sich auf, ignorierte die Schmerzen im Rücken und drehte den Kopf nach links. Sie saß auf ölverschmierten Pflastersteinen. Ein paar Meter weiter links bestand der Untergrund aus Beton. Über einen eisernen Poller hinweg, wie man sie für die Befestigung von Schiffstauen verwendet, blickte sie auf die grau und träge dahinfließende Elbe. Weiter draußen, nur durch einen feinen Nebelschleier zu erkennen, schob sich langsam ein graublauer Schiffsrumpf stromaufwärts. Die bunten Container auf seinem Rücken sahen aus wie Gullivers Legosteine.

Valerie fröstelte. Die Erkenntnis traf sie, als hätte jemand einen Halogenscheinwerfer in Ihrem Gehirn eingeschaltet. *Verdammt, Sebastian!* Mit aufgerissenen Augen blickte sie an sich herab, sah das dunkelblaue Kleid mit dem Fantasiedessin von *Luisa Cerano*, dass sie gestern Abend getragen hatte, nur jetzt schmutzig und auf sonderbare Art verdreht, sah ihre nackten Beine auf den schmutzigen Pflastersteinen liegen, und am rechten Fuß den Schuh von *Tabitha Simmons.* Das linke Gegenstück fehlte. Sie brauchte nicht nachzuschauen ob sie ein Höschen trug. Sie wusste, dass sie es nicht tat. Das hätte sie auch gewusst, wenn das diffuse Brennen zwischen ihren Schenkeln nicht gewesen wäre. Was sie sehen konnte, denn das gab der hochgerutschte Saum ihres Kleides frei, waren außer den aufgeschürften Knien die blauen Flecke an den Innenseiten ihrer Schenkel.

Als sie die raue Männerstimme neben sich hörte, versuchte sie instinktiv, den Saum über die Knie zu ziehen.

„Junge Frau, was ist denn bloß mit Ihnen los?“, fragte die Stimme. Sie gehörte einem Mann mit schwarzem Vollbart in einem blauen Arbeitsoverall und sie klang erschrocken und besorgt.

Wenige Tage danach fand ein Paketbote auf dem Parkplatz hinter dem *sea fog* einen Mann, der zwischen der Motorhaube seines eigenen SUVs und der Rückwand des Gebäudes eingeklemmt war. Oberschenkel- und Hüftknochen des Opfers waren regelrecht pulverisiert, weil der Cayenne zwischen sich und der Mauer so gut wie keinen Platz gelassen hatte. Der Oberkörper der Leiche lag nach vorn gebeugt mit ausgebreiteten Armen auf dem anthrazitgrauen Metalliclack der Motorhaube. Die Flüssigkeit, die unterhalb des Autos eine großflächige Lache gebildet hatte, war eine Mischung aus Blut und Kühlerflüssigkeit. Das Opfer stellte sich nach ersten Ermittlungen der Polizei als der Inhaber des Clubs, Sebastian Brehm heraus. Der Täter konnte nicht ermittelt werden, da es zur Tatzeit, die in den frühen Morgenstunden zwischen fünf und sechs Uhr lag, keine Zeugen gegeben hatte.

Als Valerie Bensheim am Montagmorgen ihren Briefkasten öffnete, stellte es sich heraus, dass es aller Wahrscheinlichkeit nach wohl doch einen Zeugen gegeben haben musste. Diese Erkenntnis jagte ihr im ersten Moment einen furchtbaren Schreck ein. Außer Zwanzigtausend Euro in bar lag dem neutralen weißen Umschlag ein bedruckter Zettel bei. Der Text in schwarzer Arialschrift lautete:

GUTE AKTION! DANKE! JOHNNY

Darunter folgte noch etwas kleiner gedruckt:

P.S.: Und keine Angst, ich kann schweigen.

An diesem Montag war Valerie nicht in der Lage zu arbeiten. Zu sehr war sie mit Gedanken, Sorgen und Abwägungen beschäftigt. Offensichtlich wollte sie der Kerl nicht erpressen. Denn normalerweise schickten Erpresser einem kein Geld. Irgendjemand musste es anscheinend gut finden, dass Sebastian Brehm das Zeitliche gesegnet hatte. Und Demjenigen war es eine Menge Geld wert gewesen. Er hätte schließlich auch einfach genießen und schweigen können.

Drei Monate vergingen und Valerie hatte den Vorfall beinahe verdrängt, als sie eine SMS von einem unbekannten Absender erhielt:

Konrad Rust, genannt Conny. 50.000 €.

Ansonsten gleicher Ablauf. Sie entscheiden. Weitere Infos folgen. Löschen sie diese Nachricht sofort! Johnny.

Töten war gar nicht so schwer. Es konnte zur Routine werden. Schließlich waren das irgendwie alles keine Engel. Und es war ein gutes Gefühl, den eigenen Lebensabend damit komfortabel auszupolstern.

Konrad Rust war Immobilienmakler und Finanzberater. Er hatte eine Frau und zwei schulpflichtige Kinder. Das war schade, aber nicht zu ändern. Und er war einem Seitensprung mit einer unbekannten, dunkelhaarigen Schönen nicht abgeneigt, die er in einer Kneipe auf Sankt Pauli kennengelernt hatte. Das war der letzte Fehler in seinem Leben.

23

Leonie Breuning hatte sich für eine Stunde auf dem Sofa hingelegt. Dann war sie aufgestanden und in die Küche gegangen, um für Gerd und sich Kaffeewasser heiß zu machen. Als sie an der Spüle stand, um den Behälter der Kaffeemaschine zu füllen, sah sie draußen bei den Gewächshäusern einen Mann, der sich neugierig nach allen Seiten umsah. Der Mann hatte eine ähnliche Statur wie Gerd, wirkte aber irgendwie gepflegter. Als er direkt zum Haus herübersah, erschrak sie kurz und wich vom Fenster zurück. Durch die Gardine hindurch konnte sie aber beobachten, dass er direkt auf die Haustür zukam. Es war Sonntag und die Gärtnerei hatte geschlossen. Aber auch, wenn heute ein Werktag gewesen wäre, irgendwie war ihr sofort klar, dass es sich nicht um einen Kunden handeln konnte.

Als die Türglocke ertönte, wartete Leonie ein paar Sekunden, bevor sie zur Tür ging. Schließlich sollte der Besucher nicht den Eindruck bekommen, sie hätte ihn durchs Fenster beobachtet.

„Ja", sagte sie und hob ihre Stimmlage dabei an, während sie in zwei blaue Augen schaute. Die

Ähnlichkeit mit Gerd war erstaunlich, aber so einen warmen, freundlichen Blick hatte sie bei Gerd seit vielen Jahren nicht gesehen.

„Guten Tag, Sie sind Frau Breuning?", fragte der Mann nach einem Blick auf das Klingelschild.

„Ja", bestätigte Leonie und ließ es erneut wie eine Frage klingen.

„Oberkommissar Lücke von der Polizei. Bitte erschrecken sie nicht." Der Mann hielt ihr etwas vor das Gesicht, das wie ein Führerschein aussah. So wie einer dieser neuen Führerscheine im Scheckkarten-format.

„Aha, guten Tag Herr …"

„Sind sie allein im Haus, Frau Breuning?"

Der Polizist versuchte, an ihr vorbei in den Hausflur zu spähen.

„Ja, bin ich. Im Moment. Wollen sie reinkommen, Herr …"

„Lücke."

Leonie öffnete die Tür ein Stück weiter.

„Ja gerne." Der Kommissar blickte noch einmal zurück, ließ den Blick über das Gelände der Gärtnerei schweifen und trat sich dann die Schuhe auf der

Fußmatte ab. Diese zeigte einen überlebensgroßen, grinsenden Laubfrosch mit riesigen Glubschaugen, sah aber schon reichlich ramponiert aus.

„Kommen sie durch, Herr Kommissar, wir gehen am besten in die Küche.“ Leonie ging voraus, den Flur entlang und durch die braunverglaste Küchentür.

„Ich will nicht weiter stören, Frau Breuning. Ich habe nur ein paar Fragen.“

„Aber sie stören überhaupt nicht, Herr …, ach, jetzt hab ich ihren Namen nicht behalten.“

„Lücke, Oberkommissar Lücke.“

„Setzen sie sich doch bitte, Herr Lücke. Hier auf einen der Stühle, wenn´s recht ist.“

„Gerne, also wie gesagt …“

„Sie trinken doch sicher eine Tasse Kaffee mit mir, Herr Kommissar?“

Lücke zog einen der gepolsterten Stühle der Esszimmergarnitur vom Tisch ab und setzte sich.

„Aber ich will keine Umstände …“

„Nein, das macht keine Umstände, ich freu mich doch über Besuch.“

Leonie machte sich an der Kaffeemaschine zu schaffen. Sie freute sich tatsächlich über den Besuch und der Mann war ihr sogar sympathisch. Gleichzeitig schrillte irgendwo in ihrem Hinterkopf eine Alarmglocke. Polizei konnte Unannehmlichkeiten bedeuten. Große Unannehmlichkeiten sogar. Dass die Sache mit Gerd irgendwann auffliegen könnte, darüber hatte sie seit Wochen nicht mehr nachgedacht. Die Geschichte mit Gerds Reise hatte sie sich so intensiv eingeredet, dass sie zeitweise selbst fest daran glaubte. Der rationale Teil von ihr wusste aber genau, was hier in der Küche passiert war. Es war reiner Selbstschutz gewesen, im Grunde ein unvermeidliches Ereignis. Ein Prozess, der am Ende so, und nicht anders hatte enden müssen. Das Ergebnis einer Kettenreaktion, eine Kernschmelze, die nicht zu stoppen gewesen war. Man konnte ihr das nicht vorwerfen, sie selbst konnte sich das nicht vorwerfen. Trotzdem war klar, dass Polizei und Richter so etwas anders sehen würden. Wenn es tatsächlich zu einer Verhaftung kommen musste, dann wünschte sie sich einen Polizisten wie diesen Herrn Lücke, der so warmherzige Augen und eine so weiche, männliche Stimme hatte. Leonie wollte und konnte sich aber nicht vorstellen, dass es zu einer Verhaftung kam. Vielleicht stellte man Nachforschungen an, fragte sich, wo Gerd abgeblieben war. Aber er war verreist. Sollte ihm irgendwo, irgendwann auf der Reise etwas zugestoßen sein, dann war das schlimm, aber sie konnte keine Angaben dazu machen. Gerd lag unauffindbar ganz am Ende der Zementfabrik hinter dem Kamin am Fuß einer steilen Kellertreppe, die zu einem der hohen schmalen Fabrikgebäude gehörte. Leonie selbst hatte über mehrere Tage hinweg den schmalen Treppenschacht mit Bauschutt und Lehm gefüllt. Das war weiß Gott keine Arbeit für eine Frau gewesen. Inzwischen hatten allerdings schon Löwenzahn und Wegerich die Stelle überwuchert.

Sie hätte Gerd ja gerne in der Küche behalten, hatte ihm seinen Stammplatz auf der Bank nicht streitig machen wollen. Einige Wochen hatte sie das auch tapfer durchgestanden, hatte oft und lange das Haus gelüftet, hatte ertragen wie Gerds Augen langsam austrockneten, rissig wurden, sich in den Schädel zurückzogen. Sie hatte ertragen wie seine Haut dunkler wurde, bis sie zu einer braunen, ledrigen Hülle wurde, die sich schlaff um seinen Schädel legte wie öliges Backpapier. Sie hatte ihm tapfer weiterhin das Frühstück und das Abendessen vorgesetzt, während die dünnen, schwarzen Lippen sich immer mehr von seinem Gebiss zurückzogen, bis er sie angrinste, mit einem augenlosen teuflischen Grinsen wie für die Ewigkeit modelliert. Irgendwann war es aber nicht mehr auszuhalten gewesen. Es wurde ein heißer Sommer, und die Invasion der Fliegen in der

Küche war schließlich der Auslöser dafür gewesen, dass Gerd umsiedeln musste. Und das war gut so, denn sonst hätte sie jetzt nicht mit dem netten Kommissar Kaffee trinken können.

Als das heiße Wasser gurgelnd in den Kaffeefilter tröpfelte, ging sie zum Tisch. Der Kommissar, der am Anfang einen eiligen Eindruck gemacht hatte, wirkte inzwischen, als fühle er sich hier recht wohl.

„Womit kann ich ihnen denn helfen, Herr Lücke?“, fragte Leonie freundlich und ruhig.

„Es ist nur eine Formsache, Frau Breuning. Wir ermitteln in einem Bankraub. Das hat jetzt direkt nichts mit ihnen zu tun, aber es gibt Hinweise, dass die Täter sich hier irgendwo in der Nähe befinden. Hier im Haus ist außer uns beiden niemand? Ich meine, ihr Mann …“

„Der ist verreist, macht Verwandtenbesuche“, fiel Leonie ihm ins Wort, „in Hamburg.“

„Aha. Und sonst jemand? Hatten sie seit Freitag Besuch?“

„Nein“, log Leonie, denn ihr fiel die schöne junge Dame ein. Wie hatte sie noch geheißen? Aber das war sicher keine schlimme Lüge, denn die Dame hatte sicher nichts mit der Sache zu tun.

„Sie sind hier völlig allein auf diesem großen einsamen Gelände?“ Der Kommissar schien ehrlich erstaunt zu sein. Leonie glaubte in seinen Augen sogar Besorgnis zu erkennen. Sie nickte.

„Finden sie nicht, ich meine ist ihnen das nicht manchmal unheimlich? Einen Hund haben sie nicht, oder?“

„Nein habe ich, haben *wir* nicht.“ Leonie lächelte. „Ich komme hier ganz gut zurecht.“

„Also kein Besuch“, wiederholte der der Kommissar, „und sie haben auch keine fremden Personen gesehen, die hier in der Nähe aufgetaucht sind?“

Leonie schüttelte den Kopf und ging zur Kaffeemaschine, die ihre Arbeit inzwischen beendet hatte. Kurz darauf kam sie mit zwei dampfenden Kaffeebechern zurück, die sie auf dem Tisch platzierte.

„Mein Gott, ich bin manchmal ein Trampel“, sagte sie plötzlich, „sie als Mann hätten doch sicher lieber ein kaltes Bier. Ich meine, bei diesem heißen Wetter.“

Der Kommissar schüttelte den Kopf und lächelte dabei: „Nein, danke, wirklich nicht. Ich trinke keinen Alkohol.“

Leonie stockte kurz und schaute irritiert. Da saß die freundliche Version von Gerd und er mochte keinen Alkohol! Nach ihrer Meinung wäre es mit Gerd und ihr nie so weit gekommen, wenn er nicht dem Alkohol verfallen wäre. Hier am Tisch saß Doktor Jekyll, während sie mit Mister Hyde verheiratet war. Gewesen war. Bis dass der Tod Euch scheidet. Okay, der Mann am Tisch war ziemlich kräftig, eher noch kräftiger als Gerd, aber das waren Merkmale, auf die sie nicht einmal als junges Mädchen viel Wert gelegt hatte. Sie selbst war schließlich auch über die Jahre etwas aus den Fugen geraten.

„Das freut mich", sagte sie, und blickte in sein erstauntes Gesicht. „Aber Milch nehmen sie in ihren Kaffee?"

„Gerne Milch und Zucker, wenn´s geht. Ich mag nämlich keinen Kaffee. Deshalb muss alles rein, was nicht nach Kaffee schmeckt." Kommissar Lücke grinste dabei von einem Ohr bis zum anderen und Leonie wurde warm ums Herz.

„Ach so, ein Witz", sagte sie.

„Klar", erwiderte Lücke, „aber es ist schon wirklich so, dass ich nicht verstehe, wie manche Leute schwarzen Kaffee trinken können."

„Mir ist das auch zu bitter", meinte Leonie

lächelnd und holte Milch und Zucker. Dann setzte sie sich zu dem Kommissar an den Tisch. Sie folgte seinem Blick, der kurz auf der bunten Wolldecke ihm gegenüber auf der Sitzbank ruhte.

„Und es gab einen Bankraub?“, fragte sie interessiert, „wo denn? Wurde jemand verletzt? Das muss ja spannend sein. Wie im Tatort. Den Freddy Schenk mag ich ja am liebsten, den Dicken aus Köln, wissen Sie?“

„Halb so spannend wie im Tatort, Frau Breuning. Eine Sparkassenfiliale in Frohnhausen. Kam gestern auch schon im Fernsehen. Nein, es gab zum Glück keine Verletzten. Aber die Täter sind entkommen. Mehr kann ich ihnen dazu leider nicht sagen.“

„Verstehe ich“, sagte Leonie ernst, „über laufende Ermittlungen können die Kommissare ja nie was sagen.“

Beide verrührten einen schweigenden Moment lang Zucker und Milch in ihren Kaffeebechern. Dann trank der Kommissar vorsichtig, ohne zu schlürfen. Gerd hatte seinen Kaffee (er trank Kaffee nur morgens – der Rest des Tages war für andere Getränke reserviert) nie geräuschlos getrunken.

„Die Fabrik da hinten“, Lücke deutete mit dem Finger in die Ecke der Wohnküche, hinter der er die

Fabrik vermutete, „die ist außer Betrieb, oder?“

„Die Zementfabrik, ja, und ob. Schon viele Jahre. Das verfällt alles. Ich bin gespannt, ob das irgendwann abgerissen wird, oder ob die warten, bis die Häuser von allein umfallen. Also mir wär´s egal, die sind weit genug von unserem Grundstück entfernt.“

„Die Zementfabrik“, sagte der Kommissar, „ich müsste mir das nachher mal anschauen. Das ist ja wohl so ne Art Geisterstadt. Da gibt’s sicher jede Menge Möglichkeiten, sich zu verstecken. Für Bankräuber, meine ich.“

Er sah Leonie mit seinen blauen Augen freundlich an. „Wann sagen sie, kommt ihr Mann von seiner Reise zurück?“

Die Frage traf Leonie so unvorbereitet, dass sie fürchtete, der Schreck würde ihr die Röte ins Gesicht treiben. Sie fing sich schnell und entschied sich zu einer anderen Strategie.

„Ich will offen sein, Herr Kommissar. Mein Mann ist schon seit Monaten weg und ich glaube er kommt gar nicht mehr zurück.“

Der Kommissar hob abwehrend beide Hände. „Oh, Entschuldigung, ich wollte nicht indiskret sein. Das war zu persönlich.“

„Nein, nein, alles gut. Ich finde es nicht schlimm, wenn sie es wissen. Ich möchte sogar, dass sie es wissen. Ich habe den Leuten viel zu lange was vorgemacht über unsere Ehe.“

Leonie staunte über sich selbst, dass sie dem Kommissar, von dem ja eine gewisse, wenn auch nur unterschwellige Gefahr ausging, so spontan etwas von sich preisgegeben hatte, aber es war kein Satz gewesen, den sie bedauerte. Es hatte gutgetan, diesem Mann zumindest einen Teil dessen zu eröffnen, was sie schon so lange mit sich allein abmachte. Aus einem Grund, den sie sich nicht erklären konnte, hatte sie Vertrauen zu diesem Polizisten und sie glaubte fest daran, dass er nichts tun würde, was ihr schadete. War nur die Ähnlichkeit zu Gerd der Grund? Wahrscheinlich nicht, denn das hätte eher abschreckend wirken müssen. Eher war es wohl die Art wie er sie manchmal ansah. So als ob seine Gedanken abdrifteten, so als ob er zwar bei ihr war, aber nicht bei der Aufklärung eines Bankraubes.

Kommissar Lücke schien jedoch von ihrer Äußerung peinlich berührt zu sein und hatte es plötzlich eilig. Er stand auf. Seinc Kaffeetasse war noch halbvoll.

„Die Pflicht ruft, Frau Breuning“, sagte er, „ich werde jetzt mal das Fabrikgelände unter die Lupe nehmen."

Leonie war enttäuscht über den plötzlichen Aufbruch. An der Tür drehte Lücke sich noch einmal um und blickte sie ernst an.

„Sie sollten hier wirklich nicht auf Dauer alleine wohnen", sagte er mit leiser Stimme und reichte ihr die Hand, „wie machen sie das denn überhaupt so ganz alleine mit der Gärtnerei? Das macht doch sicher unheimlich viel Arbeit. Oder ist das Geschäft gar nicht mehr geöffnet?"

„Doch, doch sicher. Das geht schon irgendwie. Manchmal denke ich allerdings, das ist keine Arbeit für eine Frau. Aber ich liebe die Blumen, verstehen sie? Besonders die Astern. Schade, die hätte ich ihnen gerne noch gezeigt."

Der Kommissar überging ihren letzten Satz und nickte nur ernst, während er ihre Hand drückte. Seine Augen sahen sie an, aber seine Gedanken schienen wieder abzuschweifen.

„Das Beste wird sein, sie schließen jetzt erst mal hinter mir die Tür ab und machen alle Fenster zu", sagte er. „Ich schaue nachher noch mal kurz bei ihnen rein, nachdem ich mich umgesehen habe." Er zögerte einen Moment und fuhr dann fort: „Die Täter könnten bewaffnet sein. Es ist zwar nicht gesagt, dass sie überhaupt hier sind, aber sicher ist sicher. Seien sie in der nächsten Zeit vorsichtig."

Er öffnete die Haustür und ging hinaus. Leonies Blick fiel dabei auf den Griff der Pistole, der hinten aus seinem Hosenbund ragte. Dann blickte sie auf die flache Nussbaumkommode, die neben der Haustür stand. In der linken unteren Schublade hatte sie die Waffe deponiert, die die beiden jungen Leute verloren hatten. Sie hatte sie aufgehoben, weil sie gedacht hatte, sie könne sie vielleicht mal brauchen. Aber nun würde sie sie so schnell wie möglich verschwinden lassen müssen.

Sie drückte die Haustür hinter ihrem Besucher zu, schloss aber nicht ab. Vor Bankräubern hatte sie keine Angst. Jedenfalls nicht vor den Bankräubern, die der Kommissar suchte. Sie hatte viel mehr Angst davor, dass er sie fand. Und diese Gefahr war jetzt groß. Die Befürchtung, im Gefängnis zu landen, war durchaus bei ihr präsent. Aber sie war seit heute nicht mehr so groß. Viel schlimmer würde es für sie sein, wenn der Kommissar schlecht von ihr dachte. Und es tat ihr tief im Herzen ein bisschen weh, dass sie ihn hatte anlügen müssen.

24

Das Grundstück machte wirklich einen äußerst verlassenen Eindruck. Die Natur hatte sich einen Großteil des weitläufigen Geländes zurückerobert. Die asphaltierten Flächen waren aufgeplatzt und von Unkraut und Gestrüpp überwuchert. Die gepflasterte Zufahrtstraße war kaum mehr als solche zu erkennen, weil Disteln und Taubnesseln in den Furchen wurzelten. Auf den Flachdächern der weniger hohen Gebäude hatten sogar Birkensamen Nahrung gefunden und waren dabei, mit ihren Wurzeln das Mauerwerk zu sprengen. Während Bernhard Lücke langsam an den stählernen, stark verrosteten Konstruktionen entlangging, auf denen die turmhoch aufragenden Silos ruhten, hatte er seine Walther wieder in die Hand genommen. Seit gefühlten zehn oder zwölf Jahren hatte er damit im Einsatz keinen Schuss mehr abgegeben. Und seit im Mai das Bau- und Liegenschaftsamt NRW die Schießanlage wegen Baumängeln geschlossen hatte, wurde bei der Essener Polizei überhaupt nicht mehr geschossen. Auch in diesem Fall hatte wohl die schwarze Null aus Berlin wieder einmal bis in den tiefen Westen gewirkt. Auch hier im Land waren ja jetzt wieder die Schwarzen an der Regierung.

Lücke war es ganz recht, dass das Problem mit der Schießanlage noch immer nicht gelöst war. Er hatte das Schießtraining ohnehin nie leiden können und sich meistens, soweit möglich, davor gedrückt. Es gab durchaus Leute in der Truppe, die das anders sahen. Solche, die mit Leidenschaft auf den Pappkameraden im Schießstand zielten und mit Vergnügen abdrückten. Wenn man den Sprüchen glauben konnte, die man dort von manchen Kollegen aufschnappte, dann betrachteten nicht wenige die Ballerei als eine Art Wehrsportübung.

Hinter einem langgezogenen Ziegelsteinbau, der erst ab einer Höhe von etwa fünf Metern über schmale hohe Fenster verfügte, deren Scheiben weitestgehend zerstört waren, entdeckte Lücke einen maroden Radlader. Die ehemals gelbe Lackierung war nur noch zu erahnen, und seinen Namen verdiente das Gefährt schon allein auf Grund der Tatsache nicht mehr, dass er über keine Räder mehr verfügte. Er ruhte bis zur halben Höhe der Fahrertür in einem Nest aus Ginstergestrüpp und Brennnesseln. Dahinter ragte ein rundgemauerter Kamin empor, der durch fehlende Steine, die schwarze Löcher hinterlassen hatten, den Eindruck erweckte, als stünde er in einem Kriegsgebiet. Lücke fand, dass das Ding akut einsturzgefährdet aussah. Er nahm sich vor, schnellstmöglich der Baubehörde einen Tipp zu geben, bevor hier noch irgendwann spielende Kinder zu Schaden kamen. In einigen Metern Abstand zum Turm stand ein Gebäude, das mindestens die Höhe eines dreistöckigen Mehrfamilienhauses hatte. Es warf seinen Schatten über ein großes Areal, der in der Hitze einladend wirkte. An der Außenseite der Halle war eine Feuertreppe montiert, die sich im Zickzack bis nach oben erstreckte. Am unteren Ende der Feuertreppe führte ein Eisengeländer nach unten, das sich im grasbewachsenen Boden verlor. Offenbar führte hier eine Eisentreppe hinunter zu einem Kellergeschoss. Der Treppenschacht war allerdings verschüttet und von Unkraut überwuchert.

Lücke rüttelte an den Eisentüren des Gebäudes. Diese waren aber verschlossen und ganz offenbar seit langer Zeit nicht geöffnet worden. Bei einem anderen Gebäude, einem langen Flachbau, ließ sich eine Tür öffnen, wenn auch schwergängig und mit lautem Kreischen. Der Kommissar ging hinein und schreckte damit ein paar Tauben auf, die flatternd durch verschiedene Fenster ins Freie flüchteten. Grobes Granulat aus herabgefallenem Putz von der Decke knirschte unter seinen Schuhen. Ärgerlich stellte er fest, dass seine Füße in den Schuhen angeschwollen waren. Bei dem heißen Wetter passierte ihm das immer wieder. Was für eine Wohltat würde es sein, die Schuhe nach Dienstschluss abzustreifen und die Füße in einen Eimer mit kaltem Wasser zu stellen.

Die Halle war bis auf ein paar Metallgestelle, deren Zweck Lücke nicht klar war, leergeräumt. Er verließ das Gebäude durch eine andere Tür in der gegenüberliegenden Wand und inspizierte noch ein paar andere Räumlichkeiten. Einige waren frei zugänglich, andere verschlossen. Aber in den verschlossenen konnte sich niemand versteckt haben, denn es war klar erkennbar, dass sie nicht von innen verriegelt waren. Ohnehin war er jetzt fast sicher, dass die Gesuchten ganz woanders abgetaucht waren, und dass die Spur mit dem Stadtplan sich als Sackgasse erweisen würde. Wenn es den Flüchtenden gelungen war die Stadt zu verlassen, konnten sie ohnehin schon über alle Berge sein.

Sollte die Ketteler doch ihr Gift verspritzen, wie sie wollte. Er hatte schon andere unangenehme Situationen überstanden. Nicht auszudenken, wenn er in diesem verlassenen Niemandsland mit einem SEK aufgeschlagen wäre und die Kollegen völlig umsonst in ihre Helme und Sturmhauben geschwitzt hätten. Das wäre eine Blamage gewesen.

Er würde nachhause fahren und die Füße

hochlegen. Früher hätte er es sich mit einem kühlen Bier vor dem Fernseher gemütlich gemacht. Hanne hätte ihm vielleicht mit einem feuchten Tuch die Stirn gekühlt und ihm dabei einen Kuss gegeben. „Verschwende deine Energie nicht an Dinge, die du nicht ändern kannst“, hätte sie gesagt. „Und ärgere dich nicht über Leute, die dir das Leben schwer machen wollen. Wenn du dich ärgerst, haben sie ihr Ziel erreicht. Dafür ist das Leben zu kurz.“

Wie kurz das Leben mitunter sein konnte, hatte Hanne bitter erfahren müssen. Allerdings hatten alle beteiligten Rettungskräfte heilige Eide geschworen, dass sie nicht hat leiden müssen und gleich nach dem Unfall ohne Bewusstsein gewesen sein musste.

Hanne, der Fernseher und ein kühles Bier. Davon war ihm nur der Fernseher geblieben. Eine kalte Limonade würde es auch tun. Obwohl es nicht dasselbe war. Ganz und gar nicht!

Mehr als einmal hatte er mit dem Gedanken gespielt, Hauptkommissarin Ketteler mit dem massiven Locher, den sie an einer Ecke ihres Schreibtisches stehen hatte, den Schädel einzuschlagen. Hanne hätte ihm sicher davon abgeraten, und auch bei ihm war die Vernunft zu sehr Motor seines Handelns, um für so einen Schandfleck der Gesellschaft für den Rest seiner Jahre in den Bau zu wandern. Obwohl er der Welt und vielen seiner Kollegen damit sicher einen Dienst erwiesen hätte.

Einmal mehr musste er an die Frau in dem Bungalow denken. Leonie Breuning hieß sie, das hatte er nicht vergessen. Leonie. Als sie ihm die Tür geöffnet hatte, war er für die Dauer eines Augenblicks davon überzeugt gewesen, Hanne vor sich zu haben. Hanne, wie sie zuletzt ausgesehen hatte, bevor sie vor jetzt fünf Jahren das Pech gehabt hatte, im letzten Auto am Stauende zu sitzen, bevor der ungarische Laster beinahe ungebremst in sie hineingekracht war. Im Polo ihrer Kollegin, mit der sie eine Fahrgemeinschaft von und zur Arbeit gebildet hatte. Beide Frauen waren noch während der Bemühungen der Rettungskräfte, sie zu bergen, am Unfallort gestorben. Der Laster hatte den Kleinwagen wie einen Keil unter den vor ihnen stehenden Möbelwagen gerammt.

Leonie Breuning sah Hanne wahrscheinlich nur ein kleines Bisschen ähnlich, der Rest mochte seiner Einbildung entspringen. Das Problem war, dass Lücke sich fast gar nicht mehr an Hannes Gesicht erinnern konnte, so wie es zuletzt ausgesehen hatte, kurz vor ihrem Unfall. Das Hochzeitsfoto, das im Schlafzimmer auf seinem Nachttisch stand, war über zwanzig Jahre alt und so war Hanne im Laufe der letzten Jahre für ihn wieder zu der jungen Frau geworden, als die er sie kennengelernt hatte. Leonie Breuning hatte das reale, das aktuelle Bild von Hanne wieder zum Leben erweckt. Und das hob gleichzeitig altes Leid wieder aus der Versenkung empor, welches längst dabei gewesen war, in der Zeit zu verschwimmen, die angeblich alle Wunden heilt.

Der Kommissar hatte von seinem Standort aus schon wieder Blickkontakt zu Leonie Breunings Wohnhaus und den Gewächshäusern. Zu seiner Rechten erstreckte sich ein kleinerer Flachbau aus Backsteinen, vor dem ein paar alte Gitterboxpaletten den Zahn der Zeit erduldeten, der schon stark an ihnen genagt hatte. Die Eisentür war wohl einmal grün lackiert gewesen, die Farbe war jedoch weitgehend abgeblättert. Lücke näherte sich der Tür. Obwohl sie massiv war, trug sie einige Beulen. Der primitive Riegel war durch ein großes Vorhängeschloss gesichert. Das Schloss sah erstaunlich neu aus. Obwohl er inzwischen davon überzeugt war, dass er hier keine Räuber finden würde, scheute er davor zurück, das Schloss zu berühren. Das Bestreben, potenzielle Tatorte nicht mit eigener DNS zu kontaminieren, war durch die Jahrzehnte der Polizeiarbeit so fest in seinen Genen verankert, dass er sich schon zuhause manchmal dabei ertappte, wie er die Kühlschranktür mit dem Ellenbogen schloss. Für einen kurzen Moment fiel sein Blick auf den schmalen Spalt zwischen Eisentür und Mauer, der nicht mehr zeigte, als schwarze Dunkelheit im Inneren.

Sie ist nett, sagte Hanne lautlos in Bernhards Kopf, und ihre Stimme war so vertraut wie am Morgen ihres letzten Tages, als sie sich von ihm verabschiedete. *Du findest sie nett. Und sie ist auch allein, wie du. Ich weiß doch, dass du ohne Frau nicht klarkommst, du oller Brummbär. Du wirst ja schon langsam wunderlich.*

Lücke griff sich an die Stirn. Er war es gewohnt, Hannes Stimme in bestimmten Momenten zu hören. In Momenten in denen sie etwas zu sagen hatte. Wenn es ihr wichtig schien. So gesehen wurde er wirklich schon wunderlich. Er schob die Walther P99 wieder in seinen Hosenbund oberhalb der rechten Arschbacke und ging entschlossen durch das hohe, verdorrte Gras hinüber zum Bungalow.

25

Es war gegen zehn Uhr am Morgen, als Valerie Bensheim in ihrem Z4 mit zwei neuen Sommerreifen, die man den Vorderrädern aufgezogen hatte, das Gelände der Werkstatt verließ. Es war schon jetzt wieder ziemlich warm und die Männer in der Werkstatt hatten schon sehr geschwitzt. Die eindeutigen Blicke, mit denen sie versucht hatten, den Stoff ihres T-Shirts zu durchdringen und die Konturen ihrer Beine vom Saum des leichten Sommerrocks an aufwärts nachzuzeichnen, waren belustigend gewesen und hatten sie in eine fröhliche Stimmung versetzt. Obwohl der Berufsverkehr am späten Montagmorgen schon im Abklingen war, waren die Straßen doch noch ganz schön voll.

Valerie wiederstand der Versuchung, in Rüttenscheid gleich auf die A52 aufzufahren und sich auf den Heimweg zu machen und entschloss sich, noch einmal kurz bei Leonie vorbeizuschauen. Ein Geschenk hatte sie nicht besorgt. Ihr war nichts Passendes eingefallen und außerdem hatte auch die Zeit gefehlt.

Der Abend mit Harry, mit dem sie gestern noch

einige interessante Locations an der Rüttenscheider Straße besucht hatte, war doch länger geworden, als geplant. Obwohl sie gestern Abend das Gefühl gehabt hatte, es würde Harry stören, dass hier niemand Mirco Sommer erkannte, waren beide gut drauf gewesen. Aber außer freundschaftlichen Küsschen lief bei beiden nichts.

Als Valerie morgens gegen sieben Uhr mit dem Taxi das Hotel verlassen hatte, schlummerte Harry mit an Sicherheit grenzender Wahrscheinlichkeit noch in den Kissen. Er pflegte nach Auftritten nie vor Mittag aufzustehen. Sein Auftritt in Essen war der letzte einer kleinen Tournee gewesen.

Im ARD-Frühstücksfernsehen hatte Valerie noch im Hotelzimmer beim Zähneputzen einen kurzen Beitrag über den Mord an einer Essener Kiezgröße verfolgt. Der Betreiber mehrerer Nachtclubs war in einer zweitklassigen Herberge tot aufgefunden worden. Es wurde ein Archivfoto von Günther Krapp eingeblendet, auf dem er hollywoodreif lächelte. Den oder die Täter hatte die Polizei noch nicht ermitteln können, man vermutete jedoch einen Milieumord. Danach war es ums Wetter und die anhaltende Trockenheit gegangen.

Valerie hatte sich wie gewohnt ein leichtes Kopftuch aus Seide umgebunden und fuhr mit offenem Verdeck über die gewundene, schlecht gepflegte Straße zu Leonies Gärtnerei. Als sie den Parkplatz erreichte und auf den staubigen Ascheplatz fuhr, rief das rostige Firmenschild ihr Leonies Nachnamen in Erinnerung. Während das Verdeck sich summend über ihrem Kopf entfaltete, überlegte sie kurz, ob es nicht sinnvoller wäre, gleich weiterzufahren. Die Frau war schließlich ziemlich skurril, gelinde gesagt, und würde sich wahrscheinlich wundern, warum sie noch einmal hier auftauchte.

Dann stieg sie aus dem Wagen und schaute auf die Straße, wo sie sich den Plattfuß eingefangen hatte. Als sie sich dem Eingang des verglasten Verkaufsraumes näherte, kam ihr der Gedanke, dass das Geschäft um diese Zeit geöffnet sein müsste. Sie zog am Griff der Glastür, die sich leicht öffnen ließ, und trat ein. Ein schwülheißes Klima hüllte sie ein, gegen das die Luft draußen eine Wohltat war. Sie spazierte ein paar Schritte zwischen Tischen mit Orchideen und Kakteen hindurch. Da sie keinen Menschen sah, verließ sie das Gebäude wieder und ging außen herum auf den Bungalow zu. Außer ein paar Grillen, die im trockenen hohen Gras zirpten, war es totenstill. Sie dachte für einen Moment an einen Sommerurlaub auf Ibiza, als sie mit einer Freundin einen Ausflug ins Hinterland gemacht hatte. Die mediterrane Hitze hatte sich schwer über das trockene Land gelegt, aber durch den leichten Wind, der ständig vom Meer herüberwehte, war es dort damals angenehmer gewesen als hier.

Leonie Breuning schien sich ehrlich zu freuen, als sie Valerie die Haustür öffnete.

„Hallo!“, rief sie aufgeräumt und irgendwie wirkte sie positiver, sogar jünger als vor zwei Tagen.

„Hallo, Leonie, ich wollte nicht stören. Nur kurz noch mal danke sagen, dass du mir am Samstag geholfen hast. Es hat alles geklappt mit der Werkstatt und mit dem Konzert in Essen. Also noch mal ein dickes Dankeschön.“

„Komm rein, komm rein“, forderte Leonie die Jüngere auf und machte einen Schritt zurück in den Hausflur, „für einen Kaffee hast du doch sicher noch Zeit. Valerie, richtig, oder?“

„Ja“, antwortete die Angesprochene und nickte. „Na gut, ein Kaffee geht schon, gerne.“

Sie ging zusammen mit Leonie durch den Flur in die Küche. Ihr Blick fiel automatisch auf die Wolldecke, die in gewohnter Weise auf der Sitzbank drapiert war und der Gedanke, dass diese Frau ein dunkles Geheimnis verbarg, trat erneut in den Vordergrund.

„Musst du nicht im Geschäft sein?“, fragte sie. „Ich meine, es ist doch geöffnet.“

„Ja“, antwortete die Angesprochene, „es ist geöffnet. Aber es kommt ja doch nie ein Kunde.“

„Du musst doch heute noch bis nach Hamburg, oder?“, warf Leonie als rhetorische Frage in den Raum, „das ist doch ein weiter Weg. Hast du schon gefrühstückt?“

„Klar, hab ich, im Hotel. Und zwar ausgiebig.“ Valerie lächelte, und Leonie lächelte zurück. Es war ein offenes Lächeln, und Valerie merkte ein weiteres Mal, dass sie die Gärtnerin mochte.

„Okay“, sagte diese, „ich mach dann mal schnell Kaffee. Setz dich, aber nicht auf ...“

„Nicht auf Gerds Platz. Ist doch klar“, unterbrach Valerie.

Leonie, die auf dem Weg zur Küchenspüle war, drehte sich kurz um und sah Valerie für drei Sekunden nachdenklich an. Dann wandte sie sich der Kaffeemaschine zu.

„Wann kommt dein Gerd denn eigentlich zurück?“, fragte Valerie beiläufig.

Ihre Gastgeberin kam noch einmal mit der leeren Glaskanne in der Hand zum Tisch, an den sich Valerie gesetzt hatte.

„Dir kann ich es ja sagen, ist auch schon egal“, begann sie, und Valerie horchte auf, ohne es sich anmerken zu lassen. Der große eingetrocknete Blutfleck unter der Wolldecke war ihr gut in Erinnerung geblieben.

„Der kommt wohl nicht mehr. Der ist abgehauen, verstehst du? Wir haben uns getrennt.“

„Aha.“

„Der ist schon Monate weg. Warum soll ich das noch verheimlichen? Eigentlich bin ich auch ganz froh darüber. Dem Kommissar hab ich`s auch gesagt.“

„Kommissar?“ Valerie war jetzt wirklich überrascht. Leonies letztes Wort war ihr in die Glieder gefahren wie kalter Stahl. Sie brauchte ein paar Sekunden, um ihre Mimik wieder in den Griff zu bekommen.

„Ja, gestern war hier ein Kripomann. Ein sehr netter übrigens. Der hat hier nach Bankräubern gesucht.“

„Bankräuber?“ Valerie kam sich ein bisschen wie ein Papagei vor. Sie war sich so gut wie sicher, dass diese Frau eine sprichwörtliche Leiche im Keller hatte, vielleicht sogar eine ganz reale, aber hatten wir das nicht alle? Sie selbst jedenfalls hatte mehr als eine, und zwar in diversen Kellern. Manche Dinge konnte man im Leben nicht vermeiden, ohne selbst Schaden zu nehmen.

„Und, hat er welche gefunden? Bankräuber?“, fragte sie. Die Tatsache, dass der erwähnte Polizist nach Bankräubern suchte, beruhigte sie ein bisschen. Das hatte zumindest nichts mit ihr und Günther Krapp zu tun. Und mit Leonie sicher auch nicht. Leichen mussten in ihren Kellern bleiben. Das war ein Naturgesetz. Wenn man das nicht beachtete, führte es zu Unannehmlichkeiten.

„Nein, natürlich nicht. Das war wohl eine falsche Fährte“, sagte Leonie, „aber der Kommissar ist sehr nett. Er war sehr besorgt. Machte sich Gedanken darüber, dass ich hier alleine lebe. Ich soll die Augen offenhalten und möglichst nicht aus dem Haus gehen, bis sie die Kerle geschnappt haben. Ach, ich rede und rede. Ich kümmere mich jetzt mal um den Kaffee, okay?“

Leonie ging wieder zur Spüle und ließ Wasser in die Glaskanne laufen. Sie trug trotz der Hitze einen langärmeligen Pulli und eine schwarze Jeans. Ihr Hintern wirkte darin besonders ausgeprägt.

„Siehst du ihn wieder?“, fragte Valerie und grinste

verschmitzt.

„Den Kommissar? Vielleicht, er hat gesagt, es könnte sein, dass er sich in den nächsten Tagen noch mal meldet. Hat mir seine Karte hiergelassen. Ich soll ihn jederzeit anrufen, wenn ich irgendwas beobachte. *Jederzeit* hat er extra betont."

Leonie drehte sich zu Valerie um und lächelte. Valerie fand, dass sie um Jahre jünger aussah, wenn sie lächelte. *Gott, wie süß*, dachte sie, *die hat sich verliebt*. Das ging also auch noch in diesem Alter. Hoffentlich wurde sie nicht enttäuscht. Verlieben, das war etwas, was ihr selbst ganz sicher nicht mehr passieren würde. In ihr war irgendetwas zerbrochen, damals bei der Sache mit Sebastian. Das war nur das i-Tüpfelchen gewesen, der berühmte Tropfen, der das Fass zum Überlaufen bringt. Das hatte das Kapitel Männer geschlossen und nachhaltig versiegelt. Das hatte damit auch einen Schussstrich unter das Thema Familienplanung gezogen.

„Pass bloß auf", sagte sie ernst, „dass du nicht an den Falschen gerätst. Die Tatsache, dass er Polizeibeamter ist, schließt nicht aus, dass er ein Arsch ist. Die Männer …"

„Ich kenne die Männer", unterbrach Leonie sie, „du brauchst mir nichts über die Männer zu erzählen.

Ich pass schon auf. Dieser hier ist so … so normal, verstehst du? Wie soll ich das erklären? Der spielt keine Rolle, sagt was er meint, redet nicht um den heißen Brei herum. Bernhard ist auch Witwer, weißt du? Seine Frau hatte einen Unfall. Er hat sie sehr geliebt. Und sie hat mir ähnlichgesehen.“ Leonie sah so aus, als versuche sie, ein Lächeln zu unterdrücken, was ihr nicht gelingen wollte. Ihre Augen leuchteten von innen heraus.

Die Kaffeemaschine röchelte inzwischen beruhigend vor sich hin.

Valerie konnte ihre Überraschung nicht verbergen. „DAS hat er dir erzählt, der Kommissar?“, fragte sie erstaunt. Ihr war nicht nur aufgefallen, dass Leonie den Polizisten Bernhard genannt hatte, sondern auch, dass sie gesagt hatte, er sei *auch* Witwer. Wer, zum Teufel, war denn noch Witwer? Oder Witwe? Die Leiche in Leonies Keller wurde immer realer. Dabei war sie trotz ihrer reifen Jahre so naiv wie ein junges Mädchen, und sie trug ihr Herz offen auf der Zunge. Wenn sie so einen Fehler in Gegenwart eines Polizisten machte, würde der sie in die Mangel nehmen, soviel war klar.

„Ja, er hat mir noch viel mehr erzählt. Er war gestern noch sehr lange hier, nachdem er sich das Fabrikgelände angeschaut hat. Eigentlich ein sehr feinsinniger Mensch für einen Polizisten. Er liebt die Oper. Und das Theater. War früher mit seiner verstorbenen Frau oft im Grillo-Theater. Das vermisst er. Allein hat er keine Lust auszugehen. Und er hat eine böse Vorgesetzte, die ihm sehr zusetzt. Wo er doch eigentlich so sensibel ist. Die verdirbt ihm die ganze Freude an seiner Arbeit. Und verhindert seine Beförderung, die schon lange fällig gewesen wäre."

Valerie war für einen Moment sprachlos. „Und hat er in der Fabrik irgendwas gefunden?", fragte sie dann.

„Nein, was soll er da finden?" Leonie blickte sie erschrocken an.

„Na, Bankräuber."

„Ach so, nein. Keine Bankräuber, natürlich nicht."

Valerie schwieg bis Leonie mit zwei Kaffeetassen an den Tisch kam und sich zu ihr setzte. Dann blickte sie ihr lange in die Augen und sagte leise: „Leonie, du solltest eines wissen. Du kannst mir vertrauen. Absolut. Ich kann dir helfen."

„Wieso helfen? Was meinst du? Ich brauche keine Hilfe."

„Ach so? Er wird dir draufkommen, der Kommissar, Leonie. Und zwar sehr bald. Er wird wiederkommen. Er oder andere Polizisten."

Valerie nahm etwas in Leonies Augenhintergrund wahr. Es war ein Lodern, dass den Eindruck erweckte, als würden die elektrischen Impulse ihrer Hirnaktivität durch die Netzhäute nach außen schimmern. Leonies Augen verrieten einen Zustand irgendwo zwischen Angst und kalter Entschlossenheit.

„Leonie", sagte Valerie völlig ruhig und ohne erkennbare Emotion. Beide blickten sich an, ohne zu blinzeln. „Du wirst neue Küchenmöbel brauchen."

Valerie rückte ihren Stuhl vom Tisch ab und stand auf. Langsam ging sie um den Tisch herum. Aus den Augenwinkeln sah sie, dass Leonie ihre Finger um die Zuckerdose aus Steingut gelegt hatte und sie derart zusammenpresste, dass sie befürchtete, sie müsse jeden Moment zerplatzen. So, als wäre sie der Griff einer Waffe. Valerie ergriff die bunte Wolldecke auf der Sitzbank an ihrem unteren Ende und hob sie mit einem Ruck hoch.

26

Als Bernhard Lücke auf dem Nachttisch nach seinem Handy tastete und die Uhrzeit ablas, war es fast fünf Uhr morgens. Vielstimmiges Vogelgezwitscher drang durch das halbgeöffnete Fenster, so ambitioniert und so intensiv, wie man es nur in der ersten Ahnung der Morgendämmerung zu hören bekommt.

Die Erinnerung an den vergangenen Besuch bei Leonie Breuning hatte ihn ganz plötzlich aus dem Schlaf gerissen und den wirren Traum, in dem sowohl Hauptkommissarin Ketteler als auch zwei Bankräuber mit roten Wollmützen eine Rolle gespielt hatten, ins Land des Vergessens verdrängt. Das jähe Erwachen war deutlich spürbar von seiner gefüllten Blase unterstützt worden. Das Bild in seinem Kopf ließ ihn über den Parkplatz vor der Gärtnerei schweben. Er sah den alten Turnschuh hinter dem Gebüsch an der Straße liegen und blickte Sekundenbruchteile später auf eine demolierte Vespa auf der Rückseite der Verkaufshalle. Es war eine hellblaue Vespa ET älteren Baujahrs. Er hatte sie am Vortag gesehen und mehrere Zeugen des Bankraubes hatten von einer blauen Vespa gesprochen, mit dem die Täter sich davongemacht hatten.

Während Lücke seine Füße in die Adiletten schob, die neben seinem Bett auf ihn warteten, dachte er darüber nach, wieso ihm dieser Zusammenhang nicht schon gestern aufgefallen war. Zu sehr hatte er sich offenbar mit dem Gedanken beschäftigt, auf dem Gelände der Gärtnerei mit bewaffneten Räubern zusammenzutreffen.

Er klappte den Klodeckel hoch und ließ den Morgenurin, nicht ganz ohne eine winzige Spur von schlechtem Gewissen Hanne gegenüber, stehend in die Keramik laufen.

Aber natürlich waren die Bankräuber in der Gärtnerei gewesen. Vielleicht waren sie noch immer irgendwo dort. Vielleicht versteckte Leonie Breuning sie auch ganz bewusst. Vielleicht machte sie mit ihnen gemeinsame Sache. Ganz sicher jedenfalls hatten sie einen Unfall gehabt, so wie die Vespa ausgesehen hatte. Und möglicherweise waren sie verletzt.

Ach Gott, Bernie, du und deine Menschenkenntnis. Hannes Stimme in seinem Kopf war so real wie die Klospülung. *Sie ist eine gute Frau, das weißt du so gut wie ich.*

Lücke wusch sich die Hände und schaufelte sich kühles Wasser in das verschwitzte Gesicht. Es hatte sich auch in dieser Nacht nicht richtig abgekühlt und wenn die Sonne sich erst über die Baumkronen erhob, würde es so heiß wie an den Vortagen werden.

Natürlich war sie eine gute Frau und er hatte gestern Abend vor dem Einschlafen lange über sie nachgedacht. Lücke war aber auch Realist. Dass er ein merkwürdiger Kauz geworden war im Laufe der Jahre, das wusste er selbst. Und dass er noch mal eine Frau kennenlernen könnte, so richtig kennenlernen mit allem Drum und Dran, fand er nicht sehr realistisch. Dazu hatte er zu viele Marotten angehäuft und Leonie Breuning kam ihm auch alles andere als unkompliziert vor mit ihrem nicht vorhandenen Ehemann, der zuerst verreist war und nun getrennt von ihr lebte.

Der Kommissar ging zurück ins Schlafzimmer und legte sich noch einmal auf die Bettdecke. Es war sehr früher Morgen und er war hellwach. Aber um diese Zeit konnte er die Frau nicht behelligen. Ganz sicher brauchte sie ihren Schlaf, bei der ganzen Arbeit, die sie in der Gärtnerei hatte.

Ein erfrischender Luftzug wehte durchs Fenster und blähte die cremefarbenen Gardinen, die Hanne noch ausgesucht hatte, nach innen. Fünf Minuten später war Lücke eingeschlafen. Um 6.30 Uhr weckte ihn sein Handy mit dem sinnlosen Gedudel, das es jeden Morgen von sich gab.

Als erstes betrat er seine Dusche und genoss das lauwarme Wasser auf der Haut. Seit er davon gehört hatte, dass häufiges Duschen nicht gut für die Haut ist, benutzte er normalerweise nur jeden zweiten Tag sein Duschgel. Aber nicht im Hochsommer. Bei dieser Hitze würde er sich sonst bald selbst nicht mehr riechen wollen. Schon gar nicht wollte er Leonie Breuning nach Schweiß riechend gegenübertreten.

Schon während er sich mit dem Badetuch abtrocknete, merkte Lücke, dass ihm erster frischer Morgenschweiß ausbrach. Gegen sieben Uhr schlürfte er einen schwarzen Kaffee. Dann entnahm er seinem Kühlschrank zwei frische Päckchen Toffifee, eine Wasserflasche und ein paar Kühlakkus. Alles zusammen verstaute er in der Kühltasche. Während er im Stehen einen Toast mit Marmelade aß, überlegte er, ob es sinnvoll wäre, zuerst im Präsidium vorbeizufahren. Leider hatte er in seinem aktuellen Fall noch immer keine greifbaren Ergebnisse vorzuweisen. Das war äußerst unangenehm, sollte er seiner Chefin in die Arme laufen. Trotzdem kam er zu dem Entschluss, dass er auf dem Kommissariat Präsenz zeigen musste, um nicht völlig zum Außenseiter zu werden. Die Kollegen hatten in letzter Zeit damit begonnen, sich mehr und mehr von ihm abzuwenden und sich der dunklen Seite anzunähern. Schließlich war ihnen sowohl das eigene Hemd als auch die eigene Karriere näher als die Jacke und die Solidarität einem altgedienten Kollegen gegenüber. Und angesichts des Regiments, das Hauptkommissarin Ketteler führte, waren die meisten Beamten im Kommissariat heilfroh, nicht selbst im Fadenkreuz zu stehen. Da war Oberkommissar Bernhard Lücke als Blitzableiter hochwillkommen.

„Morgen, Herr Lücke!“, rief ihm Frau Zimbel zu, die ältere Nachbarin aus dem Stockwerk über ihm, als er die Wohnungstür hinter sich abschloss.

„Morgen, Frau Zimbel!“ Er wunderte sich nicht zum ersten Mal darüber, dass die Frau, die seit ein paar Jahren Witwe war, sich offenbar immer dann im Hausflur aufhielt, wenn er vor die Tür trat. Und er wunderte sich nicht minder über die Tatsache, dass es morgens um kurz vor halb acht im Flur schon nach Knoblauch roch.

Während er die Straße überquerte, blickte Lücke missmutig hoch zur Sonne, die ihr Licht flimmernd durch das Blattwerk der Buche auf der anderen Straßenseite schickte. Eben noch hatte er durch das Küchenfenster am Horizont dunkle Wolken aufziehen sehen, die es sich aber scheinbar schon wieder anders überlegt hatten und in östlicher Richtung abgezogen waren.

Lücke machte sich also als erstes in Richtung Büscherstraße auf den Weg.

Auf den staubigen Parkplatz vor der Gärtnerei Breuning rollte sein Passat an diesem Montagmorgen erst um Viertel vor elf. Zu seiner Überraschung stand dort bereits ein anderes Fahrzeug. Ein ziemlich neuer BMW Z4 mit geschlossenem Verdeck. Es verirrten sich also doch noch gelegentlich Kunden hierher.

Lücke stieg aus. Es war schon wieder brütend warm. Die Strahlung der Sonne wurde von der grauen Asche des Parkplatzes zurückgeworfen und verstärkt. Im Gebüsch lag noch immer der Turnschuh. Der Kommissar rührte ihn nicht an, ging aber ächzend in die Knie und besah ihn sich aus der Nähe. Es handelte sich um ein billiges Exemplar vom Discounter in dunkelblau mit einer schmuddeligen, abgetretenen Sohle, die früher wahrscheinlich einmal weiß gewesen war, vielleicht Größe 44 oder 45. Als er wieder hochkam, verzog er schmerzhaft das Gesicht. Er ging zum Eingang der Gärtnerei und spähte durch die Scheiben, konnte aber drinnen niemanden sehen. Dann ging er zügig außen um das Gebäude herum. Die demolierte Vespa stand noch immer ohne Vorderrad an die Rückwand gelehnt im hohen Gras. Das Gras selbst war rundherum niedergetreten, als wäre das Gefährt erst vor kurzem hier deponiert worden. Die Lenksäule war gebrochen, der Scheinwerfer hing lose an einem Kabel und aus dem Tank war Benzin ausgelaufen. Dann fiel sein Blick auf das Auspuffrohr, das stark verbogen war. Auf dem matten Chrom, das im Laufe der Jahre seinen Glanz völlig eingebüßt hatte, war eine dünne eingetrocknete Blutspur erkennbar, die wie ein blassbrauner Ring um das Rohr herum verlief. Die konnte Tage, aber auch Monate alt sein.

Das ist Maschinenöl, du Dummerchen. Natürlich war es das. Hanne hatte in solchen Dingen immer ein gutes Gespür gehabt. Der Kommissar dachte an Leonie, sah sie vor sich mit ihrem rosigen Gesicht, der etwas wirren Frisur und einem nachsichtigen Lächeln, mit Augen, die klug und warm waren, aber gleichzeitig das naive Vertrauen eines Kindes ausdrückten. Lücke schüttelte unwillig den Kopf, als er sich dabei ertappte, in Gedanken den Namen Leonie zu formen, dessen unhörbarer Klang, der dabei in seinem Hirn entstand, ihm gefiel. Das war jetzt weder die Zeit noch der Ort für Alterssentimentalitäten.

Misstrauisch blickte er hinüber zur Zementfabrik mit ihren vielen Gebäuden, Winkeln und potenziellen Verstecken. Ihm fiel ein, dass er seine Waffe im Auto gelassen hatte. Zügig ging er hinüber zur Haustür des Bungalows und klingelte. Als sich die Tür öffnete und er in das überraschte Gesicht der Frau blickte, deren Augen bei seinem Anblick zu leuchten schienen, wusste er, dass Leonie ganz bestimmt nichts mit den Bankräubern zu tun hatte.

„Herr Kommissar … Bernhard", korrigierte sie sich, „kommen sie doch rein. Kann ich ihnen helfen?"

Lücke trat sich verlegen die Schuhe auf der Fußmatte ab und folgte ihr durch den Hausflur.

„Ich hab Besuch, eine Freundin aus Hamburg."

Als er die Küche betrat, war er für einen Moment irritiert, der ihm länger vorkam, als er wirklich war. Eine Frau saß dort auf einem der Stühle, die man nicht alle Tage sieht. Und an diesem Ort hatte er so etwas ganz bestimmt nicht erwartet. Die langen, dunklen Haare hatte die Frau, die Mitte Dreißig sein mochte, zu einem Pferdeschwanz gebunden und die dunklen Katzenaugen über hohen Wangenknochen wirkten magnetisch, obwohl ihre Miene ihm das Gefühl vermittelte, als gehöre er einer niederen Kaste an. Die Figur und die kerzengerade Haltung erinnerte an das Titelbild eines Hochglanzmagazins, und die Klamotten, in denen dieses Model steckte, waren ganz sicher nicht von C&A. Lücke schätzte, dass allein für das lachsfarbene Top und den feingemusterten Rock aus leicht fließenden Material, der von den grazil übereinander geschlagenen Beinen nur eine Kniescheibe freigab, sein halbes Monatsgehalt draufgehen würde.

„Das ist Valerie", sagte Leonie lächelnd, und sie schien stolz auf ihre schöne Freundin zu sein. Obwohl diese Valerie sehr nahe an der Perfektion war, gehörte sie nicht zu den Frauen, die auf Männer wie ihn eine erotische Anziehung ausübten. Er betrachtete sie eher auf eine Art, wie man zwei süße Kinder im Sandkasten, ein teures Gemälde oder einen schnittigen Sportwagen betrachtet. Man bewundert sie, aber man will sie nicht heiraten und mit ihnen alt werden. Hanne hatte das nie verstanden und ihn manches Mal böse angeschaut, wenn er auf der Straße einem schönen Mädchen nachgeschaut hatte.

„Oh je! Jetzt weiß ich gar nicht den Nachnamen", bedauerte Leonie.

„Valerie Bensheim", stellte sich die Dame vor und hielt Lücke huldvoll die Hand hin. Sie lächelte spröde.

„Lücke, Oberkommissar Lücke." Er ergriff die angebotene Hand und drückte sie nicht zu fest, aus Angst, er könne etwas beschädigen.

„Herr Lücke", sagte die Dame. Ihre Stimme klang

warm und melodisch, und rundete damit das Gesamtbild ab. „Leonie hat schon viel von ihnen erzählt. Freut mich, sie kennenzulernen.“ Sie wirkte jetzt freundlicher und offener als noch vor einer halben Minute. Die Beine hatte sie jetzt nebeneinandergestellt und sich leicht nach vorn gebeugt, was Lücke eine neue Perspektive auf ihre Brüste offenbarte, die sich unter dem Top abzeichneten. Der Kommissar wandte sich Leonie zu.

„Hoffentlich nur Gutes“, sagte er mit einem freundlichen Lächeln. Beide Frauen lächelten zurück. Valerie fragte: „Ich hoffe, sie haben ihre Bankräuber gefangen, Herr Kommissar?“

„Leider nein. Ich fürchte, wenn sie wirklich hier in der Nähe waren, sind sie längst wieder verschwunden. Aber, Leonie, ich hätte eigentlich noch Fragen an sie. Kann ich sie für ein paar Minuten allein sprechen?“

„Ich muss sowieso langsam los“, sagte Valerie und stand auf, „ich lass euch mal allein.“ Fast wäre ihr das Wort Turteltäubchen herausgerutscht.

„Nein, bleib doch noch“, warf Leonie ein, „wir können ruhig reden, Bernhard. Ich hab keine Geheimnisse vor meiner Freundin.“ Sie sah Valerie vielsagend an.

„Wir sehen uns sicher noch“, sagte Valerie und

drückte Leonie lange die Hand, „also tschüss ihr zwei.“ Sie zwinkerte Bernhard fast unmerklich zu und zog Leonie an der Hand in den Hausflur. Der Kommissar hatte jetzt eindeutig den hanseatischen Zungenschlag des Nordens herausgehört. Er stand etwas unschlüssig in der Küche. Kurz darauf hörte er die Haustür ins Schloss fallen. Durch die Gardine hindurch sah er Valerie Bensheim nach vorne zum Parkplatz schreiten. Die Erscheinung und der Gang zwangen zum Hinsehen.

„Das is mal ne Hübsche, oder?“ Leonie kam zurück in die Küche. Lücke nickte nur nachdenklich. Er war mit seinen Gedanken schon woanders.

„Die kaputte Vespa da draußen“, begann er, „wem gehört die eigentlich?“ Sein Blick fiel auf die bunte Wolldecke, die glatt und ordentlich gefaltet auf der Sitzbank lag. Insgeheim hoffte er, sie würde ihm nicht die Wahrheit sagen. Und wenn doch, dann wünschte er sich eine ganz und gar harmlose Wahrheit.

27

Valerie Bensheim ging an dem langgestreckten Gärtnereigebäude entlang bis nach vorne, wo der Parkplatz begann. Nachdem sie sich an der Haustür von Leonie verabschiedet hatte, hatte sie etwas aus den Augenwinkeln wahrgenommen, was ihr zunächst unwichtig erschienen war. Die eiserne Tür eines der flacheren Gebäude der Zementfabrik, die der Gärtnerei am nächsten waren, hatte offen gestanden. Das war ihr bisher noch nie aufgefallen. Möglicherweise hatte sie bisher nur nicht bewusst darauf geachtet. Aber nach einigem Nachdenken war sie sich sicher, dass die Tür vorher geschlossen gewesen war. Jedenfalls hatte die Fabrikwand vorher eine einheitliche, geschlossene Fläche im hellen Sonnenlicht gebildet, und jetzt war dort das dunkle Rechteck einer offenen Tür.

Valerie verharrte einen Moment neben dem verschlossenen Haupteingang des Verkaufsraums und überlegte, ob sie zurückgehen und den Beamten auf ihre Beobachtung aufmerksam machen sollte. Möglicherweise trieben sie ja die Bankräuber doch noch hier herum. Sorgen um Leonie drängten sich ihr auf. Auch der Kommissar hatte schließlich seine Bedenken geäußert, dass die Frau hier ganz allein lebte. Was, wenn die Gauner Leonie auflauerten, nachdem der Kommissar gegangen war? Valerie ging zur anderen Seite des Haupteingangs und spähte um die Hausecke. Von hier aus konnte sie das betreffende Gebäude mit der offenen Tür gut einsehen. Alles war still. Der Parkplatz war leer, bis auf ihren eigenen Wagen und einen Passat, der sicher dem Kommissar gehörte. Außer ihrem eigenen Atem und dem Zirpen der Grillen im hohen Unkraut war kein Geräusch zu hören.

Valerie war sich fast sicher, dass Leonie ihr noch nicht die ganze Wahrheit gesagt hatte. Die Gärtnerin war eine Frau voller Geheimnisse. Das war sie selbst schließlich auch. Vielleicht hatte sie gerade darum ein Gespür für sowas. Eine Frau mit dunklen Geheimnissen, mit Leichen im Keller. Möglicherweise nicht nur die von Gerd Breuning.

Sie wollte der Sache mit der offenen Tür auf den Grund gehen. Der Polizist musste nicht alles wissen. Wenn er Leonies Geheimnis auf den Grund kam, würde hier eine Armee anrücken und mit schwerem Gerät die faulenden Überreste des Gärtners ausgraben. Kommissar Lücke würde gezwungen sein, Leonie dem Haftrichter vorzuführen. Er würde einen Punkt bei seiner ungeliebten Chefin machen können, aber dafür würde Leonie für Jahre in den Knast wandern, egal wie viele mildernde Umstände ein Anwalt anführen könnte.

Valerie ging zu ihrem Wagen und ließ den ersten Schwall heißer Luft durch die Tür entweichen. Dann stieg sie ein und fuhr langsam die Straße entlang. Nach etwa hundert Metern entdeckte sie auf der rechten Seite einen schmalen Feldweg, der von der Straße wegführte und von hohen Sträuchern gesäumt wurde. Sie steuerte ihren Z4 langsam auf den Weg. Der Wagen holperte über ausgetrockneten Lehm, der so hart war wie Beton. Zwanzig Meter abseits der Straße stoppte sie den Wagen. Der Fahrer eines vorbeifahrenden Autos würde sie hier nicht entdecken können. Kommissar Lücke hätte sich mit Recht gewundert, wenn er ihr Auto bei seinem Aufbruch noch immer auf dem Parkplatz der Gärtnerei vorgefunden hätte.

Valerie stieg aus. Über ein paar Baumwipfeln ragte der stählerne Zylinder einer der Silos der Zementfabrik empor. Vielleicht kam man auch zurück zur Fabrik, wenn man dem Feldweg weiter folgte. Zum Glück trug Valerie flache Ballerinas, aber für den holprigen Weg mit tiefen Reifenspuren, durchsetzt von Steinen und Wurzeln war auch das kein geeignetes Schuhwerk. Nach ein paar Minuten Fußweg lichtete sich das Gestrüpp und gab den Blick frei auf die Rückwand eines langen Fabrikgebäudes. Schräg dahinter konnte Valerie einen Teil von Leonies Wohnhaus erkennen. Weiter rechts befand sich der Verkaufsraum der Gärtnerei. Sie näherte sich dem Areal also von der rückwärtigen Seite. Ein vielleicht fünfzig Meter breiter Streifen mit hohem Gras trennte sie von der Fabrikhalle.

Eilig überquerte sie die Wiese. Die hohen trockenen Halme streiften auf unangenehme Weise ihre nackten Waden. Mitten im Lauf hielt sie inne. Nur ein paar Meter vor ihr lag jemand im Gras, nicht weit entfernt von der Giebelwand der Halle. Dieser Jemand, der bäuchlings, mit dem Gesicht nach unten auf dem Boden lag, war eine Frau. Sie trug außer einer Jeans nur einen Büstenhalter. Rücken und Schultern waren mit Schrammen und blauen Flecken übersät.

Nach kurzem Zögern näherte Valerie sich der Frau und sagte leise: „Hallo?“ Die Frau regte sich nicht. Ihre Jeans wirkte nicht nur abgetragen, sie war auch bedeckt von Staub und trockenem Lehm. Valerie ging neben ihr in die Hocke und berührte die Frau am Rücken. Sie zuckte schwach und gab ein dunkles Stöhnen von sich.

„Können sie mich hören?“ Valerie richtete sich wieder auf und blickte sich um. Argwöhnisch spähte sie hinüber zum Wohnhaus. Da sie den Parkplatz nicht einsehen konnte, wusste sie nicht, ob der Polizist schon abgefahren war, oder sich noch im Haus aufhielt. Ausgehend von den Füßen der Unbekannten, die in billigen Turnschuhen steckten, verlief eine Spur aus niedergedrückten Grashalmen zurück in Richtung Fabrik. Eine Schleifspur, die den Eindruck erweckte, als habe die Frau sich auf allen Vieren, oder liegend wie ein Reptil, hierhergeschleppt.

Valeries Blick fiel auf den rechten Arm der Frau, der für sie bisher zum großen Teil vom hohen Gras verdeckt gewesen war. Der Unterarm wies einen hässlichen offenen Bruch auf. Valerie bekam spontan eine Gänsehaut. Ein blutiger rotvioletter Sumpf umgab die Bruchstelle und der gesamte Unterarm war blau angelaufen und geschwollen. Die Finger hatten die Anmutung kurzer, unappetitlicher Würste.

Valerie folgte der Schleifspur im Gras und kam auf den asphaltierten Vorplatz des Gebäudes. Die rostige Eisentür stand offen. Ein schwerer, eiserner Riegel und ein massives Vorhängeschloss lagen neben der Tür zwischen den Splittern einer zerschellten Weinflasche, die das Sonnenlicht reflektierten. Die Dunkelheit, die wie schwarzer Samt hinter der Türöffnung lauerte und in ihrem scharfen Kontrast zur gleißenden Helligkeit draußen fast einen magischen Sog ausübte, ähnlich dem einer Steilklippe, über deren Rand man sich beugt, erzeugte bei Valerie spontan den Wunsch, so schnell wie möglich diesen Ort zu verlassen. Sie trat jedoch ein und nahm als erstes einen warmen, modrigen Geruch war, als habe man hier Schimmelkulturen ausgetrocknet.

Sofort nachdem sich ihre Augen an die Dunkelheit im Hintergrund des Raumes gewöhnt hatten, erblickte sie die Leiche. Dass der Mann, der hinten an der Wand lehnte, tot war, daran bestand kein Zweifel. Die Augen schienen nur halb geschlossen, und die Schlitze glitzerten unheimlich im spärlichen Licht, das durch die Tür in den Raum fiel. Seitlich der Stirn schien ein Loch in seinem Schädel zu klaffen, und das Kinn ruhte auf seiner Brust.

Valerie war plötzlich sonnenklar, dass sie hier die sogenannten Bankräuber gefunden hatte. Von Leonie wusste sie, dass die Polizei nach jugendlichen Tätern suchte. Und diese beiden waren wahrscheinlich nicht einmal zwanzig Jahre alt. Das Mädchen draußen musste dringend ins Krankenhaus, sonst würde es auch noch sterben. Wenn es hier Handyempfang gäbe, könnte ein Rettungswagen in fünfzehn Minuten vor Ort sein. Es würde vielleicht eine halbe Stunde dauern, bis die Polizei ebenfalls hier auftauchte. Nach einer ersten Vernehmung säße Leonie in spätestens einer Stunde in Polizeigewahrsam. Sie selbst könnte bis dahin mit ihrem Wagen irgendwo zwischen Münster und Osnabrück sein. Bis die Hamburger Polizei auf die Idee kam, sie als Zeugin zu befragen, mochten maximal zwölf Stunden vergehen.

Valerie suchte mit zusammengekniffenen Augen den dunklen Raum ab. Rechts an der Wand stand etwas, das wie der Unterschrank einer Spüle aussah. Das matte Edelstahlbecken war zur Hälfte mit Sand oder irgendwelchem anderen Dreck gefüllt. Mit dem kleinen Finger der rechten Hand öffnete sie die Tür des Unterschranks. Darin befanden sich wild durcheinander ein schwarzes aufgerolltes Verlängerungskabel, ein paar grobe Leinensäcke und eine rostige Rohrzange.

Sie zerrte einen der Säcke hervor. Aus dem Gewebe quoll eine modrige Staubwolke hervor, die Valerie zwang, die Luft anzuhalten und sich abzuwenden. Mit dem Sack ging sie nach draußen. Mit dem Leinen über die Hände gestülpt drehte sie das Mädchen auf den Rücken. Ein kläglicher Laut entstieg den trockenen rissigen Lippen. Valerie blickte ein paar Sekunden lang auf die geschlossenen Augen des Mädchens. Ihr Gesicht spiegelte dabei einen Ausdruck des Bedauerns wider, gepaart mit Entschlossenheit. Es ging hier um Notwendigkeit, nicht um Gefühle. Mitleid war eine tolle Sache, wenn man es sich leisten konnte. Dinge mussten getan werden. Das erlebte sie nicht zum ersten Mal. Und trotzdem lag die Sache hier anders.

Valerie legte den Sack über das Gesicht des Mädchens und drückte ihn mit beiden Händen auf Mund und Nase. Es gab kaum Gegenwehr. Die Füße bewegten sich, der Brustkorb hob und senkte sich einige Male, dann war wieder alles ruhig. Selbst die Grillen, die eine Zeitlang geschwiegen hatten, nahmen ihr Konzert wieder auf. Die Hände immer noch mit dem Sackleinen geschützt packte Valerie beide Füße des Mädchens und schleifte sie zurück in die Halle. Hier konnten die beiden Toten natürlich auf Dauer nicht bleiben. Das war nur eine Zwischenlösung. Aber den Rest musste sie mit Leonie absprechen.

Nur kurz dachte sie an ihr Handy, das im Wagen lag. Die Mailbox musste inzwischen aus allen Nähten platzen. Schließlich hatte sie noch einen Beruf, beziehungsweise zwei. Aber das alles musste warten. Sie brauchte eine Auszeit.

Valerie spürte, dass ihre Augen brannten, weil ihr der Schweiß von der Stirn hineingelaufen war. T-Shirt und Rock klebten am Körper, sie schmeckte Staub auf ihren Lippen. Bedächtig schob sie die Eisentür von außen zu, die dabei ein stöhnendes Schleifen von sich gab. Dann hob sie den massiven Eisenriegel vom Boden auf, an dem das Vorhängeschloss baumelte, immer noch die Hände mit Sackleinen geschützt, um keine Spuren zu hinterlassen, und schob ihn in das Loch in der Mauer, aus dem es herausgerissen worden war. Sie hörte Stimmen.

Schnell floh sie um die Mauerecke herum. Kommissar Lücke verabschiedete sich an der Haustür. Valerie sah, dass er lange Leonies Hand hielt, länger, als man es üblicherweise tut. Dann marschierte er, den imposanten Bauch beschwingt vor sich her reckend, in Richtung Parkplatz davon.

Valerie wartete ein paar Minuten, den Rücken an die Mauer der Halle gelehnt, während die Sonne auf ihre rechte Wange brannte. Sie hatte so etwas bisher noch nie getan. Es wühlte sie in ihrem Inneren auf. Bisher waren es Jobs gewesen. Es waren Männer gewesen, die das gleiche Kaliber wie Sebastian Brehm hatten. Oder wie dieser Günther Krapp. Selbstverliebte Kerle, die Frauen benutzten wie Papiertaschentücher und sie genauso wieder fallenließen. Und es waren Jobs gewesen. Anonyme Fälle, die sie erledigt hatte, ohne lange nachzudenken. Und was das Entscheidende dabei war, es waren immer Menschen gewesen, die anderen Menschen das Leben schwer machten, auf die eine oder andere Art.

Da hatte sie in gewisser Weise die ausgleichende Gerechtigkeit repräsentiert.

Aber das heute war anders. Das Mädchen hatte noch gar nicht richtig begonnen zu leben. Wahrscheinlich hatte sie es nicht leicht gehabt, hatte ein einziges Mal versucht, einen Zipfel vom Glück zu erwischen und war dabei gescheitert. Weil sie noch zu jung und zu dumm gewesen war.

Valerie war sich nicht sicher, ob sie es noch einmal würde tun können. Wer vom Pferd fiel und sich dabei verletzte, hatte zukünftig Angst vor Pferden. Paula fiel ihr ein, ihre Schulfreundin aus Hamburg, die sie seit Jahren aus den Augen verloren hatte. Paula hatte geheiratet, zwei Jungs bekommen und war ziemlich dick geworden. Während der Oberstufe hatte Paula die Liebe zu den Pferden entdeckt und ganze Wochenenden auf diesem Reiterhof in Poppenbüttel zugebracht.

„Man muss gleich wieder aufsteigen“, hatte Paula mal zu ihr gesagt. Eine alte Reiterweisheit, die ein Kumpel ihr vermittelt hatte, nachdem ihr Wallach sie einmal abgeworfen hatte, aus Schreck vor einer Drossel, die plötzlich direkt neben ihm aus einem Busch hervorgeflattert war.

Gleich wieder aufsteigen, das war wohl in vielen

Bereichen des Lebens eine gängige Regel, um Traumata zu bekämpfen, bevor sie sich bleibend einnisten konnten. Dieses arme Mädchen, das nichts weiter getan hatte, als zur falschen Zeit am falschen Ort zu sein (mal abgesehen von einem bewaffneten Banküberfall), war auf dem besten Wege, sich bei Valerie zu einem solchen Trauma zu entwickeln. Vielleicht konnte es helfen, gleich wieder aufzusteigen.

Als sie das Gefühl hatte, dass der Kommissar inzwischen mit seinem Wagen abgefahren sein musste, schlenderte Valerie langsam und ein bisschen müde hinüber zum Bungalow.

28

Esther Ketteler war als jüngstes von vier Kindern eines selbstständigen Fleischermeisters in Oberhausen geboren worden. Wer vermutet, dass ihr diese Tatsache zu einer Stellung als Prinzessin der Familie verholfen hätte, die von Eltern und den Brüdern verwöhnt wurde, der irrte sich gewaltig. Da beide Elternteile im Betrieb arbeiteten, waren Esther und ihre Brüder oft den ganzen Tag sich selbst überlassen gewesen. An sechs Tagen der Woche beschränkten sich die elterlichen Erziehungsmaßnahmen auf das abendliche Kontrollieren der Hausaufgaben, dem sich die Mutter nach strengen Kriterien widmete.

Vor allem der jüngste ihrer drei Brüder machte sich ein Vergnügen daraus, seine kleine Schwester an den Haaren zu ziehen, ihre Pantoffel ins Klo zu stecken oder ihre Schulhefte im Hausmüll unter Joghurtbechern und Bananenschalen zu versenken. Trotzdem zeichnete sich Esther von Kindestagen an durch einen ausgeprägten Gerechtigkeitssinn aus.

Der Nachbar von Gegenüber war Polizist. Esther begegnete ihm oft, wenn sie mit ihrem Tornister auf dem Rücken aus dem Haus trat, während der Nachbar in seiner grünen Uniform zu einem Kollegen ins Polizeiauto stieg. Geprägt durch ihre Brüder hatte sie sich nie sonderlich für die Puppen interessiert, die Gerda, ihre Patentante, ihr zu Weihnachten oder an Geburtstagen mitbrachte. Stattdessen bedrängte sie ihre Eltern so lange, bis sie ihr das grüne Polizeiauto kauften, dass sie im Schaufenster von Spielwaren Wahl im Bero-Center entdeckt hatte. Das Auto hatte ein blaues Blinklicht auf dem Dach und eine Sirene, die dazu führte, dass die Eltern die Anschaffung sehr schnell bereuten. Zumindest solange, bis die Batterien den Geist aufgaben. Außerdem konnte man bei dem Wagen die Türen öffnen und Playmobil-Männchen hineinsetzen. Die beiden auf den Vordersitzen waren die Polizisten, die auf der Rückbank die Gefangenen.

Wollte einer ihrer Brüder sich an dem Spielzeug vergreifen, wusste Esther das wie eine Löwenmutter durch Kratzen und Schläge ihrer kleinen, aber zähen Hände zu unterbinden. Damals stand für sie fest, dass sie einmal Polizist werden würde. Dann konnte sie solche Typen wie ihre Brüder ins Gefängnis sperren. Bei Wasser und Brot.

Esthers Affinität zur Polizei trat in den Hintergrund, nachdem sie während ihrer Zeit auf dem Elsa-Brändström-Gymnasium ihren ersten Joint geraucht hatte. Damals begeisterte sie sich mehr für Nena, Geier Sturzflug und Rod Stewart. Für Jungs interessierte sie sich zwar auch, machte aber nur negative Erfahrungen mit ihnen. Ihre struppigen Haare, die schmale, spitze Nase, die an ihrem Ende einen Schwung nach oben aufnahm und so die Anmutung einer Skischanze bekam, und die nicht vorhandenen Brüste ließen sie gegenüber den langhaarigen Blondinen in ihrer Klasse in den Schatten treten.

Der hochaufgeschossene Clemens aus der Parallelklasse hatte ihr mal für einige Tage sein reges Interesse vorgespielt, bis sie ihm hinter die Hecke neben dem Fahrradständer gefolgt war, um zu „knutschen“, wie er ihr verheißungsvoll ins Ohr geflüstert hatte. Als es aber zur Sache gehen sollte, war er lachend vor ihr zurückgewichen und hatte, auf einem Bein hüpfend, gejammert: „Au, au, au, das tut weh! Überall die spitzen Knochen, und diese Nase. Das is ja lebensgefährlich!“

Hinter der Hecke waren Kai, Stephan und Chris aufgetaucht, um zusammen mit Clemens feixend von dannen zu ziehen.

Basierend auf der Grundlage, die ihre Brüder bereits geschaffen hatten, entwickelte Esther eine trotzige Abwehrhaltung gegenüber dem männlichen

Geschlecht im Allgemeinen, das die Jungs und Männer von vorn herein auf Distanz hielt. Zur Vermeidung von Enttäuschungen ging sie kein Risiko mehr ein, nur um am Ende herauszufinden, ob es einer ehrlich meinte oder nicht.

Esther stürzte sich auf den Stoff ihrer Leistungsfächer und schrieb gute Noten. Obwohl sie weder bei Mitschülern noch bei Lehrkräften besonders beliebt war, schaffte sie ein Abitur von 1,4. Der Vater drängte sie, in den Öffentlichen Dienst zu gehen.

„Im gehobenen Dienst stehen dir alle Türen offen", sagte er eindringlich. Esther fand, dass er mit seinem breiten rosigen Gesicht und den kleinen Augen seinen Schweinen, von denen er in seinem Berufsleben sicher Hunderte zerlegt hatte, mit den Jahren immer ähnlicher geworden war.

„Als Beamtin hast du ausgesorgt. Und kaputtarbeiten tun die sich auch nich", sagte er, „irgendwat bei der Stadtverwaltung oder beim Finanzamt. Dat wär`et."

„Ich geh zur Polizei", erwiderte Esther mit einer Entschlossenheit in der Stimme, die den Vater erstaunte und zum Verstummen brachte.

Sie besuchte die Polizeiakademie in Münster und

wurde danach Kommissaranwärterin beim Betrugsdezernat in Oberhausen. Als Kommissarin wechselte sie später zur Sitte, und nach der Beförderung zur Oberkommissarin, schon vier Jahre später, ließ sie sich nach Essen versetzen.

Als sie den Hörer auflegte, war Esther Ketteler für einen Moment sehr nachdenklich.

„Auf keinen Fall komme ins Polizeipräsidium", hatte die Frau am anderen Ende gesagt. Sie hatte schüchtern und ängstlich geklungen, aber sie wisse, wohin die Bankräuber geflohen sind, hatte sie behauptet.

„Wieso nehmen sie nicht einfach auf, was die Frau will?", hatte die Hauptkommissarin sogar nach ihrem eigenen Befinden ein bisschen zu barsch in den Hörer gefaucht, als die Krass ihr das Gespräch ins Büro verbinden wollte.

„Die will nur mit Ihnen persönlich sprechen", war die Stimme von Lina Krass zurückgekommen, und sie hatte ein wenig beleidigt geklungen. Eigentlich mochte Esther die junge Kommissarin, die sie vor einem halben Jahr quasi von der Sitte abgeworben hatte. Die junge Frau war fleißig, intelligent und zielstrebig. So wünschte Esther sich alle ihre Leute im

Dezernat. Die wenigen verbliebenen Schnarchnasen würde sie im Laufe der Zeit schon noch aussortieren. Ihre Oberschlafmütze war dieser Lücke. Ein alter Säufer, der zwar eine Kur gemacht hatte, dem sie aber trotzdem nicht über den Weg traute. Ging man nach seiner Statur und der Art zu sprechen, dann war er der klassische Beamte, wie ihn Karikaturisten seit hundert Jahren darstellten: Langsam, behäbig und arbeitsscheu.

Es war zwar eine Tatsache, dass sie im Moment mit deutlich zu wenigen Leuten unterwegs waren, aber was den Bankraub anging, so war bei ihr durchaus ein Quäntchen Kalkül dabei, Lücke damit allein zu lassen. Sollte er das ruhig vermasseln, dann hatte sie endgültig einen Grund, in loszuwerden. So einer war vielleicht gerade noch dafür geeignet, irgendwo im Innendienst Akten abzustauben, für die paar Jahre bis zu seiner Pensionierung.

Esther Ketteler hatte also das Gespräch angenommen und mit der geheimnisvollen Unbekannten gesprochen, die weder ihren Namen nennen noch zu einer Aussage ins Präsidium kommen wollte.

Nur mit ihr allein wollte die Frau sprechen, sie sollte einfach zu dem Treffpunkt am Bahnhof kommen, dann würde sie schon verstehen. Sie würde sie zu dem Versteck führen, in dem die Räuber ihre Beute deponiert hatten. Irgendwo im Umfeld des Essener Doms sollte das sein, also seltsamerweise mitten in der City. Aber wo genau, wollte sie nur der Kommissarin allein preisgeben.

Den ersten Impuls, die Information an Lücke als dem ermittelnden Beamten weiterzugeben, unterdrückte sie sehr schnell. Wie viel besser würde es doch sein, Lücke mit seinen kalten Spuren auflaufen zu lassen, um dann selbst die Lösung des Falls aus dem Ärmel zu schütteln.

Natürlich bestand immer die Möglichkeit, dass anonyme Anrufer sich einen Spaß daraus machten, die Polizei zum Narren zu halten. Schließlich war sowohl in der ESSENER ZEITUNG als auch im Lokalfernsehen ausführlich über den Raub berichtet worden. Von den sozialen Netzwerken ganz zu schweigen, wo eine linke Community mit Robin-Hood-Allüren die noch unbekannten Räuber als moderne Revoluzzer und Vorreiter einer neuen sozialen Gerechtigkeit feierte und sich freute, dass die Polizei noch immer im Dunkeln tappte.

Erstaunlich war allerdings, dass diese Frau Esthers Namen kannte und gezielt nach ihr verlangt hatte. Wie auch immer, Esther entschied sich dafür, Lücke außen vor zu lassen.

„Aber bitte, bitte kommen sie allein, Frau Kommissarin", hatte die Frau gesagt, fast gefleht, „wirklich, ich bin sonst sofort weg. Wenn ich andere Polizisten auf dem Bahnsteig sehe, bin ich weg."

Die Frau schien vor irgendetwas Angst zu haben. Vielleicht steckte sie auch selbst in der Sache mit drin. Das war sogar sehr wahrscheinlich. Es wäre sicher kein Problem, mit drei oder vier Beamten in Zivil auf dem Bahnsteig aufzulaufen. Das hätte die Frau bestimmt nicht bemerkt. Um die Zeit war der Essener Hauptbahnhof an Werktagen ein Hexenkessel und die Leute drängelten sich im Feierabendverkehr auf den Bahnsteigen. Das schloss allerdings auch die Möglichkeit eines Hinterhalts aus. Wenn es nötig war, konnte sie die Frau schließlich auch allein verhaften.

Um 17.26 Uhr, hatte sie gesagt, käme sie mit der S-Bahn aus Richtung Wuppertal. Die Entscheidung, allein zu dem Treffpunkt zu gehen, fiel sehr schnell und intuitiv. Der Reiz, ganz allein im Handstreich den Fall zu lösen, an dem Lücke sich seit Tagen seine dritten Zähne ausbiss, war einfach zu groß.

Mit der S9 würde sie auf Gleis 12 ankommen, hatte die Frau gesagt. Sie habe leider kein Auto. Dabei hatte sie verschämt gekichert. Sie möge bitte ein paar Minuten früher da sein, hatte die Frau hinzugefügt, manchmal sei die Bahn ja nicht ganz pünktlich. Aus

Esthers Sicht war es genau umgekehrt. *Nur manchmal* war die Bahn pünktlich.

Um kurz nach halb fünf schaltete Esther den Ventilator in ihrem Büro aus und warf sich die dünne Leinenjacke über die Schultern, die sie trotz der hohen Temperaturen bei Außenterminen über der langärmeligen, dunkelblauen Bluse trug. Das war die beste Möglichkeit, ihr Pistolenholster und die Handschellen zu verbergen. Sie verließ ihr Einzelbüro durch die Glastür und winkte Lina Krass lässig zu, die im Großraumbüro an ihrem Schreibtisch saß.

„Bin außer Haus, ein bis zwei Stunden", sagte sie in ihrem knappen Ton, der klar ausdrückte, dass Rückfragen nicht erwünscht waren. KK Krass schaute etwas verwundert und wandte sich dann achselzuckend ihrem Monitor zu. Die langen, roten Haare hatte sie in einem Knoten gebändigt. Kunze und Demircan hingen beide am Telefon. Die anderen Schreibtische waren verwaist. Wo Lücke sich wieder herumtrieb, mochte der Himmel wissen. Der machte scheinbar mal wieder sein eigenes Ding. Gut so. Sollte er. Weiter so!

Esthers Golf stand auf dem Parkplatz des Präsidiums in der prallen Sonne. Das war ärgerlich, denn kurze Zeit später wäre die Sonne von dem hohen Gebäude abgeschirmt worden. Die andauernde Hitze war wirklich schlimm. Nachts kam man kaum noch richtig in den Schlaf. Esthers Kreislauf machte da manchmal Probleme, auch weil sie immer wieder vergaß, ausreichend zu trinken. Einen Kasten mit Wasser hatte sie zwar im Kofferraum, aber der Inhalt würde sich jetzt wohl eher für ein warmes Wannenbad eignen.

Die Leinenjacke legte sie auf den Beifahrersitz und startete den Motor, die Klimaanlage war auf maximale Leistung gestellt. Die warme Luft, die vom Gebläse herein gewirbelt wurde, reizte die Augen.

Die Fahrt zum Hauptbahnhof dauerte keine Viertelstunde, aber Esther wollte sich im Vorfeld ein bisschen umsehen. Da sie nicht mit polizeilichen Sonderrechten aufkreuzen wollte, musste sie auch die Parksituation in der Innenstadt berücksichtigen, mit der es nicht zum Besten stand. In unmittelbarer Nähe des Bahnhofs ergatterte sie jedoch einen Premiumplatz direkt vor einem Asia-Shop und dem Ticketcenter mit der grünen Schaufensterwerbung von Flixbus und Flixtrain. Die Fassade des alten Postbankgebäudes gegenüber war zum Teil eingerüstet. Hier wurde schon seit längerer Zeit etwas restauriert.

Ester nahm die auf Anhieb erfolgreiche Parkplatzsuche als gutes Omen für den weiteren

Verlauf ihres Termins. Auf den Holzbänken vor dem McChicken an der Ecke lungerten ein paar dubiose Typen mit ihren Tussis herum, für deren Outfit sich vor zwanzig Jahren die Nutten in der Stahlstraße geschämt hätten. Das heiße Wetter hatte den unangenehmen Effekt, dass sich einige junge Frauen kleideten, als hätten sie es bitter nötig. Was da aus zu engen Shorts und zu kurzen Shirts hervorquoll, war weit entfernt von gutem Geschmack.

Mit schnellen Schritten lief Esther die langgezogene Treppe der Unterführung hinunter und fuhr mit der Rolltreppe auf der anderen Seite wieder an die Oberfläche. Zu ihrer Linken, am Willy-Brandt-Platz, protzte das Hotel Handelshof mit seiner historischen Fassade. Rechts lag der weitläufige Eingang des Hauptbahnhofs mit seiner gläsernen Fassade. Menschen strömten in den Bahnhof hinein oder heraus, wie Bewohner eines Termitenhügels. Hier begegneten sich die unterschiedlichsten Kulturen, ohne sich dabei näher zu kommen. Esther fand, dass Bahnhöfe aus irgendeinem Grund schon immer eine magische Anziehungskraft auf Penner, Kleinkriminelle und Junkies aller möglichen Ethnien ausübten.

In der großen Halle brach ein vielfältiges Stimmengewirr über sie herein. An der Decke gaben großflächige Anzeigetafeln Auskunft über An- und Abfahrtszeiten der Züge. Dumpfes Dröhnen zeugte von einem durchfahrenden Zug hoch über ihrem Kopf. Links von einem Auskunftsschalter der Deutschen Bahn führten breite Treppen hinauf. Esther fuhr mit der Rolltreppe eine Etage höher. Gemeinsam mit eiligen Menschenmassen folgte sie der langgezogenen Ladenstraße, auf der es einen Bäcker, eine Nordsee-Filiale, eine Fleischerei und andere Geschäfte gab, die sich auf der rechten Seite aneinanderreihten. Links strebten Treppenaufgänge und parallel dazu verlaufende Rolltreppen zu den einzelnen Bahnsteigen hinauf. Der Aufgang zu den Gleisen 11 und 12 lag ganz am anderen Ende des Bahnhofsgebäudes.

Esther stellte sich auf die untere Stufe der Rolltreppe hinter einen Geschäftsreisenden im dunklen Anzug, der vor sich seinen riesigen, metallischen Rollenkoffer postiert hatte. Von seinem ausrasierten Nacken sickerte der Schweiß in den weißen Hemdkragen. Als erstes fiel dann ihr Blick am oberen Rand der Rolltreppe auf die Bahnhofsuhr, die über dem Bahnsteig hing. Sie zeigte kurz nach 17 Uhr an. Oben angekommen schaute Esther sich um. Links und rechts warteten Menschentrauben auf einfahrende Züge. Eine blecherne Durchsage wagte die Prognose, dass nun der erwartete Schnellzug aus Münster zur Weiterfahrt nach Düsseldorf mit dreizehn Minuten Verspätung auf Gleis 11 eintreffen würde. Geringschätzig beobachtete Esther die aufgebrezelte Tussi, die vor einer Tafel mit Fahrplänen stand, als wolle sie diese auswendig lernen. Eins dieser Modepüppchen, die nur durch ihre Schönheit glänzten und nichts in der Birne hatten. Wahrscheinlich fuhr sie zu ihrem Sugardaddy, um sich neue Klunker schenken zu lassen und dafür die Beine breit zu machen. Die Gliederung der Fahrpläne überstieg vermutlich ihren Horizont. Die Figur war allerdings wirklich toll, das musste Esther zugeben. Die langen Beine steckten in einer cremefarbenen Sommerhose, und die langen dunklen Haare flossen auf dem Rücken in Kaskaden über ein türkisfarbenes Seidentop, das nicht gerade billig aussah. Objektiv betrachtet wirkte die Frau nicht wirklich nuttig, sie war schlichtweg schön, aber Esther hatte bei der Sitte Edelnutten kennengelernt, die gerade damit ihr Geld verdienten, dass man ihnen den Beruf nicht gleich ansah. Gepäck hatte die Frau nicht dabei. Esther fragte sich erstaunt, warum sie ihr überhaupt so viel Aufmerksamkeit widmete.

Auf Gleis 12 schlossen sich, begleitet von eindringlichen Warntönen, die Türen einer wartenden S-Bahn, bevor diese sich in Bewegung setzte und langsam schneller werdend aus dem Bahnhof glitt.

Esther ging ein paar Schritte und blickte nach rechts. Aus dieser Richtung musste die S9 aus Wuppertal kommen. Von hier aus würde sie dann wieder über Steele und Überruhr den gleichen Weg zurückfahren. Dass sich diese Abfahrt auf Grund dramatischer Ereignisse wesentlich verspäten, und sie selbst diese gar nicht mehr erleben würde, ahnte Esther nicht. Sie bummelte ein Stück auf dem überfüllten Bahnsteig entlang und blickte dabei über das Gleisbett hinweg zu den anderen, parallel verlaufenden Bahnsteigen. Etwas weiter entfernt stand diese vermeintliche Edelnutte und las, ohne von ihrer Umgebung Notiz zu nehmen, offenbar etwas vom Display ihres Handys ab.

Die Bahnhofsuhr sprang auf 17.26 Uhr, ohne dass ein Zug in Sicht kam. Kurz darauf kündete die Lautsprecherstimme jedoch die Einfahrt der S9 an. Esther ging auf die Menschentraube zu, die sich jetzt an einer bestimmten Stelle der Bahnsteigkante sammelte, wo offenbar der Einstieg erwartet wurde. Pendler hatten da ja so ihre Erfahrungen. Sie mischte sich unter die Leute und konnte jetzt sehen, wie sich die S-Bahn langsam neben den Bahnsteig schob. Sie drängelte sich etwas weiter nach vorne, da wo in einem breiten Streifen hellere Steinplatten verlegt waren. Die Frau hatte gesagt, sie hätte rötliche kurzgeschnittene Haare und trüge ein hellgrünes Kleid. Esther hoffte, sie deshalb leicht in der Menschenmenge ausmachen zu können, die sich bald aus der Tür herausdrängeln würde. Sie blickte hinab auf die Schienen und die Schwellen aus Beton, die in einem groben Schotterbett ruhten. Der rote Triebwagen mit der abgeschrägten Front schob sich heran, Esther blickte auf das mittig aufgedruckte DB-Logo, die Scheinwerfer und den Scheibenwischer an der Frontscheibe, die die grellen Sonnenstrahlen reflektierte, so dass der Lokführer für sie unsichtbar blieb. Die metallisch schleifenden Bremsgeräusche klangen bedrohlich. Esther nahm unvermittelt das fruchtige Aroma eines wahrscheinlich teuren Parfüms wahr und mit einem Mal fühlte sie sich unbehaglich in der drängelnden und schiebenden Menschenmasse.

29

Bernhard Lücke war erst fünf Minuten bevor Max anrief, im Präsidium angekommen. Er genoss die verhältnismäßig angenehme Temperatur, die die Klimaanlage im Großraumbüro erzeugte. Draußen, jenseits der gardinenlosen Fenster, war über den Häusern im Nordwesten eine dunkle Wolkenfront aufgetaucht und er hoffte inständig, dass es Regen geben würde. Das schweißnasse Hemd klebte jetzt kühl an seinem Rücken.

Max Wertheim war bei der Mordkommission und er und Lücke hatten früher mal zusammen gekegelt. In den letzten Jahren hatten sie aber nicht mehr so viel miteinander zu tun gehabt.

„Du solltest kommen“, hatte Max gesagt. Die Stimme hatte er dabei auf eine Art gesenkt, wie man es bei einer Beisetzung auf dem Friedhof tut, wenn man einem Hinterbliebenen mit festem Händedruck sein Beileid ausdrückt. „Geht um eine Kollegin, komm einfach vorbei, okay?“, sagte er. „Hauptbahnhof Gleis 12 und mach hinne, Kollege!“

Dann hatte Max das Gespräch unterbrochen. Im Hintergrund war eine unverständliche Lautsprecherdurchsage zu hören gewesen. Wenn die Mordkommission einen Fall bearbeitete, ging Lücke das in der Regel nichts an. Es musste einen bestimmten Grund geben, warum der Kollege ihn informiert hatte. Eine unbestimmte Nervosität befiel ihn. Wenn es um eine Kollegin ging, was war mit ihr? Und welche Kollegin meinte er?

Lücke bemerkte, dass Lina Krass ihn beobachtet hatte.

„Ich muss noch mal los“, sagte er.

„Wegen deinem Bankraub?“, fragte die junge Kollegin und blickte ihn überrascht an, „du bist doch eben erst gekommen.“

„Ja, ich weiß nicht. Kann sein. Mal sehen. Keine Ahnung, ob ich heute noch mal reinkomme. Ist ja eigentlich auch schon längst wieder Feierabend.“

Lina Krass verzog ein bisschen den Mund und lächelte ihn lieb an. Auf Lücke wirkte es eher spöttisch. Wahrscheinlich hatte die Ketteler Lina auch schon umgedreht. Die junge Kommissarin wollte schließlich noch ein bisschen die Karriereleiter hinaufklettern. Sollte sie doch. Von ihm aus konnte sie gerne gleich hier im Präsidium wohnen, wie es die Ketteler offenbar auch tat. Das Wort Feierabend war ja heutzutage offenbar zum Unwort mutiert. Wer es aussprach, oder sogar umsetzte, gehörte nicht mehr dazu.

Lücke nahm die Pistole wieder aus der Schublade, steckte sie ein und verließ das Haus. Draußen war es immer noch sehr warm, aber die Wolken hatten einen angenehmen Wind mitgebracht. Als er sich eine knappe Viertelstunde später über die Hachestraße dem Hauptbahnhof näherte, sah er schon von weitem mehrere Polizeifahrzeuge mit eingeschaltetem Blaulicht. Zwischen dem Hotel Handelshof und dem Bahnhofsgebäude staute sich der Verkehr. Auf dem Bahnhofsvorplatz hatte sich eine Menschmenge versammelt und versuchte herauszubekommen, was vorging. Lücke hätte das auch gern gewusst. Neben dem Busbahnhof stellte er seinen Wagen in zweiter Reihe auf den vollen Parkplatz und schaltete die Warnblinkanlage an. Dann ging er eilig in die Bahnhofshalle hinein.

Gleis 12 hatte Max gesagt und Max war Oberkommissar bei der Mordkommission. Es war also jemand ermordet worden. Zumindest gab es wohl entsprechende Anzeichen. Dafür sprach auch das große Polizeiaufgebot vor Ort. Er fuhr mit der Rolltreppe nach oben und eilte die Ladenstraße entlang. Hinter dem Aufgang zu den Gleisen 9 und 10 war der Durchgang versperrt. Der Schriftzug

POLIZEIABSPERRUNG auf dem rotweißen Plastikband stand auf dem Kopf. Lücke hatte die Erfahrung gemacht, dass das in neunzig Prozent aller Fälle so war. Entweder wurde den Kollegen der Schutzpolizei das auf der Akademie so vermittelt, oder es entsprach einem der Paragrafen aus Murphys Gesetzbuch.

Ein Polizeimeister trat ihm entschlossen entgegen, aber bevor Lücke seinen abgewetzten Dienstausweis aus der Gesäßtasche ziehen konnte, rief ein anderer Beamter „Lass ihn durch, Siggi, das is Bernie Lücke, der gehört zu uns!“ Es war Sören Handtke, ein Hauptmeister, den Lücke schon seit Jahren kannte. Handtke war früher mal stellvertretender Regattaleiter bei der Kettwiger Rudergesellschaft gewesen, und trainierte heute die Jugend, organisierte Wanderfahrten und so weiter. Er musste etwa in Lückes Alter sein, war aber körperlich eindeutig in besserer Verfassung.

„Was machst du denn hier, Bernie?“, fragte er und hob das Absperrband für den Kollegen hoch. Er trug keine Uniformjacke, und sein Diensthemd zeigte unter den Achseln ausgeprägte Schweißflecke.

„Max hat mich angerufen“, ich weiß auch nicht genau warum. Was gibt’s denn da oben? Es soll um eine Kollegin gehen?“

„Ja, schlimme Sache wohl. Aber wir wissen hier nichts Genaues. Die da oben tun ziemlich geheimnisvoll.“

Von den vor der Absperrung stehenden Passanten fasste sich ein stämmiger Mann ein Herz und fragte: „Was is denn jetzt? Wann geht’s denn weiter? Ich muss nach Hattingen.“

„Tut mir leid, hier fahren in nächster Zeit keine Züge ab“, erklärte Hauptmeister Handtke entschieden und machte ein dienstliches Gesicht. „Am besten, sie fragen mal unten an der Info nach. Wahrscheinlich geht ihr Zug auf einem anderen Bahnsteig.“

Murrend drehte sich der Mann um und entfernte sich. Andere Reisende schlossen sich ihm an.

„Also ich bin dann mal oben, ne?“, verkündete Lücke und ging zur Rolltreppe.

„Tja, die haben sie abgeschaltet. Frag mich nich, warum.“ Handtke hob bedauernd die Schultern. Lücke starrte einen Moment ungläubig auf die reglose Rolltreppe und begann dann ärgerlich, die breite Steintreppe zum Bahnsteig zu erklimmen. Als er schweratmend und mit schweißnasser Stirn oben ankam, zeigte sich ihm ein ungewöhnliches Bild. Die einzigen anwesenden Menschen waren Polizeibeamte in Uniform und in Zivil. Ein paar Männer und Frauen trugen weiße Ganzkörperoveralls. Auf der rechten Seite, wahrscheinlich dem Gleis 12, stand eine S-Bahn. Von ihr ging eine ungewöhnliche Stille aus. Die Drehstrom-Elektromotoren waren offenbar ausgeschaltet. Entlang des gegenüberliegenden Gleises 11 waren weiße Kunststoffwände aufgestellt worden, die den Reisenden vom Nachbarbahnsteig die Sicht auf das Geschehen verwehrten. Ein Mann in Zivil, der aussah wie Max Wertheim, kam auf Lücke zu. Er war in den zwei Jahren, die sie sich schätzungsweise nicht gesehen hatten, fast vollständig kahl geworden. Oder er hatte sich das rudimentäre Haupthaar rasiert. Mit einem Tuch wischte er sich über die Stirn.

„Bernie“, sagte er und schüttelte dem Ankömmling die Hand. Lücke nickte nur und blickte zum Gleisbett hinüber, wo die Oberkörper von zwei Beamten der Kriminaltechnik in weißen Schutzanzügen über den Rand des Bahnsteigs ragten. Einer hielt seine Kamera mit nach unten geneigtem Objektiv vor der Brust und machte aus verschiedenen Blickwinkeln Fotos.

„Wer …?“, begann Lücke und wurde durch eine Handbewegung Wertheims unterbrochen.

„Ganz üble Sache“, sagte der. Wie es aussieht, ist es Esther Ketteler, die da unten liegt, eure Chefin. Du musst dir das nicht unbedingt ansehen.“

„Ketteler …“, murmelte Lücke nur und ging an seinem Kollegen vorbei zum Gleis 12. Unter dem Triebwagen ragten lediglich zwei Beine hervor, deren Füße in braunen Lederschuhen steckten. Dass die Beine mit einer hellgrauen Sommerhose bekleidet waren, konnte man nur von den Knöcheln aufwärts bis zu den Knien erkennen. Der obere Bereich der Hosenbeine bis zur Hüfte war von mattglänzendem, dunkelrotem Blut durchtränkt. Ein schmaler Streifen grellen Sonnenlichts erhellte in unbekümmerter Schonungslosigkeit die Hosenbeine und die Mengen von Blut, die sich über ein kurzes Teilstück der Schiene und das umgebende Schotterbett ergossen hatte. Im Holster an der Hüfte konnte Bernhard Lücke die Dienstwaffe vom Typ HK P30 erkennen, und knapp darüber, wo der Schatten mit einem scharfen Rand das Sonnenlicht abschnitt, endete auch der Körper der Person. Das nahm er erst nach einigen Sekunden war, aber dann ergriff die Erkenntnis seinen Magen und rührte eine große Portion Gyros mit Pommes und Zaziki beherzt um. Der Schweiß auf seiner Stirn und am Rücken fühlte sich kalt an, und ihm wurde kurz schwindlig. Er spürte eine Hand auf seiner Schulter und Max Wertheim sagte dicht neben seinem Ohr: „Ich sagte, du musst es dir nicht ansehen, Bernie. Komm, wir setzen uns da auf die Bank. Bernhard nahm nicht wahr, dass sein Kollege auf eine der Metallbänke deutete, die neben den Schaukästen für Fahrpläne aufgestellt waren.

„Nein, es geht schon“, murmelte er mit wenig Überzeugungskraft in der Stimme.

„Der andere Teil liegt ein Stück weiter vorne unter der Lok. Er wurde ein Stück geschleift, verstehst du?“, erklärte Wertheim in einem Ton, als würde er einem kleinen Jungen beibringen, dass sein Kaninchen vom Fuchs geholt worden ist. Für Bernhard klang es wie *Moppel ist jetzt im Kaninchenhimmel, wo er den ganzen Tag große, süße Mohrrüben mümmelt*.

Zusammen traten die beiden Beamten ein paar Schritte von der Bahnsteigkante zurück. Eine Frau in mittleren Jahren näherte sich ihnen mit schnellen Schritten, die ihre blonden Haare so straff nach hinten gekämmt, und zu einem Pferdeschwanz gebunden hatte, dass sie sich wie eine enge Haube um ihren Kopf legten. *Das muss ja weh tun*, dachte Lücke.

„Das ist Carola Olschewski vom Dauerdienst. Sie war als erste am Tatort“, sagte Wertheim, „ich denke, ihr kennt euch noch nicht?“

„Koslowski“, korrigierte die Frau, „und Cordula, aber sonst ist alles richtig.“ Sie schien nicht böse, bedachte Wertheim aber mit einem spöttischen

Seitenblick, während sie Bernhard die Hand reichte. Der kühle und feste Händedruck überraschte ihn.

„Entschuldigung“, sagte Wertheim.

„KOK Koslowski“, sagte die Frau und fixierte ihr Gegenüber mit einem forschenden Blick. Sie wirkte auf Bernhard nicht unsympathisch und sogar ein bisschen hübsch. Trotzdem gefiel sie ihm nicht.

„Tja, mein Lieber“, wandte sich Max Wertheim jetzt wieder an seinen Kollegen, „das ist ein herber Schock, oder? Tut mir aufrichtig leid, Alter.“

„Wieso überhaupt Tatort?“, fragte der Angesprochene, „Ist denn sicher, dass das kein Unfall war?“ Sein Magen und sein Kreislauf hatten sich wieder halbwegs gefangen. Er spürte den Blick der Kommissarin Koslowski auf seiner Wange brennen, als stünde er in der prallen Sonne.

„Es gab eine ganze Menge von Leuten, die gesehen haben, wie Kommissarin Ketteler plötzlich die Arme hochgerissen hat. Dann soll sie erschrocken aufgeschrien haben, als sie vor die Lok stürzte“, erklärte Wertheim. „So verhält sich doch kein Selbstmörder. Außerdem werfen sich Selbstmörder auf freier Strecke vor einen schnell fahrenden Zug und springen nicht auf belebten Bahnsteigen ins Gleis vor eine S-Bahn, die gerade dabei ist, anzuhalten. Das

Ganze ist so dicht vor dem Triebwagen passiert, dass der Lokführer gar nichts davon mitbekommen hat. Der ist erst von dem Geschrei der Leute aufmerksam geworden, nachdem schon die Türen geöffnet waren."

„Und dann hat doch sicher jemand den Täter gesehen?", fragte Bernhard.

„Nein, das hat niemand beobachtet", antwortete Kommissarin Koslowski und hielt ihren Blick scharf auf Bernhard gerichtet.

„Ja, Tausend Menschen, und keiner hat´s gesehen", sinnierte Max Wertheim.

Zwei Männer schleppten schnaufend einen Metallsarg die Treppe hinauf. Sie stellten ihn neben der Bahnsteigkante ab und wechselten atemlos ein paar Worte mit den Kriminaltechnikern im Gleisbett. Bernhard wendete sich ab, als der Unterleib der Toten aus dem Gleisbett gehoben wurde.

„Mensch, Junge, es tut mir so leid", versicherte Max Wertheim seinen Kollegen noch einmal seines Mitgefühls." Er legte erneut eine Hand auf Bernhards Schulter, was diesem ein bisschen unangenehm war. Außerdem war ihm viel zu warm.

„Ich bin mir nicht so sicher, dass unser Kollege allzu traurig über das Ableben seiner Chefin ist", warf Cordula Koslowski ein. Sie sah Bernhard mit einem freundlichen Lächeln an, das jedoch etwas Lauerndes in sich barg. Dessen Gesicht nahm zögernd einen verblüfften Ausdruck an, während Max Wertheims Unterkiefer entrüstet nach unten klappte. Cordula Koslowski blickte wechselweise von einem zum anderen.

„Liebe Kollegin Olschewski …“, begann Wertheim mit einem Unterton der Empörung.

„Koslowski“, berichtigte die Frau.“

„Koslowski oder Olschewski, sie wollen uns doch ihre Überlegungen sicher noch etwas näher erläutern.“

„Das will ich gerne tun. Es ist im Präsidium beileibe kein Geheimnis, dass das Arbeitsverhältnis zwischen dem Kollegen Lücke und Hauptkommissarin Ketteler schon seit einiger Zeit angespannt ist. Ich bin weit davon entfernt, die Ermittlungsarbeit des Kollegen zu bewerten, aber für ihn muss der Tod seiner Chefin nicht unbedingt ein trauriges Ereignis sein.“

Bernhard beobachtete, wie der Oberkörper der Toten unter dem Triebwagen geborgen wurde. Sein Blick fiel auf die schlaf herabhängenden Arme, die leblos in den Ärmeln einer beigefarbenen Leinenjacke baumelten, den zu einem stummen Schrei geöffneten

Mund und die starren, weit aufgerissenen Augen, die matt glitzerten. Ihr Körper war etwa in der Mitte von den unerbittlichen Stahlreifen des Zuges durchtrennt worden. Vorsichtig wurden die sterblichen Überreste in den Metallsarg gelegt.

Bernhard bemerkte, dass die Kollegin ihn immer noch aufmerksam beobachtete.

„Davon weiß ich nichts, Frau Kollegin“, schnaubte Max Wertheim wütend, „ich kenne Bernie Lücke seit vielen Jahren und er ist ein fähiger Polizist. Jeder, der was anderes behauptet, kriegt es mit mir zu tun!“

„Wollen sie sagen, dass sie mich verdächtigen?“, fragte Bernhard, der noch immer nicht ganz glauben konnte, was er hörte.

„Ich will gar nichts behaupten“, antwortete Cordula Koslowski mit gleichbleibend ruhigem Tonfall, „Fakt ist nur, dass Oberkommissar Lücke nicht gut auf seine Chefin zu sprechen, und dass er zum Zeitpunkt ihres Todes nicht im Präsidium war. Das weiß ich zufällig. Alles andere ist Sache der Internen.“

„Sie wollen ernsthaft sagen, dass ich Frau Ketteler vor den Zug gestoßen habe?“

„Wie ich schon sagte, ich behaupte gar nichts. Aber ich vermute etwas. Und ich werde meine Vermutung nicht für mich behalten.“

„Komm Bernie, dass musst du dir wirklich nicht anhören. Wenn ich das geahnt hätte, hätte ich dich nicht angerufen und hierherkommen lassen.“ Wertheim fasste Bernhard an der Schulter an und schob ihn Richtung Treppe.

„Das würde nichts an den Fakten ändern, Kommissar Werther“, sagte KOK Koslowski.

„Wertheim!“

„Wie auch immer.“

An der Treppe angekommen, die nach unten ins Bahnhofsgebäude führte, raunte Max Bernhard zu: „Noch mal sorry, Bernie. Das konnte ich nicht ahnen. Kommst du allein zurecht? Ich hab hier leider noch zu arbeiten. Um dieses Schrapnell da oben kümmere ich mich. Wir gehen demnächst mal wieder ein Bier trinken, okay?“

„Wenn´s auch ne Limonade sein kann, gerne Max.“

Während Bernhard Lücke die Bahnhofstreppe abwärts stieg, fühlte er sich beunruhigt und gleichzeitig euphorisiert. *Ich glaube, die Hitze verdampft mir noch das Hirn*, dachte er bei sich. Es war ja nicht so, als ob er Esther Ketteler nicht schon mehr als einmal die Pestilenz an den Hals gewünscht hätte, und mindestens zweimal, in ihrem Büro, hatte er darüber nachgedacht wie es wäre, ihr mit ihrem eigenen Locher den Schädel einzuschlagen. Aber der Gedanke und die Tat waren doch immerhin zweierlei. Oder?

Während er mit der Rolltreppe in das Basisgeschoss des Bahnhofs hinabfuhr und die belebte Halle durchquerte, dachte er ernsthaft über ein kühles Bier nach, mit oder ohne Max. Aber er würde nicht schwach werden. Drei oder vier halb aufgeweichte Toffifee würden es auch tun.

Draußen rollte ein schweres Donnergrollen über den Himmel, der jetzt über dem Handelshof dunkelgrau war. *Lieber Gott, lass es endlich regnen*, dachte Lücke. Dann dachte er an Leonie.

30

Die öffentliche Toilette auf dem Autobahnparkplatz an der A2 zwischen Bad Oeynhausen und Porta Westfalica war offensichtlich vor nicht allzu langer Zeit neu errichtet worden und machte äußerlich einen tadellos gepflegten Eindruck. Im krassen Gegensatz dazu präsentierte sich die Innenausstattung mit ihrem aus der Wand gerissenen Wasserhahn, dem gesprungenen Spiegel, klebrigen Türgriffen und einem Fliesenboden, bei dem man sich anstelle der filigranen hellen Ballerinas eher Gummistiefel gewünscht hätte. Und dabei unterschied sich die Damentoilette in puncto Sauberkeit nicht wesentlich vom Herrenbereich.

Der Himmel hatte sich bewölkt, als die schöne junge Dame mit einer zusammengerollten, weißen Plastiktüte unter dem Arm aus ihrem Z4 stieg und sich auf den Weg zum Toilettenhäuschen machte. In der Ferne war leises Donnergrollen zu vernehmen. Die Luft war jedoch noch immer schwülwarm.

Sie hatte diesen Parkplatz ausgewählt, weil er nicht weit hinter der letzten Raststätte mit Tankgelegenheit lag, und sich deshalb hier entsprechend wenig

Reisende aufhielten. Trotzdem hatte sie ein paar Minuten im Auto gewartet, bis sie den Eindruck hatte, die Damentoilette sei frei. Die Frau im Navi hatte ihr die Route über die A2 und später über die A7 Richtung Hamburg empfohlen, weil es auf der A1 bei Lotte, in der Nähe von Osnabrück angeblich längere Staus aufgrund von Baustellen gab.

Die schöne junge Dame betrat das Toilettenhäuschen, passierte das Waschbecken mit dem gesprungenen Spiegel und betrat im hinteren Bereich den relativ großen abschließbaren Raum mit einer behindertengerechten Toilette. Sie zog sich das verschwitzte türkisfarbene Top über den Kopf, knüllte es zusammen und wischte sich damit unter den Achseln ab. Dann zog sie ihr frisches, rotes Sommertop von Gucci aus der Plastiktüte und zog es an. Das getragene Shirt stopfte sie in die Tüte. Sie band sich die langen Haare zu einem Pferdeschwanz zusammen. Dann zog sie ein kleines rundes Kunststofffläschchen aus der Tüte und schraubte die Kappe ab. Mit der farblosen Flüssigkeit tränke sie das getragene Top in der Tüte, schraubte das Fläschchen wieder zu und schob es sich in die Hosentasche.

Als die schöne junge Dame wieder ins Freie trat, wehte ein warmer Wind über den Parkplatz. Sie sah sich unauffällig nach allen Seiten um und schlenderte hinüber zu einem großen Mülleimer aus Weißblech mit blauem Kunststoffdeckel. Dabei beobachtete sie den jungen Mann in einem dunkelgrauen Audi A3, der mit seinem Handy telefonierte, ohne sie zu beachten. In einiger Entfernung, am entgegengesetzten Ende des Parkplatzes, waren ein paar LKWs geparkt, von deren Fahrern weit und breit nichts zu sehen war. Möglicherweise saßen sie in ihren Kabinen, kauten ihr einsames Pausenbrot und tranken schwarzen Kaffee aus der Thermoskanne, oder sie lagen in ihren Kojen.

Wenige Minuten später entfernte sich der nachtblaue Z4 mit der schönen jungen Dame am Steuer vom Toilettenhäuschen, rollte über den Parkplatz und fädelte sich in den fließenden Verkehr auf der A2 ein. Die schöne junge Dame lächelte. Es war gut, dass sie es wieder getan hatte. Gut, dass sie gleich wieder aufs Pferd gestiegen war, nachdem sie abgeworfen wurde. Das Leben konnte weitergehen, wie sie es gewohnt war, und wie sie es mochte.

Aus dem schmalen Spalt zwischen dem oberen Rand des Mülleimers und seinem Deckel drang zuerst grauer Qualm, dann verformte sich der blaue Kunststoffdeckel, zog sich unter der plötzlichen Hitzeentwicklung schmerzhaft zusammen und zuletzt züngelten Flammen aus dem Loch, das sehr schnell im Deckel entstanden war.

Als sich der junge Mann im dunkelgrauen A3, das Handy noch in der Hand, auf seinem Fahrersitz umdrehte, sah er, wie meterhohe Flammen nervös zuckend aus dem Mülleimer neben dem Toilettenhäuschen schlugen. Schwarzer Qualm wurde von einem böigen Westwind seitlich über den Parkplatz geweht. Auf der Frontscheibe seines Wagens zeigten sich erste Regentropfen.

31

Kaum jemand, der ein persönliches Gespräch mit Hartmut Voss, dem Polizeipräsidenten hatte, schaffte es, dabei nicht ständig auf dessen besonders buschige graue Augenbrauen zu starren, die er, während er redete oder auch nur zuhörte, immer wieder auf und nieder wandern ließ, wobei sich die steile Stirnfalte wechselweise stärker ausprägte und wieder entspannte. Dass die Augenbrauen bei Hartmut Voss das herausragende Merkmal waren, hatte den Vorteil zum Beispiel gegenüber einer Knollennase oder einer

Warze am Kinn, dass es während des Gesprächs so aussah, als schaute man ihm direkt in die braunen Augen, obwohl man sich eigentlich auf einen Bereich einen oder zwei Zentimeter weiter oberhalb fokussierte.

Bernhard Lücke kannte niemanden im Präsidium, der ein solches Vieraugengespräch mit dem Präsidenten von sich aus anstreben würde. Auch er hatte das nicht getan. Beileibe nicht. Eigentlich hatte er gehofft, dass im Laufe der Zeit einfach Gras über alles wachsen würde und er so weiter machen konnte, wie bisher. Aber die Schatten der toten Esther Ketteler waren lang, das wurde ihm jetzt auf unangenehme Weise klar.

Bis auf den dunkelbraunen Nussbaumschreibtisch, den der Präsident möglicherweise von seinem Vorvorvorgänger geerbt hatte, oder der vielleicht sogar noch aus der Zeit stammte, als die geheime Staatspolizei in diesem Gebäude das Sagen hatte, war das Büro spartanisch und modern eingerichtet.

Lücke saß auf einem der nicht unbequemen Besucherstühle aus Chrom und schwarzem Kunststoff. Die buschigen Augenbrauen und Hartmut Voss blickten ihn zwischen zwei Flachbildschirmen hindurch an, die auf dem Schreibtisch standen. Der Präsident hatte seine fleischigen Hände gefaltet auf seiner Schreibunterlage abgelegt.

„Dass die Sache mit der Internen ausgestanden ist, Lücke“, sagte er in seinem würdigen Bariton, „ist für uns alle gut. Das wissen sie. Ihnen ist klar, wie gerne sich die Medien auf so eine Sache einschießen. Obwohl ihr Alibi sich in den Akten nicht gerade ruhmreich ausmacht, ist es trotzdem ein Alibi.“

Lückes Hintern fühlte sich heiß an auf dem Kunststoffsitz. Die Finger seiner Hände vollführten in seinem Schoß einen Ringkampf, den sein Gegenüber jedoch nicht verfolgen konnte, da er sich unterhalb der Tischplatte abspielte.

„Ich weiß, Herr Präsident.“

„Sagen sie nicht Herr Präsident. Sie wissen, dass ich das nicht mag. Wir kennen uns schon ziemlich lange. Die Hauptsache ist jetzt, dass der Verdacht gegen sie vollständig ausgeräumt wurde. Für mich war der Vorwurf von Anfang an absurd. Aber die Kollegin Koslowski hat nun mal ihren Verdacht öffentlich gemacht, und dann müssen die Dinge ihren Lauf nehmen.“

„Natürlich, Herr Prä …, Herr Voss.“

„Aber nun zu ihnen, Kollege Lücke. Sprechen wir über die Zukunft.“ Präsident Voss senkte seine Brauen so tief ab, dass sie die oberen Hälften seiner Augen verdeckten. Lücke, der sich nach Kräften bemühte, äußerlich einen souveränen Eindruck zu vermitteln, hatte das Gefühl, innerlich zu schrumpfen. Stavros Arvanitidis kam ihm kurz in den Sinn, der Imbisswirt vom Hellas-Grill in der Hufelandstraße, der ihm ein verlässliches Alibi gegeben hatte. Just zu der Zeit, als Hauptkommissarin Esther Ketteler auf das Gleis gestürzt war, wo die eisernen Räder der S9 sie in zwei Hälften zerteilte, hatte Bernhard Lücke eine große Portion Gyros mit Zaziki verzehrt und dazu eine 0,33-Liter-Flasche Cola Light getrunken. Stavros hatte sich deshalb so genau auch zeitlich an Lückes Besuch erinnern können, weil an dem Nachmittag die Meldung im Internet aufgetaucht war, dass die Journalistin Mesale Tolu, die wegen Terrorvorwürfen in der Türkei in Untersuchungshaft gesessen hatte, nun doch das Land verlassen durfte. Über das Thema hatten die beiden am Zwanzigsten kurz geredet. „Anscheinend gibt es da unten ja doch noch ein paar halbwegs vernünftige Leute", hatte Stavros gesagt.

Ketteler war ein Drachen gewesen, aber den Tod, noch dazu einen so grauenvollen, hatte Lücke ihr nicht gewünscht. Aber es gab immerhin Kollegen im Präsidium, die ihm solch einen perfiden Mord zutrauten. Außer der Kollegin Koslowski vom Dauerdienst hatte auch die liebe Lina Krass zu ihnen gehört, die momentan die Abteilung K3 kommissarisch leitete. Dieser vorübergehenden Regelung hatten Kriminalrat Krause und der Präsident zugestimmt, weil Esther Ketteler die junge Kollegin zu Lebzeiten bereits als ihre rechte Hand betrachtet hatte.

„Wie steht es bei Ihnen mit dem Alkohol, Lücke? Ihre Kur ist ja nun schon ein ganzes Weilchen her."

Die in harmlosem Gesprächston hingeworfene Frage traf Lücke wie ein Schlag mit einem nassen Handtuch. Er fürchtete, man könne es ihm am Gesicht ansehen.

Soll er mich doch einfach rausschmeißen, dachte er trotzig.

„Seit damals nicht einen einzigen Tropfen, Herr Voss", sagte er und fühlte Ärger in sich aufsteigen.

„Kein Feierabendbierchen? Ab und zu mal am Wochenende einen drauf machen mit Freunden?"

„Herr Präsident." Lückes Ton wurde scharf. Er wandelte sich vom Opfer zum Angreifer. „Ich trinke keinen Alkohol. Nie. Das Thema ist für mich durch. Wenn sie glauben, ich …"

„Schon gut", unterbrach ihn Voss, „lassen sie mich reden. Ich kann mich noch gut erinnern, als der alte

Baring in Pension ging. Sie haben doch auch lange mit ihm gearbeitet. Baring war ein guter Kommissariatsleiter. Wir hatten immer tadellose Aufklärungsraten, und wir hatten bei aller gebotenen Kontroverse ein harmonisches Team.“

Bernhard Lücke konnte sich auch noch sehr gut an Gerald Baring erinnern. Der alte Hauptkommissar war jahrelang sein Chef gewesen. Ein knappes Jahr vor seiner Pensionierung hatte man ihn noch zum Kriminalrat befördert. Lücke hätte eigentlich mal sein Nachfolger werden sollen. Bis dann diese Scheiß Sauferei dazwischenkam. *Hängst du einmal drin, wirst du es nie wieder los!* Oder wie irgendein Fußballer mal gesagt hatte: „Hasse Scheiße am Schuh, hasse Scheiße am Schuh.“

„Mit Hauptkommissarin Ketteler ist ein neuer Wind eingekehrt“, referierte Voss weiter und machte mit einer Hand Bewegungen, als wolle er Fliegen verscheuchen, „modernere Ermittlungsmethoden, straffere Organisation. Die Aufklärungsrate ist ebenfalls gut. Nur die Stimmung im Team hat gelitten. Das ist mir nicht entgangen. Und aus welchen Gründen auch immer, der Krankenstand hat sich seitdem durchschnittlich um über fünfundzwanzig Prozent erhöht. Fakt ist allerdings auch, dass Frau Ketteler mit ihrer Arbeit“, er zeigte mit dem Finger auf Lücke, „in letzter Zeit nicht sehr zufrieden war. Schlechte Teamarbeit, mangelhafte Kommunikation, Abneigung gegen neue Ermittlungsmethoden, nicht abgesprochene Alleingänge.“

Wenn der alte Höhlenbär mich nicht endlich rausschmeißt, gehe ich von allein, dachte Lücke wütend. All diese Vorwürfe waren glatte Verleumdungen. Hirngespinste einer frustrierten, unbefriedigten, alten …

„Passen sie auf, Lücke, ich will nicht lange um den heißen Brei herumreden.“

Um ein Haar hätte Lücke jetzt bitter aufgelacht.

„Wie sie wissen, bin ich auch ein alter Bulle, genau wie sie, Lücke. Fast dreißig Jahre Polizeidienst habe ich auf dem Buckel. Mir macht so schnell keiner was vor. Eine Frau Koslowski nicht, und auch nicht eine Frau Krass, so fleißig und ehrgeizig sie auch ist. Selbst eine Frau Ketteler nicht. Ich will, dass hier wieder Ruhe einkehrt. Wir müssen uns auf die Gauner in der Stadt konzentrieren und nicht auf uns selbst. Sie werden lernen müssen, Lücke. Sie werden demnächst viel Zeit in Münster verbringen. Meine konkrete Frage an sie ...“ Der Präsident schob sich mit dem Oberkörper bis an die Tischkante vor und legte die Handflächen geräuschvoll auf die Schreibunterlage,

„…trauen sie sich zu, in Zukunft die Abteilung K3 zu leiten? Ja oder nein?“

Bernhard Lücke, der bis zuletzt damit gerechnet hatte, aus dem Dienst entlassen, oder zumindest strafversetzt zu werden, brauchte ein paar Sekunden, um seine Gedanken zu ordnen, bevor er ein simples „Ja“ hervorbrachte. Dann fügte er noch hinzu: „Klar, warum nicht?“, als habe der Biologielehrer den Schüler aufgefordert, die Tafel abzuwischen.

„Na also, dann abgemacht“, lachte der Präsident, rollte seinen Stuhl zurück, stand auf und streckte seinem Untergebenen die Hand entgegen. Er riss die Augen weit auf, wobei seine Brauen auf der Stirn weit nach oben wanderten. Lücke stand langsamer auf und ergriff die Hand.

„Die offizielle Ernennung kommt nächste Woche. Herzlichen Glückwunsch, Herr Hauptkommissar.“

32

„Meine Frau hat kein bisschen übertrieben, sie sehen hinreißend aus, gnädige Frau“, sagte der Mann mit dem weißen Hemd und der schwarzen Fliege. Er stand neben ihrem Tisch und deutete eine Verbeugung an.

Valerie legte den Kopf zurück und lachte ihm herzlich ins Gesicht.

„Joschi, hör auf mit dem Schmarrn“, sagte sie. Der Mann mit dem dunklen Schnurrbart und der widerspenstigen schwarzen Haarlocke in der Stirn lachte ebenfalls.

„Nein ernsthaft, Valerie, Alina sagte schon, du siehst strahlender aus, als je zuvor. Du wirst immer jünger, wie machst du das nur?“

Valerie saß seit langer Zeit zum ersten Mal wieder an dem filigranen runden Jugendstiltisch direkt an dem hohen, schmalen Fenster des Café Mozart.

„Ihr seht ebenfalls gut aus, ihr zwei“, sagte sie, „komm, bitte setz dich doch einen Moment her. Wir haben uns so lange nicht gesehen.“

Aljoscha setzte sich, entgegen seiner Gewohnheit, tatsächlich seinem Gast gegenüber an den Tisch. „Wir haben uns Sorgen gemacht, Alina und ich, als du einfach gar nicht mehr aufgetaucht bist. Wir dachten schon, du seist krank.“

Valerie schüttelte den Kopf und nippte kurz an ihrem Kaffee Melange. „Nein, Joschi, mit mir ist alles okay. Ich hatte nur einfach so wahnsinnig viel zu tun. Und dann hatte ich Termine in Essen, München und Stralsund. Gestern Mittag bin ich mit dem Flieger aus Wien zurückgekommen.“

Aljoschas dunkle Augen nahmen einen wehmütigen Ausdruck an.

„Ach, Wien“, schwärmte er, „bestimmt gehen wir eines Tages dahin zurück. Alina sprach neulich auch davon. Jetzt, wo unsere Mona bei uns auszieht und nach Toulouse geht. Da ist es eigentlich egal, ob wir in Hamburg oder in Wien wohnen.“

„Stimmt ja, Mona müsste doch jetzt Ihren Master in der Tasche haben. Oh Gott, das ist mir jetzt peinlich. Was hat sie denn überhaupt studiert? Ich hab das nie gefragt.“

„Macht nichts, Valerie, ich hab´s ja selbst bis heute nicht begriffen. Ich bin schließlich nur ein dummer Caféhausbesitzer.“ Er überlegte kurz und betete es langsam und andächtig herunter, als stünde er neben dem Pult des Lehrers und müsste Schillers Glocke rezitieren, oder Schäfers Sonntagslied von Ludwig Uhland: „Internationales Produkt- und Service-management."

„Klingt toll", bemerkte Valerie, der das nicht mehr sagte, als dem stolzen Vater, „und sie geht nach Toulouse?"

„Ja, du müsstest die mal französisch sprechen hören. Kaum zu glauben, dass das unsere Mona ist." Aljoscha strahlte über das ganze Gesicht. Valerie hatte den Eindruck, dass er etwas voller geworden war im letzten Jahr.

„Und da hat sie jetzt einen Job?"

„Ja, bei Airbus. Sie kriegt da gleich am Anfang ein Gehalt, davon können ihre Eltern nur träumen. Irgendwas mit Forderungsmanagement macht sie da für den Anfang. Alina könnte dir das genauer erklären."

„Irre", sagte Valerie und spielte mit ihrem iPhone, das vor ihr auf dem Tisch lag. Sie mochte Joschi und seine Frau sehr gerne. Die Tochter hatte sie aber nur zweimal gesehen, und für deren beruflichen Werdegang interessierte sie sich nur am Rande. Nachdenklich blickte sie zu dem leeren Nachbartisch hinüber. Vor nicht allzu langer Zeit hatte dort ein bildschöner junger Mann gesessen, der furchtbar traurig ausgesehen hatte. Damals hatte sie sich ihm auf merkwürdige Weise nahe gefühlt. Sie fragte sich, was aus ihm geworden war.

„Aber okay, ich will dich jetzt nicht länger stören", sagte Joschi und machte Anstalten aufzustehen.

„Nein, warte", sagte Valerie eilig, „bleib sitzen. Ich wollte euch doch noch was erzählen. Ich komme jetzt ganz bestimmt wieder öfter. Ich weiß gar nicht, wie ich so lange ohne das Mozart ausgekommen bin." Sie lächelte. Draußen warf ein kräftiger Dezembersturm prasselnd Regentropfen gegen die Scheibe und übertönte für kurze Zeit die leise klassische Musik, die aus den unsichtbaren Lautsprechern drang. Das Café war bis auf drei Tische leer. Für einen normalen Dienstagnachmittag aber nicht ungewöhnlich.

„Aber übers Wochenende muss ich wieder verreisen", sagte Valerie, „Freunde haben mich eingeladen." Sie stockte kurz und dachte über den Begriff nach, den sie eben verwendet hatte. Ja, es waren wohl wirklich Freunde, die ihr in der vergangenen Woche die Karte geschickt hatten. Es verband sie etwas mit diesen Menschen, das sich von dem unterschied, was zwischen ihr und den vielen anderen Leuten war, die sie aus den Bars und Clubs des Schanzenviertels kannte, oder den Schlagersängern und Comedians, die sie unter Vertrag hatte. Unheimlich viel Spaß hatte sie mit diesen schon gehabt. Nächte hatte sie mit ihnen durchgefeiert, gemeinsam unzählige Cocktails und Champagnerflaschen geleert. Aber mit diesen beiden besonderen Menschen war es etwas anderes. Mit ihnen hatte sie bisher nur Kaffee getrunken, ganz einfachen Filterkaffee aus einer Maschine für unter fünfzig Euro. Valerie war plötzlich so gerührt, dass sie für die Dauer eines Augenblicks gegen aufkommende Tränen ankämpfen musste, die danach trachteten, ihren Blick zu verschleiern. Mehr um sich selbst abzulenken, redete sie weiter: „Ja, es ist eine Hochzeit. Ich bin zu einer Hochzeit eingeladen. Ich weiß gar nicht, was ich anziehen soll."

Während Aljoscha überrascht seinen Blick auf Valeries schwarze figurbetonte Bluse richtete, die hoch an ihrem schlanken Hals mit einem Stehbündchen abschloss, während die langen Ärmel Ornamente aus durchscheinender Stickerei trugen, machte sie ein ernstes, fast besorgtes Gesicht. Ihren graublauen Escada-Wintermantel und den Schal hatte er selbst an den Garderobenständer gehängt, der sich neben der Anrichte mit der Jugendstiluhr befand. Aljoscha konnte sich kaum erinnern, seinen

Lieblingsgast zwei Mal im selben Outfit gesehen zu haben.

Als er ihr, nach wie vor erstaunt, wieder ins Gesicht blickte, mussten beide gleichzeitig so laut lachen, dass die wenigen anderen Gäste des Cafés zu ihnen herübersahen.

Valerie nahm ihre kleine schwarze Handtasche, deren schmalen Riemen sie an die Stuhllehne gehängt hatte, klappte sie auf und zog einen blassrosa Briefumschlag hervor. Aus dem Umschlag zog sie eine Karte heraus. Das Deckblatt zeigte die Zeichnung einer fliegenden weiße Taube, die in ihrem Schnabel ein rotes Bändchen trug, an dessen unterem Ende zwei ineinandergreifende goldene Ringe befestigt waren. Darunter war ein üppiger Strauß blühender Blumen abgebildet, deren Farben von zartem Rosa, über Violett bis hin zu einem tiefen Lila reichten. Für Valerie waren es eindeutig Astern.

Wortlos schob sie die Karte zu Aljoscha über den Tisch, der sie zwischen die Finger nahm und aufklappte.

Er las die in ungelenker Kinderschrift verfassten Zeilen auf der linken Seite der aufgeklappten Karte: *Liebe Valerie. Wir würden uns so freuen, wenn du dabei bist. Du musst kommen. Bitte!* Die rechte Seite wurde dominiert von einem schwungvoll aufgedruckten, grünen Herzen. Darin stand: *Leonie und Bernie sagen Ja.* Auf einem kleinen rosa Beiblatt stand die Anschrift einer Gaststätte, ein Datum und eine Uhrzeit.

Aljoscha klappte die Karte wieder zu.

„Das ist schön“, sagte er, „und wenn du nichts zum Anziehen hast, frag ich Alina, ob sie dir was leiht.“

Wieder schauten die anderen Gäste herüber, um herauszufinden, was es da zu lachen gab.

DANK

Beim Korrekturlesen eigener Texte sieht man als Autor oft den Wald vor Bäumen nicht. Meiner lieben Tochter Sylvia danke ich ganz herzlich dafür, dass sie sich als Testleserin angeboten und wichtige Hinweise auf dubiose Textpassagen gegeben hat. Und bei der Sache mit den Kommata drängt sich ja auch oft die eine oder andere Ermessensfrage auf, die mit Humor diskutiert werden muss.

Ein besonderer Dank gilt auch meinem geschätzten Autorenkollegen Thorsten Scherer. Er hatte vor einiger Zeit die Idee zu einer interessanten Anthologie. Die Existenz des Wiener Caféhauses in Hamburg basiert ebenso auf dieser Idee wie die liebenswerten Inhaber Aljoscha und Alina. Auch die schöne und stilbewusste Hauptprotagonistin Valerie Bensheim hätte es ohne ihn nicht gegeben.

Dass Valerie ein Eigenleben entwickelt hat und ein dunkles Geheimnis birgt, ist ebenso wenig meine Schuld, wie die dramatischen Ereignisse, in die sie im Laufe der Geschichte verwickelt wird. Dafür machen Sie bitte das Leben verantwortlich, das solche Geschichten bekanntermaßen schreibt.

Für kreatives Arbeiten ist es von unschätzbarem Wert, in einem harmonischen Umfeld leben zu dürfen. Meiner lieben Frau Rosi kann ich kaum genug dafür danken, dass sie mir mit Ratschlägen zur Seite steht, wo immer diese gebraucht werden. Vor allem bin ich ihr aber dafür unendlich dankbar, dass sie es mit Verständnis und Liebe erträgt, wenn ich viele Stunden der so kostbaren gemeinsamen Zeit allein mit meinem Laptop verbringe und mich statt ihrer mit Menschen umgebe, die nicht einmal real existieren.

Ruben Schwarz

2019